NICH

ORCS

TWEEDE BOEK

KEIZERIN VAN HET DUISTER

Gemeentelijke Hoofdbibliotheek
Beveren

D0655818

Van Stan Nicholls zijn verschenen:

Beschermheer van het Licht
Keizerin van het Duister

STAN NICHOLLS

ORCS

TWEEDE BOEK

KEIZERIN
VAN HET DUISTER

Gemeentelijke Hoofdbibliotheek
Beveren

Luitingh Fantasy

ORCS TRILOGY © by Stan Nicholls
Bodyguard of Lightning
Legion of Thunder
Warriors of the Tempest

© 1999 Stan Nicholls
Published in agreement with the author, c/o BAROR INTERNATIONAL, INC.,
Armonk, New York, U.S.A.
All Rights Reserved
© 2005 Nederlandse vertaling
Uitgeverij Luitingh ~ Sijthoff B.V., Amsterdam
Alle rechten voorbehouden
Oorspronkelijke titel: *Legion of Thunder*
Vertaling: Lia Belt
Omslagontwerp: Rudy Vrooman
Omslagillustratie: Carr Design Studio, U.K.

ISBN 90 245 5288 5
NUR 334

www.boekenwereld.com

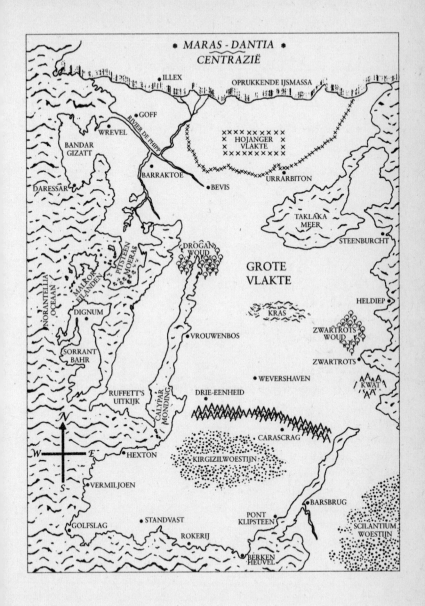

WAT GEBEURDE ER TOT NU TOE?

Het zou onwaar zijn te zeggen dat er in Maras-Dantia altijd vrede had geheerst. In een land met talloze oude rassen waren conflicten onvermijdelijk. Maar over het algemeen was er altijd een zekere mate van tolerantie geweest.

Die balans ging verloren toen er een nieuw ras ten tonele verscheen. Ze werden mensen genoemd, en ze doorkruisten de barre woestijnen in het zuiden op hun tocht naar Maras-Dantia. Eerst was het een handjevol, maar in de loop der jaren stroomden ze toe. De inkomers hadden niets dan minachting voor de culturen die ze aantroffen. Ze veranderden de naam van het land in Centrazië, en hoe meer hun aantal toenam, hoe groter de vernietiging die ze toebrachten. Ze damden rivieren in, kapten hele bossen, plunderden dorpen en haalden achteloos kostbare bodemschatten uit de aarde.

Maar het ergste was nog dat ze de magie van Maras-Dantia opvraten.

Door hun plundering ging er essentiële energie uit het land verloren en verminderde de kracht van de magie, die de oude rassen zo vanzelfsprekend hadden gevonden. Het klimaat werd beïnvloed en de seizoenen werden grillig. De zomer leek meer op de herfst, winters werden langer en van lente was bijna geen sprake meer. Vanuit het noorden kwam er een veld van ijs oprukken.

Al snel was het oorlog tussen de Maras-Dantianen en de mensen.

De oude rassen waren verdeeld door hun oude rivaliteiten, en de situatie werd nog eens bemoeilijkt door de dwergenbevolking, berucht om hun opportunisme. Velen van hen schaarden zich bij de mensen en deden vrijwillig hun vuile werk. Anderen bleven loyaal aan de zaak van de oude rassen.

Maar de mensen zelf waren ook verdeeld, gescheiden door een religieuze kloof tussen twee groepen. De volgers van het Menigvuldige Pad, de meni's, geloofden in het oude stelsel van vele goden. Hun tegenstanders van het Enige Pad werden de eni's genoemd, en zij streden voor hun ene god. Beide groepen konden bij tijd en wijle fanatiek zijn, maar de eni's waren groter in getale, dweepten meer met hun geloof en hadden meer demagogen onder hun rangen.

Van alle oude rassen in Maras-Dantia waren de orcs het meest strijdlustig. Ze waren een van de weinige oude rassen zonder magische krachten, maar compenseerden dit gemis met een felle oorlogslust. Doorgaans waren zij in het oog van de storm te vinden.

Voor een orc was Struyk intelligent. Hij voerde een troep van zo'n dertig strijders aan, die zich de Veelvraten noemden. Struyk had twee sergeanten onder zich: Haskier en Jup. Haskier was de meest roekeloze en onvoorspelbare van de groep; Jup was de enige dwerg, of eigenlijk de enige in de troep die geen orc was. Hij werd dan ook vaak met achterdocht bekeken. Onder de sergeanten stonden korporaal Alfré en korporaal Coilla. Alfré was het oudste lid van de groep en legerarts, Coilla het enige vrouwelijke lid van de Veelvraten en een briljant strateeg. Onder hen stonden vijfentwintig gewone soldaten, aangeduid als knorren.

De Veelvraten dienden koningin Jennesta, een vrouw met grote magische krachten die de zaak van de meni's steunde. Jennesta was een hybride, het resultaat van een huwelijk tussen een mens en een nyade. Haar wreedheid en seksuele onverzadigbaarheid waren berucht.

Tijdens een geheime missie bestormden de Veelvraten een enivestiging met als doel een heel oude, verzegelde berichtkoker in handen te krijgen. Ze bemachtigden het artefact en vonden ook een grote hoeveelheid geestverruimend middel. Het middel had vele namen onder de oude rassen, maar werd meestal pellucide genoemd. De orcs noemden het ook wel de brenger van de kristallen bliksem.

Struyk maakte een fout door zichzelf en de troep wat pellucide te gunnen om hun succes te vieren. Ze werden de volgende morgen in paniek wakker, omdat ze wisten dat ze, wat Jennesta betrof, te laat terug zouden zijn. Onderweg liepen ze echter in een hinderlaag van een bende kobolden, en ondanks hun felle weerstand werd de koker gestolen. Struyk wist dat Jennesta's straf gruwelijk zou zijn, en zag geen andere mogelijkheid dan achter de overvallers aan te gaan om de schat terug te halen.

Jennesta beval generaal Kystan, commandant van haar leger, om een zoektocht naar de Veelvraten in gang te zetten. Hij stuurde een groep van zijn beste orcsoldaten, geleid door kapitein Delorran, die al heel lang een hekel had aan Struyk. Intussen nam Jennesta telepathisch contact op met haar zusters Adpar en Sanara. Door de slechte onderlinge verstandhouding kon Jennesta echter niet achterhalen of een van beide zusters wist waar de Veelvraten of het kostbare artefact waren.

Tijdens de zoektocht naar de kobolden kreeg Struyk een aantal dromen of visioenen. Hij zag een wereld waarin enkel orcs leefden, in harmonie met de natuur en met zeggenschap over hun eigen lot. Deze orcs hadden nog nooit gehoord van mensen of andere oude rassen. En op deze droomplek was het klimaat zoals het hoorde te zijn.

Struyk was bang dat hij zijn verstand aan het verliezen was.

Delorran was ervan overtuigd dat de Veelvraten gedeserteerd waren en besloot verder naar hen te zoeken. Aangezien dit tegen de uitdrukkelijke wens van Jennesta in ging, was het een riskante onderneming. Maar Delorrans wraakzuchtige gevoelens ten opzichte van Struyk spoorden hem aan het risico te nemen.

Struyk leidde zijn groep naar Zwartrots, het thuisland van de kobolden. Het was een gevaarlijke reis. Ze stuitten op een orc-kamp waarin alle bewoners waren bezweken aan een mensenziekte. Later, in de buurt van de mensenvestiging Wevershaven, werden de Veelvraten aangevallen door een menigte eni's. Toen ze uiteindelijk Zwartrots bereikten, namen ze bloedig wraak op de kobolden. Ze vonden het artefact en lieten een bejaarde gremlin vrij die daar gevangen werd gehouden. De gremlin, Mobs genaamd, vertelde dat hij oude talen bestudeerde. De kobolden hadden hem gevangengenomen om de inhoud van de koker te ontcijferen. Hij dacht dat die iets kon bevatten wat direct te maken had met de oorsprong van de oude rassen. Naar deze kennis waren de kobolden op zoek, al was onduidelijk of ze voor zichzelf of voor iemand anders handelden.

Mobs dacht dat de inhoud van de koker verband hield met Vermegram en Tentarr Arngrim, twee legendarische figuren uit de geschiedenis van Maras-Dantia. Vermegram was een machtige tovenares, een nyade en de moeder van Jennesta, Adpar en Sanara. Men zei dat ze was gedood door Arngrim, die even machtig was als zij. Arngrim zelf was spoorloos verdwenen.

Mobs vertelde met zoveel passie over het onderwerp, dat dit rebelse gedachten bij de Veelvraten opriep. Struyk overtuigde hen allen, behalve Haskier en enkele knorren, dat ze de koker moesten openen. De koker bleek een voorwerp van onbekend materiaal te bevatten; een bol met zeven ongelijke uitsteeksels. De orcs vonden het lijken op een ster, een speelgoedje voor een jonge orc. Mobs vertelde dat het een instrumentaliteit was; een voorwerp met grote magische krachten waarvan men al heel lang dacht dat het een mythe was. Wanneer het voorwerp zou worden samengebracht met vier andere, zou de waarheid over de oude rassen worden onthuld: een waarheid die hen volgens de legenden zou kunnen bevrijden. Aangezien de orcs nooit anders hadden gekend dan te dienen en te sterven voor anderen, was het vooruitzicht van vrijheid aantrekkelijk. Struyk overtuigde zijn troep ervan hun loyaliteit aan Jennesta te vergeten en als vrije groep verder te gaan. Ze wilden op zoek gaan naar de andere sterren, omdat zelfs een vruchteloze zoektocht beter was dan in slavernij te leven.

Mobs gaf hun een aanwijzing voor de vindplaats van een volgende instrumentaliteit. Hij had de kobolden horen praten over Drie-eenheid, een enivestiging die werd geleid door de fanatieke Kimbal Hobrauw. Struyk en zijn groep reisden in die richting af. Mobs ging onderweg naar de vrijhaven Heldiep, maar kruiste onderweg het pad van Delorran en werd door hem vermoord.

Jennesta was woedend over het gebrek aan vooruitgang in de zoektocht. Ze liet generaal Kystan executeren en stelde in zijn plaats Mersadion aan, een veel jongere officier. De jacht op de Veelvraten werd aangescherpt.

De troep sloeg een aanval van de groep van Delorran af en ontsnapte aan Jennesta's oorlogsdraken. Toen kreeg Haskier een gevaarlijke koorts, een mensenziekte. Toen ze Drie-eenheid bereikten, leek het een onneembaar fort. Ze ontdekten echter dat de eni's gebruikmaakten van dwergarbeiders die elke dag werden opgehaald. Jup infiltreerde in een van de wagens en drong het fort binnen. Hij was getuige van de tirannie van Hobrauw en de strakke hand waarmee de vestiging werd geleid. Hij trof inderdaad een instrumentaliteit in Drie-eenheid aan, maar ontdekte ook dat Hobrauw en zijn consorten er giftige planten kweekten om massaal oude rassen mee te vermoorden. Hij stichtte brand in de kas en ging er met de ster vandoor. De wraakzuchtige Hobrauw en zijn menigte volgden hen enkele dagen voordat de Veelvraten hen konden afschudden. Op basis van informatie die Jup in Drie-eenheid had opgevangen, ging de groep richting Kras, het onheilspellende thuisland van de trollen, waar ze hoopten nóg een ster te vinden.

Delorran moest zonder het artefact terug naar het paleis van Jennesta, waar hij betaalde met zijn leven. Jennesta was het vertrouwen in haar eigen volgelingen kwijt en huurde Mica Lekman, Griever Aulay en Jabez Blaan in; meedogenloze menselijke premiejagers die zich hadden gespecialiseerd in het opsporen van weggelopen orcs.

Haskier overwon zijn koorts, al werd zijn gedrag daarna erg grillig. Even buiten Kras liet Struyk hem en Coilla achter bij de sterren, terwijl de rest van de groep de ondergrondse doolhof van de trollen binnenging. Het duurde niet lang voor ze werden aangevallen door de ondergrondse bewoners, en Struyk en Alfré werden door een instortende gang gescheiden van de anderen. Bovengronds ging Haskier er in een vlaag van verstandsverbijstering met de sterren vandoor. Coilla zette de achtervolging in. Jup wist niet of Struyk en Alfré nog in leven waren en nam de leiding over de troep op zich, ondanks de vijandige houding van de knorren.

Coilla werd tijdens haar achtervolging van haar paard geslingerd. Ongewapend en duizelig stond ze oog in oog met de premiejagers.

Inmiddels werden Struyk en Alfré door de trollen gevangengenomen. Tannar, de angstaanjagende trollenkoning, was van plan hen te offeren aan de duistere goden van zijn ras.

Op het heft van zijn offermes prijkte de derde ster.

1

De dood bewoog zich kronkelend door het water.

Haar gezicht stond verbeten. Ze dook diep onder water en stuwde zich voort met krachtige slagen van haar zwemvlieshanden. Haar donkere haren waaierden achter haar uit als een inktwolk. Uit haar kieuwen borrelden kleine sliertjes luchtbelletjes.

Ze keek achterom. Haar zwerm nyaden zwom in formatie achter haar aan, gehuld in de groene gloed van de fosforstaven waarmee ze hun weg onder water verlichtten. Ze waren bewapend met scherpe koraaldolken. In de rieten halters over hun geschubde borstkassen droegen ze gekromde dolken van adamantine.

Het water werd helderder, waardoor ze af en toe een glimp opving van de zandige zeebodem, rotsen en wieren. Niet lang daarna kwam het begin van een rif in zicht, wit en grillig en bedekt met paarsachtige begroeiing. Ze zwom eroverheen met haar krijgers achter zich aan. De zwerm volgde de contouren van het rif. Zo dicht bij het koraal was de verwoesting duidelijk te zien. De zieke planten en het geringe aantal vissen waren een bewijs van de smet die zich verspreidde. Er dreven stukken dood weefsel langs en het water was op deze diepte ijskoud.

Ze stak een hand op toen ze hun doel in het oog kreeg. De strijders lieten de lichtgevende staven vallen waardoor de zeebodem werd bedekt met een waterval van groen, en schaarden zich om haar heen.

Voor hen uit, waar de bovenkant van het rif breder werd, was een rots vol natuurlijke en kunstmatige gaten en grotten. Vanaf deze afstand was er geen teken van bewoners te zien. Ze gebaarde haar bevelen. Een tiental strijders maakte zich los van de groep en ging op het vijandige domein af, laag bij de bodem en omzichtig. Ze leidde de rest van de strijders op een afstandje achter hen aan.

Toen ze de vestiging naderden, zagen ze de eerste meerz: een handvol wachters die de groep nog niet zagen aankomen. Ze bekeek hen minachtend. Ze leken maar deels op mensen, maar toch vond ze het walgelijke wezens. Voor haar was uiterlijk, evenzeer als een dispuut over territorium of voedsel, voldoende reden om oorlog te voeren. Ze liet de rij strijders halt houden en keek toe hoe haar verkenners de aanval inzetten.

Elke wachter werd aangevallen door twee of drie strijders. De dichtstbijzijnde wachter was mannelijk en leek alleen bedacht op toevallig passerende roofvissen, niet op een verrassingsaanval. Toen hij zich langzaam omdraaide, zag ze weer wat ze zo walgelijk aan hen vond.

Het bovenlichaam en hoofd van de meerzman leken veel op die van een mens, op de smalle kieuwen langs zijn bovenlichaam na. Zijn neus was breder en platter dan die van een mens en zijn ogen waren bedekt met een dun vlies. Het wezen had een onbehaarde borst en bovenarmen, maar hij had roestkleurig hoofdhaar en een korte, krullende baard.

Van zijn middel naar beneden leek hij in niets meer op een mens, maar meer op een nyade. Zijn melkwitte vlees ging hier over in glanzende, overlappende schubben. Hij had een lange, slanke staart die uitliep in een grote vin.

De meerz droeg het traditionele wapen van zijn ras; een speerlange drietand met punten zoals van een pijl.

Er gingen snel drie strijders op hem af. Ze naderden hem van achteren en van de zijkanten, zodat hij hen niet zag aankomen. De meerzman maakte maar weinig kans. De nyade van rechts sloeg hard toe met zijn piek met weerhaken en raakte de meerzman net boven zijn middel. Het was geen fatale wond, maar de meerzman was afgeleid. Toen hij zich omdraaide naar zijn aanvaller, dook er een tweede nyade achter hem op. Deze nyade greep de meerzman bij zijn haren en sneed hem de keel af met zijn koraaldolk.

De wachter spartelde woest, waardoor er een wolk van bloed uit de gapende wond vrijkwam. Toen zakte zijn levenloze lichaam naar de zeebodem. De slierten bloed die nog uit zijn lichaam opstegen, vormden rode linten in het water.

Ze liet haar belangrijkste groep strijders wachten terwijl de verkenners de andere wachters uitschakelden.

Een andere meerz werd eveneens verrast. Een van de nyaden hield hem vast, terwijl de ander hem met een dolk in zijn borst stak. Een vrouwelijk lid van het ras, een meerzvrouw, viel langzaam naar de zeebodem met een speer tussen haar blote borsten. Ze was stervende en uitte geluidloos haar pijn. Een andere meerzman haalde in paniek met zijn mes uit naar een nyade. Hij vergat dat het onder water meer zin had om te steken dan te zwaaien met een wapen, en betaalde daarvoor met zijn leven.

De wachters werden snel en efficiënt vermoord. Toen de laatste was uitgeschakeld, gaven de verkenners haar hun signaal, door water dat een roze kleur had gekregen.

Het was tijd om de hele zwerm in te zetten. Op haar teken zwommen ze vooruit, ze grepen hun wapens en verspreidden zich. Het was doodstil. Het enige wat bewoog, buiten de nyade-strijders, waren de drijvende lijken van de wachters.

De groep had bijna zijn doel bereikt, toen er ineens beweging was bij de honingraat in de rotsen. Plotseling kwam er een horde zwaarbewapende meerz naar buiten. Ze maakten een vreemd geluid; schrille, trillende kreten die hun taal vormden. Het geluid klonk onder water extra bizar.

Nóg iets wat ze aan hen haatte. Maar nu kon ze iets doen met haar walging.

Ze leidde haar zwerm in de richting van de ongeorganiseerde verdedigers. Binnen een paar tellen stootten de aanvallers en verdedigers op elkaar en braken overal dodelijke gevechten uit.

De magie van de meerz, net als die van de nyaden, was gericht op zoeken en werd meestal gebruikt om voedsel te vinden of in diep water te navigeren. Voor de strijd was hun magie niet van veel nut. Er moest worden gestreden met branie en vaardigheid, messen en speren.

Een van de meerz dook vanboven op hen neer en uitte daarbij zijn schelle gezang. Hij had een drietand in zijn handen, die hij diep in de borst van een strijder naast haar plantte. De nyade was dodelijk gewond en spartelde zo hevig dat hij de drietand uit de handen van de meerz trok. De nyade omklemde de speer terwijl hij uit het zicht, de diepte in zakte.

De meerzman was zijn voornaamste wapen kwijt maar trok een mes, een kleinere versie van de drietand, en richtte zijn aandacht op haar. Hij haalde uit. Ze ontweek het mes. Door de kracht van zijn eigen messteek draaide de meerzman half om, maar hij herstelde zich snel en keerde zich weer naar haar toe.

Razendsnel greep ze zijn pols. Toen zag hij dat haar knokkels waren omwonden met leren riemen waarop scherpe metalen punten waren bevestigd. Hij probeerde wanhopig haar andere pols te grijpen. Te laat. Ze hield hem met haar ene hand vast, haalde uit met haar andere vuist en sloeg hem op zijn middenrif. Bij de derde slag liet ze zijn pols los. De meerzman werd van haar weggeslingerd. Hij keek omlaag, zag de schade die ze hem had toegebracht, vertrok zijn gezicht van pijn en werd opgeslokt door de chaos.

Op de metalen punten van haar vuistriemen zaten stukjes vlees.

Ze draaide zich om toen ze vanuit haar ooghoeken beweging zag. Er kwam een meerzvrouw met een drietand op haar af. Met een krachtige slag van haar staart schoot de nyade omhoog en ontsnapte maar net aan de aanval. De meerzvrouw kon niet meer stoppen en kwam tussen de andere nyaden terecht, waar korte metten met haar werden gemaakt.

Overal braken gevechten uit; één op één, groep tegen groep. De vechtenden draaiden rond in vreemde spiralen, met handen om polsen en maaiende armen die probeerden dolken doel te laten treffen. De zwaargewonden kleurden het water rood en de doden werden aan de kant geduwd.

De voorhoede van de nyaden was in gevecht op de vestiging

zelf. Enkele nyaden vochten zich een weg naar de ingangen. Ze wilde zich juist bij hen voegen, toen haar weg werd versperd door een meerzman met fonkelende ogen. Hij droeg een getand mes dat zo lang was als een zwaard. Ze pakte haar eigen wapen, dat korter was maar zo scherp als een scalpel. De twee cirkelden om elkaar heen, blind voor de gevechten overal rondom.

Hij bewoog zich snel naar voren om haar te doorboren, maar ze ontweek hem en sloeg zijn wapen weg in een poging hem ervan te ontdoen. Hij hield het echter vast, draaide zich om en viel weer aan. Ze maakte een pirouette en ontweek zijn mes. Zijn uitgestoken arm was onbeschermd, dus haalde ze er snel naar uit met haar bewapende knokkels. Ze raakte hem maar deels, maar de wond was diep. Haar vijand was voldoende afgeleid, zodat ze haar eigen dolk kon gebruiken. Ze raakte hem in het hart en er spoot een fontein van bloed te voorschijn. Ze trok de dolk los, en de meerz stierf met open mond.

Ze mepte het lijk met haar staart aan de kant en richtte haar aandacht weer op de bestorming van de vestiging.

Haar zwerm was massaal bij de ingangen aanwezig. Velen waren naar binnen gegaan om de slachting te voltooien. Zoals ze had bevolen, werd de rest van de meerz gedood en het nest van de vijand uitgeruimd. Ze zwom langs een van haar strijders, die bezig was een meerzman met een ketting te wurgen terwijl een andere nyade het slachtoffer met een speer bewerkte.

Er waren nog maar weinig meerz in leven. Een of twee overlevenden probeerden te vluchten, maar dat deerde haar niet. Ze zouden anderen vertellen dat het geen goed idee was om zich in de buurt van haar domein te vestigen. Ze keek toe hoe het gebroed van de meerz volgens haar instructies uit de vestiging werd gesleurd en ter dood gebracht. Ze was niet van plan de jongen te laten leven zodat die haar later moeilijkheden konden bezorgen.

Toen er niets meer te moorden viel en ze vond dat de missie geslaagd was, beval ze haar zwerm zich terug te trekken.

Onderweg terug wees een van haar strijders achteruit in de richting van de vestiging. Er kwam een groep shony aan voor het feestmaal. Ze waren lang en slank en hun huid had een blauwe glinstering. Hun bekken waren enorm breed, en van de zijkant leken ze te glimlachen. Zodra ze die bek echter openden, zag je eindeloze rijen scherpe witte tanden. Hun ogen waren doods.

De wezens baarden haar geen zorgen. Waarom zouden ze de zwerm aanvallen als er zoveel pasgeslacht vlees beschikbaar was?

De shony vielen aan op de lijken en scheurden er met hun tanden grote happen rood vlees af. Ze veroorzaakten wolken van bloed op de zeebodem en vochten met elkaar of trokken gelijktijdig aan hetzelfde stuk vlees. Van alle kanten kwamen nog meer aaseters aan.

De zwerm liet de vraatzuchtige shony achter zich en begon naar de oppervlakte te zwemmen, naar een ring van licht in de verte. Onderweg stond ze zichzelf toe even te genieten van het lot van de meerz. Met nog een paar gerichte acties zou elke dreiging die ze voor haar vormden al bij voorbaat worden gesmoord.

Kon ze datzelfde ook maar zeggen van de andere rassen, vooral die epidemie van mensen.

Ze bereikten de opening van een ruime onderwatergrot, die werd verlicht door fosforescerende rotsen. Zij ging als eerste naar binnen. Ze negeerde de onderdanige wachters die binnen stonden en zwom door een lange, verlichte schacht in het plafond van de grot. De schacht eindigde in een kruising van twee kanalen. Samen met twee luitenanten zwom ze het rechterkanaal in. De rest van de zwerm ging linksaf naar hun kwartieren.

Binnen enkele minuten kwamen zij en haar luitenanten aan de oppervlakte in een immense ruimte. Het water stond er altijd ongeveer een meter hoog, wat zo werd gehouden omdat een ras van amfibieën nu eenmaal altijd toegang moest hebben tot water. Het gebouw lag half onder water en bestond deels uit koraal en deels uit brokkelige rotsen. Aan het plafond hingen stalactieten. Iemand die niet beter wist, zou denken dat het een ruïne was. Een deel van de wand was verdwenen en de andere wanden waren bedekt met slijm en korstmos. De geur van rottende planten hing in de lucht. Voor de nyaden was dit echter het voorportaal van een paleis.

Door het gat in de muur hadden ze uitzicht op een moeras en daarachter de oceaan en wat sinistere, grillige eilandjes. De lucht was grijs.

Nyaden waren perfect aangepast aan hun omgeving. Een naaktslak zo groot als een paard, met een pantser en rechtopstaand op een stevige, gespierde staart, met een rugvin en handen met scherpe klauwen, een geelgroene huid met uitstulpingen en een kop als een reptiel met grote, uitklapbare kaken, vlijmscherpe tanden en diepliggende ogen, zou ongeveer op een nyade lijken.

Maar niet op haar.

In tegenstelling tot de nyaden waarover ze regeerde, was zij geen pure nyade. Ze was van gemengd bloed, en dat gaf haar unieke uiterlijke kenmerken. Haar ouders waren een nyade en een mens geweest, al hadden bij haar de kenmerken van de nyaden de overhand. Dat vond ze tenminste zelf. Ze haatte haar menselijke afkomst, en niemand die graag wilde blijven leven herinnerde haar eraan.

Net als haar onderdanen had ze een stevige staart en een rugvin, al was die van haar zachter dan die van de nyaden. Haar bovenlichaam en borsten, die bloot waren, waren bedekt met schubben. Haar schubben waren echter kleiner dan normaal en hadden lichte regenboogkleuren. Aan beide zijden van haar bovenlichaam zaten de spleten van haar kieuwen.

Haar hoofd was onmiskenbaar reptielachtig, maar toch was hier haar menselijke afkomst het duidelijkst te zien. In tegenstelling tot de nyaden, had zij haren. Haar gezicht had een blauwachtige kleur, maar haar oren en neus leken meer op die van een mens dan van een nyade, en haar mond kon doorgaan voor die van een vrouw. Haar ronde ogen hadden een ongeëvenaarde groene kleur en waren voorzien van wimpers.

Maar haar aard was typisch die van een nyade. Van alle zeerassen waren zij het meest opstandig, haatdragend en strijdlustig. Misschien waren die eigenschappen nog wel sterker bij haar dan bij de nyaden, en wellicht kwam dat ook wel door haar menselijke afkomst.

Ze waadde naar het gat in de muur en keek uit over het troosteloze landschap. Ze was zich bewust van haar luitenanten, die bij haar in de buurt bleven voor het geval ze iets nodig had. Ze voelde dat ze gespannen waren. Daar hield ze wel van.

'Onze verliezen vielen mee, koningin Adpar,' waagde een van haar luitenanten te rapporteren. Hij had een lage, knarsende stem.

'Hoeveel doden er ook zijn, het is een lage prijs,' antwoordde ze terwijl ze haar vuistriemen losmaakte. 'Zijn onze troepen klaar om het bevrijde gebied in te nemen?'

'Ze zijn als het goed is onderweg, Vrouwe,' zei de andere marionet.

'Dat hoop ik voor ze,' zei Adpar. Ze gooide achteloos de vuistriemen naar hem toe, en hij ving ze onhandig op. Dat was maar goed ook, voor hem. 'Niet dat ze veel problemen met de meerz zullen hebben,' vervolgde ze. 'Een stel vredelievende onderkruipsels is geen partij voor de nyaden.'

'Ja, Majesteit,' zei de eerste luitenant.

'Ik heb niets op met degenen die van me stelen,' voegde ze er onheilspellend aan toe. Eigenlijk hoefde ze haar onderdanen daar niet aan te herinneren.

Ze keek naar een nis in een van de wanden van koraal. Er stond een stenen zuil in, die duidelijk ergens voor bestemd was. Wat het ook was, het lag er niet.

'Uw leiderschap verzekert ons van de overwinning,' slijmde de tweede luitenant.

In tegenstelling tot haar zusters, die zich niets aantrokken van wat anderen vonden, maar enkel absolute gehoorzaamheid verlangden, eiste Adpar zowel onderdanigheid als complimenten. 'Natuurlijk,' stemde ze in. 'Meedogenloze overheersing die met geweld wordt afgedwongen; dat zit bij mij in de familie.'

Haar volgelingen keken haar niet-begrijpend aan.

'Het is iets vrouwelijks,' zei ze.

2

Coilla had overal pijn.

Ze lag op haar knieën in het modderige gras, duizelig en uitgeput. Ze schudde met haar bonkende hoofd en vroeg zich af wat er gebeurd was.

Het ene moment zat ze achter die idioot van een Haskier aan, het volgende lag ze naast haar paard nadat er vanuit het niets drie mensen waren opgedoken.

Mensen.

Ze knipperde met haar ogen en keek naar het drietal dat voor haar stond. De dichtstbijzijnde had een litteken van het midden van zijn wang tot aan zijn mondhoek. Zijn pokdalige gezicht werd niet veel knapper door zijn slordige snor en zijn kop vol vet, zwart haar. Hij zag er, op een ongezonde manier, fit uit. De man naast hem was kleiner, magerder. Hij had bruinig haar en een bijna doorzichtige geitensik. Over zijn rechteroog zat een ooglapje, en toen hij grijnsde zag ze dat zijn tanden rot waren. Maar de derde was het meest opvallend. Hij was veruit de grootste en woog ongetwijfeld meer dan de andere twee samen. Maar zo te zien waren het allemaal spieren, geen vet. Zijn hoofd was kaalgeschoren, hij had een platte, misvormde neus en diepliggende varkensogen. Hij had als enige geen wapen in zijn hand, maar dat had hij waarschijnlijk ook niet nodig. Van elk van hen kwam die onmiskenbare, licht onaangename geur van hun ras.

Ze staarden haar aan. Hun vijandigheid lag er dik bovenop.

De man met de slechte huid en het vette haar had iets gezegd, maar het was niet tot haar doorgedrongen. Nu sprak hij weer, maar tegen zijn compagnons, niet tegen haar.

'Volgens mij is zij een van die Veelvraten,' zei hij. 'De beschrijving klopt.'

'Zo te zien hebben we mazzel,' zei de man met de ooglap.

'Wedden?' gromde Coilla.

'O, wat een pittig ding,' sneerde Ooglap.

De grote, stomme vent leek minder zelfingenomen. 'Wat gaan we doen, Mica?'

'Ze is alleen, en een vrouw ook nog,' zei Kratergezicht tegen hem. 'Je bent toch niet bang voor één klein orcje helemaal alleen? We hebben er in het verleden al genoeg onder handen genomen.'

'Ja, maar misschien zijn die andere in de buurt,' zei Groot en Stom.

Coilla vroeg zich af wie die lui waren. Mensen waren op zich al erg genoeg, maar déze... Toen zag ze de kleine, zwartgeblakerde dingen die aan de riemen van Kratergezicht en Ooglap hingen. Het waren gekrompen orc-hoofden. Ze wist meteen met welk soort mensen ze te maken had.

Ooglap loerde argwanend tussen de bomen door.

Kratergezicht keek ook rond. 'Ik denk dat we ze dan al wel gezien hadden.' Hij keek Coilla strak aan. 'Waar is de rest van je troep?'

Ze keek hem onschuldig aan. 'Troep? Welke troep?'

'Zijn ze in de buurt?' drong hij aan. 'Of heb je ze in Kras gelaten?'

Ze zweeg en hoopte dat haar gezicht niets verried.

'We weten dat jullie daarheen onderweg waren,' zei Kratergezicht. 'Zijn de anderen daar nog?'

'Val dood,' stelde ze zoetjes voor.

Hij glimlachte onplezierig naar haar. 'Er zijn leuke en minder leuke manieren om je aan het praten te krijgen. Het maakt mij niet uit welke je wilt.'

'Moet ik alvast wat botten van haar breken, Mica?' bood Groot en Stom aan terwijl hij op haar afging.

Coilla spande zich in om haar gedachten te ordenen en haar

krachten te verzamelen, en maakte zich klaar voor actie.

'Laten we haar gewoon afmaken, dan is het achter de rug,' zei Ooglap ongeduldig.

'Dood hebben we niks aan haar, Griever,' antwoordde Kratergezicht.

'We krijgen toch de prijs voor haar hoofd?'

'Denk ná, stommeling. We willen de hele troep hebben, en met haar hebben we meer kans om ze te vinden.' Hij wendde zich weer tot Coilla. 'Dus wat heb je me te vertellen?'

'Krijg de stuiptrekkingen, stuk tuig.'

'Wa...?'

Ze trapte hem met al haar kracht tegen zijn schenen. Hij schreeuwde en viel. De andere twee reageerden maar langzaam. Groot en Stom stond verbaasd te kijken hoe snel ze was. Coilla sprong overeind, ondanks de pijn in haar benen en rug, en greep haar zwaard.

Voor ze het kon gebruiken, herstelde Ooglap zich en wierp zich op haar.

De lucht werd uit haar longen geperst en ze sloeg weer tegen de grond, maar ze hield het wapen vast. Ze vochten rollend, schoppend en stompend om het zwaard. Toen bemoeiden Groot en Stom en Kratergezicht zich ermee. Coilla kreeg een klap tegen haar kaak. Het zwaard werd uit haar hand geslagen en stuiterde weg. Ze sloeg Ooglap hard op zijn gezicht en draaide zich los uit zijn greep. Toen kroop ze snel weg van de mannen.

'Grijp haar!' schreeuwde Ooglap.

'Hou haar in leven!' bulderde Kratergezicht.

'Dácht het niet!' beloofde Coilla.

Groot en Stom rende op haar af en greep haar been. Ze draaide zich om en sloeg hem met haar vuisten op zijn hoofd. Ze gebruikte al haar kracht, maar het had evenveel zin als proberen Hades met spuug te doven. Dus trapte ze hem met haar andere voet in zijn gezicht en duwde. Hij gromde van inspanning terwijl ze haar laars tegen zijn rode vlezige wang drukte. Haar laars won. Hij liet haar been los, struikelde achteruit en viel op zijn achterwerk.

Coilla probeerde overeind te komen, maar Kratergezicht sloeg een arm om haar nek en kneep. Ze hijgde en ramde haar elleboog in zijn maag. Toen ze hem een kreet hoorde slaken, deed ze het nog eens. Hij liet haar los. Nu stond ze weer. Terwijl ze probeerde een van haar messen uit haar mouw te pakken, kwam Ooglap weer op haar af. Er kwam bloed uit zijn mond. Toen ze neerging, stortten de andere twee zich ook boven op haar.

Ze wist dat ze nog last had van haar val en dat ze geen partij voor hen was, maar het lag niet in haar aard, of die van een orc, om zich zomaar over te geven. Ze worstelden met haar armen en probeerden ze op de grond vast te pinnen. Terwijl ze heen en weer wurmde om haar armen vrij te houden, zag ze dat het hoofd van Ooglap vlakbij was. En dan vooral zijn oor.

Coilla zette haar tanden erin. Hij gilde. Ze beet harder. Ooglap spartelde tegen, maar kon zich niet bevrijden uit de chaos van ledematen. Ze rukte enthousiast met haar tanden aan zijn oor terwijl Ooglap steeds harder begon te schreeuwen. Zijn oorlel rekte uit en begon te scheuren. Ze proefde een zoutige smaak. Met een laatste ruk van haar hoofd trok ze een stuk van zijn oor. Ze spoog het uit.

Ooglap bevrijdde zich en rolde jammerend over de grond met een hand tegen zijn hoofd.

'Hoer... Teef... Monster...!'

Plotseling stond Kratergezicht over Coilla heen. Hij liet zijn vuist meerdere keren op haar slaap neerkomen en sloeg haar half buiten westen. Groot en Stom pakte haar bij haar schouders.

'Bind haar vast,' beval Kratergezicht.

De grote man zette Coilla overeind en haalde een stuk touw uit zijn smerige wambuis tevoorschijn. Hij bond onzachtzinnig haar polsen bij elkaar.

Ooglap lag nog steeds op de grond te schreeuwen en te vloeken.

Kratergezicht tilde Coilla's mouw op en pakte haar messen af. Hij fouilleerde haar om te kijken of ze nog meer wapens had.

Achter hen lag Ooglap te kermen. 'Ik maak... haar áf!' blaatte hij.

'Hou je kop!' snauwde Kratergezicht. Hij graaide in zijn riembuidel en haalde er een lapje stof uit. 'Hier.'

Het propje landde naast Ooglap. Hij pakte het op en hield het tegen zijn oor om het bloeden te stelpen. 'Mijn oor, Mica,' gromde hij. 'Smerig monster... Mijn óór!'

'Joh, kop dicht,' zei Kratergezicht. 'Je luisterde toch al nooit, Griever.'

Groot en Stom lachte bulderend en Kratergezicht lachte mee.

'Dat is niet grappig!' protesteerde Ooglap verontwaardigd.

'Eén oog, één oor,' lachte de grote man. 'Hij is compleet!'

De twee mannen stonden te gieren van het lachen.

'Smeerlappen!' riep Ooglap.

Kratergezicht keek omlaag naar Coilla. Ineens veranderde zijn stemming volkomen. 'Dat was niet zo aardig van je, orc.' Zijn stem klonk dreigend.

'Ik kan nog véél onaardiger zijn,' beloofde ze hem.

Groot en Stom bedaarde ook weer. Ooglap kwam overeind en liep struikelend naar hen toe.

Kratergezicht hurkte naast haar neer en ze rook zijn stinkende adem. 'Ik vraag het nog één keer: zijn de andere Veelvraten nog in Kras?'

Coilla keek hem alleen maar aan.

Ooglap gaf haar een schop. 'Praten, teef!'

Ze beantwoordde zijn trap met nog meer zwijgen.

'Kappen,' zei Kratergezicht tegen hem. Al leek hij zich niet bijzonder om haar te bekommeren.

Ooglap drukte de prop tegen zijn oor en wierp haar moorddadige blikken toe.

'Is het Kras?' herhaalde Kratergezicht. 'Nou?'

'Denken jullie echt dat jullie het met z'n drieën kunnen opnemen tegen de Veelvraten?'

'Ík stel hier de vragen, teef, en ik heb niet veel geduld.' Hij trok een mes vanachter zijn riem vandaan en hield het voor haar gezicht. 'Zeg me waar ze zijn, anders begin ik met je ogen.'

Ze zweeg even en dacht snel na. Toen zei ze: 'Heldiep.'

'Wat?'

'Ze liegt!' riep Ooglap.

Kratergezicht keek ook sceptisch. 'Waarom Heldiep? Wat doen ze daar?'

'Het is toch een vrijhaven?'

'Ja, en?'

'Als je iets te verkopen hebt, krijg je daar de hoogste prijs.' Ze deed net alsof ze de informatie met tegenzin prijsgaf.

'Zo'n plek ís Heldiep, Mica,' zei Groot en Stom behulpzaam.

'Dat wéét ik,' antwoordde Kratergezicht gepikeerd. Hij keek Coilla weer aan. 'Wat hebben jullie te verkopen?'

Ze besloot een strategische stilte in te lassen.

'Het is dat wat jullie van de koningin hebben gestolen, of niet?'

Coilla knikte langzaam en hoopte dat ze haar leugen zouden geloven.

'Het moet wel heel waardevol zijn om ervoor te deserteren en iemand als Jennesta kwaad te maken. Wat is het?'

Ze besefte dat ze niets wisten van de instrumentaliteiten; de artefacten die zij en de troep sterren noemden. Ze was niet van plan hen in te lichten. 'Het is een... trofee. Een relikwie. Heel oud.'

'Relikwie? Iets waardevols? Een schat?'

'Ja, een schat.' Ze bedoelde het op een manier die ze toch nooit zouden begrijpen.

'Ik wíst het!' Zijn ogen stonden inhalig. 'Het moest wel iets belangrijks zijn.'

Coilla besefte dat deze premiejagers, want dat waren ze blijkbaar, geloofden dat de Veelvraten er inderdaad uit winstbejag vandoor waren gegaan. Ze zouden nooit hebben aangenomen dat de troep iets deed uit idealistische overwegingen. Dit scenario klopte met hun kijk op de wereld.

'Waarom ben jij dan niet bij ze?' bemoeide Ooglap zich ermee terwijl hij haar argwanend aankeek.

Die vraag had ze gevreesd. Nu moest ze hen zien te overtuigen. 'We hadden wat problemen onderweg. We kwamen een stel eni's tegen en ik werd van de troep gescheiden. Ik probeerde ze in te halen toen...'

'Toen je ons tegenkwam,' viel Kratergezicht haar in de rede. 'Pech voor jou, geluk voor ons.'

Ze waagde te hopen dat ze haar geloofden. Maar Coilla wist dat het ook een risico zou zijn als ze dat inderdaad deden. Ze zouden wel eens kunnen besluiten dat ze haar niet meer nodig hadden en haar kunnen ombrengen voor ze vertrokken – met haar hoofd.

Kratergezicht keek haar aan. Ze zette zich schrap.

'We gaan naar Heldiep,' kondigde hij aan.

'En zij?' vroeg Ooglap.

'Zij gaat mee.'

'Waarom? Waar hebben we haar nog voor nodig?'

'Winst. In Heldiep kun je goed zakendoen met slavenhandelaars. Er zijn er die goed betalen voor een orcse lijfwacht. Vooral als het een orc is van een beroemde gevechtseenheid.' Hij knikte naar de grote man. 'Haal haar paard, Jabez.'

Jabez wandelde naar haar paard, dat even verderop rustig stond te grazen.

Ooglap prutste aan de restanten van zijn oor en keek niet blij. Maar hij hield zijn mond.

Het leek Coilla een goed moment om voor de vorm te protesteren. 'Slavernij.' Ze spoog het woord bijna uit. 'Nóg een teken van de teloorgang van Maras-Dantia. Nóg iets wat we aan jullie mensen te danken hebben.'

'Hou je bek!' snauwde Kratergezicht. 'Luister goed. Het enige wat je voor mij waard bent, is het geld dat ik voor je kan krijgen. En je hebt geen tong nodig om je werk te kunnen doen. Begrepen?'

Coilla haalde stiekem opgelucht adem. Hun inhaligheid was haar redding. Maar ze had alleen wat tijd gewonnen, voor zichzelf en, hoopte ze, de troep.

De troep. Shit, wat een ellende. Waar waren ze? Waar was Haskier? Wat gebeurde er nu met de sterren?

Wie kon haar helpen?

Heel, heel lang had hij niets anders gedaan dan toekijken. Hij had zich tevredengesteld met toeschouwen van een afstand en vertrouwen op het lot. Maar je kón het lot niet vertrouwen. Alles werd alleen maar ingewikkelder, onvoorspelbaarder, en de chaos werd steeds groter.

De afname van de magie die werd veroorzaakt door de destructieve levenswijze van de inkomers had ertoe geleid dat, toen hij eindelijk besloot te handelen, zelfs zíjn krachten te onvoorspelbaar en te zwak bleken. Hij had anderen bij de zoektocht moeten betrekken, en dat bleek een vergissing.

Nu waren de instrumentaliteiten weer terug in de wereld, in de geschiedenis, en het was slechts een kwestie van tijd voordat iemand hun kracht zou vrijmaken. Of die voor goede of kwade doelen zou worden gebruikt, was de enige vraag die er nu nog iets toe deed.

Hij kon zichzelf niet langer wijsmaken dat niets van dit alles hem hier kon deren. Zelfs zijn eigen, buitengewone rijk werd bedreigd. Nu zijn krachten afnamen, kostte het hem al moeite het bestaan ervan in stand te houden, hoe zijn kleine groep volgelingen hem ook Magiër noemde en dacht dat hij almachtig was.

Het was tijd om directer betrokken te raken bij wat er gebeurde. Hij had fouten gemaakt, en hij moest proberen die recht te zetten. Aan sommige dingen kon hij iets doen, aan andere niet.

Maar hij zag wat geweest was en iets van wat er komen zou en wist dat hij misschien al te laat was.

3

De grote, ronde kamer, diep in de doolhof van Kras, was schemerig verlicht. Het enige licht kwam van ontelbare gloeiende kristallen in de wanden en het plafond, en van een paar gevallen fakkels op de grond. Zes inktzwarte, ovale vormen waren de ingangen
van tunnels die op de grot uitkwamen. De lucht was zuurstofarm.

Om hen heen hadden zich een stuk of veertig trollen verzameld. Ze waren een gedrongen, gespierd ras, met een stugge grijze vacht en een lichte huid. Hun hoofdhaar had, vreemd genoeg,
een roestige oranje kleur. Ze hadden een brede borst en overdreven lange armen, en hun ogen waren enorme zwarte bollen
waarmee ze ondergronds konden zien.

Voorzover Struyk en Alfré wisten, was deze ruimte maar een
klein deel van het trollenrijk. Nu ze echter door een instortende gang gescheiden waren van de rest van hun troep, zouden de
hoofdman van de Veelvraten en zijn korporaal het wel nooit weten. Hun handen waren vastgebonden en ze stonden met hun
rug tegen het offeraltaar. De trollen die hen bewaakten, waren
bewapend met speren en bogen.

Aan het hoofd stond Tannar, de trollenkoning. Hij was langer
en steviger gebouwd dan de andere trollen. Hij droeg een gouden mantel, een zilveren kroon en een lange, versierde staf. Maar
wat hij in zijn andere hand hield, interesseerde de gevangenen
pas echt. Op het heft van zijn gekromde offerdolk zat precies
datgene waarvoor de Veelvraten naar Kras waren gekomen.

Een van de oude instrumentaliteiten. Een relikwie die de orcs
een ster noemden.

De trollen uitten een soort gezang met veel keelklanken. Tannar kwam langzaam op hen af. Zijn bedoeling was duidelijk: moord uit naam van zijn angstaanjagende goden. Struyk en Alfré hadden geen tijd om na te denken over de ironie van hun situatie, maar bereidden zich voor op de dood terwijl het gezang van de trollen een hypnotiserende toon bereikte.

Alfré keek naar de dolk en zei: 'Wat een grap van het lot, hè?'

'Jammer dat ik niet in de stemming ben om te lachen,' zei Struyk terwijl hij zich tegen zijn boeien verzette. Ze zaten muurvast.

Alfré keek hem zijdelings aan. 'Het was een mooie tijd, Struyk. Ondanks alles.'

'Geef niet op, oude vriend. Zelfs al gaan we sterven. Sterf als een orc.'

Alfré trok een verontwaardigd gezicht. 'Is er nog een andere manier dan?'

De dolk kwam naderbij.

Plotseling flitste er een licht bij de ingang van een van de tunnels. Wat volgde, kwam op Struyk over als een effect van pellucide. Er schoot iets door de grot. Heel even liet het, wat het ook was, een intens heldere, geel met rode streep in de lucht achter.

Toen werd een van de trollen die naast hen stond in zijn hoofd geraakt door een brandende pijl. De vonken vlogen rond toen de pijl doel trof, en de trol viel op zijn zij door de kracht van de inslag. Zijn haar vloog in brand.

Tannar bleef stokstijf staan. Het zingen hield op. De aanwezige trollen slaakten kreten. Ze draaiden zich allemaal tegelijk om en staarden naar de tunnel; er klonk commotie, gejoel en geschreeuw.

De overige Veelvraten vochten zich een weg naar binnen. Ze werden geleid door Jup, de dwergsergeant van de troep, die zich met een zwaard op de geschrokken vijanden wierp. Orcschutters begonnen nog meer brandende pijlen op de trollen af te schieten. Het licht van de vlammen in de gevoelige trollenogen zorgde voor chaos en verwarring.

Struyk maakte, zo goed als dat met zijn handen achter zijn rug mogelijk was, gebruik van de situatie. Hij rende op de dichtst-bijzijnde trol af en gaf hem een orczoen, een stevige kopstoot waardoor het wezen door zijn knieën ging. Alfré ramde een trol-lenwachter die niet stond op te letten en trapte hem tweemaal snel in zijn kruis. De trol klapte dubbel en lag even later met rol-lende ogen op de grond.

Tannar had geen belangstelling meer voor zijn gevangenen maar stond bevelen te schreeuwen. Zijn onderdanen hadden die ook nodig; hun respons op de aanval was chaotisch. De hele ruim-te was gevuld met gevechten, verlicht door brandende pijlen en door de fakkels die de orcs als knuppels gebruikten. Van alle kan-ten klonk geschreeuw, gejammer en het gekletter van staal.

Twee knorren, Calthmon en Eldo, vochten zich een weg door het tumult naar Alfré en Struyk. Ze sloegen hun boeien door en drukten hun wapens in de handen. De twee leiders gingen on-middellijk in de aanval op alles wat bewoog en geen Veelvraat was.

Struyks doel was Tannar. Maar om hem te bereiken, moest hij zich door een muur van verdedigers banen. Hij stortte zich op zijn taak. De eerste trol mikte een speer op hem. Struyk stapte opzij zodat het wapen hem op een haar na miste en sloeg met zijn zwaard de speer in tweeën. De speerdrager werd snel uitge-schakeld met een zwaardstoot in zijn buik.

De volgende verdediger zwaaide met een bijl. Struyk bukte, en de bijl zoefde over zijn hoofd. Toen de trol het nog eens wil-de proberen, schopte Struyk hem tegen zijn schenen. De trap kwam hard aan. De trol was uit zijn evenwicht gebracht en mik-te bij zijn volgende slag slecht. Struyk maakte gebruik van de opening en haalde uit naar de borst van het wezen. Het was raak. De trol struikelde een paar stappen vooruit terwijl het bloed uit de wond spoot, en ging neer.

Struyk richtte zich op de volgende verdediger.

Jup was bezig zich van de andere kant een weg te banen naar Struyk en Alfré. Achter hem staken knorren nog meer fakkels aan, en de trollen hadden duidelijk steeds meer last van het licht. Ze bedekten hun ogen en brulden, en daar maakte de troep handig gebruik van. Veel trollen vochten echter nog steeds terug.

Alfré stond tegenover een aantal trollen die hem met speren in bedwang probeerden te houden. Hij pareerde hun speren met zijn zwaard, dat afketste tegen de scherpe metalen speerpunten. Na wat slagen over en weer overstrekte een van de trollen zich en stak zijn arm te ver uit. Alfré hakte er onmiddellijk op in. De trol gaf een kreet, liet zijn speer los en was snel geveld met een stoot in zijn borst.

Zijn woeste medestrijder viel aan. Alfré werd steeds verder achteruit gedreven terwijl hij de gevaarlijke speerpunt probeerde te ontwijken. Maar de trol was hardnekkig en bleef komen. Alfré stond bijna met zijn rug tegen de muur. Toen de speerpunt angstig dicht bij zijn gezicht kwam, bukte hij en hij liet zich opzij vallen, waarna hij naast de trol weer overeind kwam. Hij diende de trol onmiddellijk een slag tegen zijn benen toe. De wond was niet diep maar had wel effect. De trol trok zich hinkend terug, zijn speer losjes in zijn handen.

Alfré haalde zijn zwaard uit naar het hoofd van de trol. Het wezen dook naar links. Alfré draaide met de trol mee waardoor zijn zwaard omkeerde, en daardoor raakte hij de trol op de wang met de platte kant van het zwaard. De vijand gaf een kreet van pijn en draaide zich woest om. Die roekeloze beweging kwam Alfré goed uit. Hij ontweek het wapen van de trol gemakkelijk, draaide zich in een rechte lijn met de vijand en sloeg toe. Met zijn zwaard onthoofdde hij de trol bijna, en een rode regen spoot richting de grond.

Alfré blies puffend zijn adem uit en bedacht dat hij te oud werd voor dit soort dingen.

Struyk gleed uit over het bloed op de grond en botste bijna tegen de laatste verdediger van Tannar. De trol had een glanzend kromzwaard in zijn handen, waarmee hij woest begon uit te halen om de orc van zijn koning weg te houden. Struyk bleef in positie en pareerde zijn slagen. Een tijd lang was het onduidelijk wie de overhand had.

De doorbraak kwam toen Struyks zwaard de knokkels van de trol raakte en die openlegde. De trol vloekte en maakte een neerwaartse slag die Struyk zeker zijn zwaardarm had gekost als hij raak was geweest. Maar een beetje slinks voetenwerk van de orc voorkwam dit. Daarna haalde hij op goed geluk uit naar de keel van de trol. Het werkte.

Eindelijk stond hij tegenover Tannar.

De koning was buiten zichzelf van woede en probeerde Struyk de hersens in te slaan met zijn staf. De orc was lenig genoeg om zijn slagen te ontwijken. Tannar gooide de staf opzij en trok een zwaard. Het zilveren blad was gegraveerd met runen. Bovendien had hij de ceremoniële dolk nog in zijn handen, en met in beide handen een wapen keerde hij zich naar de orc.

'Waar wacht je op?' gromde Tannar. 'Proef mijn staal en word wakker in Hades, bovenlander.'

Struyk lachte minachtend. 'Je hebt wel praatjes, windbuil. Laat maar eens zien wat je kunt.'

Ze draaiden om elkaar heen en zochten naar zwakke plekken in elkaars verdediging.

Tannar wierp een blik op de gevechten om hen heen. 'Hiervoor zul je betalen met je leven,' zwoor hij.

'Dat zei je al.' Struyk bleef brutaal.

Zijn gesar had effect. Tannar brulde en haalde met zijn zwaard uit. Struyk pareerde, maar voelde aan de kracht van de slag hoe sterk zijn tegenstander was. Hij haalde snel uit, maar de koning blokkeerde zijn zwaard. Nu het gevecht eenmaal was begonnen, volgde er een regen van slagen, aanvallend en verdedigend.

Tannar was een en al kracht en had weinig subtiliteit, maar daardoor was hij niet minder gevaarlijk. Struyks eigen techniek verschilde daar niet zo veel van, al had hij meer ervaring en was hij in ieder geval leniger. Hij was ook niet zo'n opschepper als de koning, die overdreven veel schijnaanvallen uitvoerde. Struyk daagde hem nog wat meer uit.

'Je bent zacht,' sarde hij terwijl hij een slag afweerde. 'Je bent afgetakeld door alleen maar de baas te spelen over dat zooitje, Tannar. Je bent zo zacht als boter.'

De trol viel brullend aan met zijn mes en zijn zwaard. Struyk zette zich schrap en mikte op het punt waar het zwaard en het heft samenkwamen. Het was raak. Het zwaard vloog uit Tannars hand en stuiterde weg. Tannar greep zijn dolk met het kostbare ornament steviger vast en richtte het op Struyk. Maar hij was ontdaan door het verlies van zijn zwaard. Hij had geen enkele kans om Struyk met de dolk te verslaan en kon zich alleen nog maar verdedigen.

De orc liep dichter naar hem toe, en Tannar ging achteruit. Wat hij niet wist, maar Struyk wel, was dat Jup en een stel knorren achter de koning stonden. Struyk liet een regen van slagen op Tannar neerkomen om hem sneller achteruit te laten lopen.

Jup greep zijn kans. Hij sprong op de rug van de vorst en sloeg een arm om zijn nek. Met zijn andere hand drukte hij een mes tegen Tannars keel. De dwerg hing trappelend aan de hals van de trol. Een van de knorren richtte een zwaard op het hart van de koning, en Tannar brulde van onmacht en woede. Struyk stapte op hem af en trok hem de offerdolk uit zijn handen.

Een of twee trollen zagen wat er gebeurde, maar de meeste waren druk bezig met hun eigen gevechten.

'Laat ze ophouden,' zei Struyk. 'Als je wilt blijven leven.'

Tannar zei niets en keek hem opstandig aan.

'Laat ze ophouden of sterf,' herhaalde Struyk.

Jup zette wat druk achter zijn mes.

Met tegenzin schreeuwde Tannar: 'Gooi de wapens neer!'

Sommige trollen stopten met vechten, maar andere gingen door.

'Laat je wapens vallen!' blafte Tannar.

Deze keer werd hij gehoorzaamd. Jup liet de koning los, maar ze hielden hem in het oog.

Struyk zette de ceremoniële dolk op Tannars keel. 'We gaan. Jij gaat mee. Als iemand ons probeert tegen te houden, ben je dood. Vertel het ze.'

De koning knikte langzaam. 'Doe wat ze zeggen!' riep hij.

'Deze rommel heb je niet nodig,' zei Struyk. 'Dat zit ons alleen maar in de weg.' Hij greep Tannars kroon en gooide die aan de kant.

Veel trollen slaakten kreten over deze brutaliteit. Struyk veroorzaakte er nog wat meer door de versierde mantel van de koning los te rukken en die ook op de grond te smijten.

Hij zette de dolk weer op Tannars keel. 'Kom mee.'

Ze liepen door de grot, een stel orcs en een dwerg om de enorme gijzelaar heen. Verdoofde trollen stonden erbij en keken ernaar. Terwijl ze door de hoofdtunnel liepen en over de lijken van hun vijanden stapten, sloot de rest van de troep zich bij hen aan. Er waren verschillende orcs lichtgewond, maar voorzover Struyk kon zien waren alleen trollen gesneuveld.

Bij de ingang van de tunnel draaide hij zich half om en riep: 'Volg ons en hij sterft!'

Ze verlieten haastig de grot.

De groep liep zo snel mogelijk door de wirwar van onverlichte tunnels. Hun fakkels wierpen grote, grillige schaduwen op de wanden.

'Goeie timing,' zei Struyk. 'Een beetje krap, maar goed.'

De dwerg lachte.

'Hoe zijn jullie door die hoop puin gekomen?' vroeg Alfré.

'We hebben een andere route gevonden,' zei Jup. 'Je zult het wel zien.'

Ze hoorden zachte geluiden achter zich. Struyk keek achterom en tuurde ingespannen, en zag even later wat onduidelijke, grijze gestalten in de verte.

'Ze maken jacht op jullie,' beloofde Tannar. 'Jullie zijn dood voor jullie het bovenland hebben bereikt.'

'Dan ga jij met ons mee.' Struyk besefte dat hij fluisterde. Tegen de rest van de troep zei hij: 'Blijf bij elkaar. Blijf alert. Vooral de achterhoede.'

'Ik denk dat ze dat wel weten, commandant,' zei Jup.

Enkele minuten later bereikten ze de tunnel die eerder was ingestort. Twintig passen voor hen was de tunnel geblokkeerd door een stapel zware rotsen en puin. Voor ze bij de versperring kwamen, zagen ze in de wand aan hun rechterhand een ruw uitgehakt gat. De wand was dun, van een soort leisteen gemaakt, en er zat nog een andere tunnel achter. Ze klommen door het gat. Tannar moest een beetje worden aangespoord.

'Hoe hebben jullie dat gedaan, Jup?' vroeg Struyk.

'Het is grappig waar je toe in staat bent als het moet. Dit is die doodlopende tunnel die bij de ingang begint. Ik heb wat knorren op de muren laten kloppen met bijlen. We hadden geluk.'

De nieuwe tunnel leidde naar een andere ruimte, die leek op de put bij de ingang. Er kwam zwak licht vanboven. Bij de neerhangende touwen stond een groep knorren gespannen te wachten. Struyk tuurde omhoog door de schacht en zag dat er boven nog twee stonden.

'Opschieten!' beval hij.

De eerste orcs begonnen te klimmen. Tannar was koppig. Ze bonden een touw om hem heen en trokken hem omhoog. Hij vloekte de hele weg naar boven. Struyk vertrok als laatste, met de ceremoniële dolk tussen zijn tanden.

De schacht kwam uit in een kleine grot, en door de ingang ervan viel het ochtendlicht binnen. Struyk en de anderen knipperden met hun ogen.

Tannar sloeg een hand over zijn ogen. 'Dit doet mij pijn!' klaagde hij luidkeels.

'Bind hem dit om,' stelde Alfré voor, en gaf een doek door.

Toen de koning was geblinddoekt en struikelend werd meegevoerd, bleef Struyk even staan om de dolk te bekijken. De ster was met een strakke winding van twijgen aan de dolk bevestigd. Hij pakte zijn eigen mes, sneed de bindingen door en gooide de dolk aan de kant.

De ster was herkenbaar als ster, maar verschilde van de andere twee. Deze ster was donkerblauw, terwijl de eerste die ze hadden gevonden geel was en de tweede groen. Net als de andere was het een bol met uitsteeksels die er op willekeurige punten aan leken te ontspruiten. Deze ster had vier punten, de andere twee hadden er respectievelijk zeven en vijf. Hij was van hetzelfde ongelooflijk sterke materiaal gemaakt.

'Kom op, Struyk!' riep Alfré.

Hij stopte de ster in zijn riembuidel en draafde achter de anderen aan.

De troep haastte zich naar het basiskamp, voorzover dat mogelijk was met Tannar op sleeptouw. Ze werden begroet door Bhose en Nep, en de twee knorren waren duidelijk opgelucht hen weer te zien.

'We moeten hier weg, en snel,' zei Struyk. 'Ondanks het daglicht zie ik ze er wel toe in staat om achter hem aan te komen.' Hij knikte naar Tannar.

'Wacht, Struyk,' zei Jup.

'Wacht? Hoe bedoel je, wacht?'

'Ik moet je iets vertellen over Coilla en Haskier.'

Struyk keek rond. 'Waar zijn ze?'

'Dit valt niet mee, kapitein.'

'Schiet nou maar op, wat het ook is.'

'Goed dan. De korte versie: Haskier werd gek, sloeg Reefdag op zijn kop en is ervandoor met de sterren.'

'Wát?' Struyk was verbijsterd.

'Coilla is achter hem aan gegaan,' vervolgde Jup. 'We hebben ze geen van beiden meer gezien.'

'Achter hem aan... Waarnaartoe?'

'Richting het noorden, voorzover wij weten.'

'Voorzover jullie wéten?'

'Ik moest kiezen, Struyk. We konden zoeken naar Coilla en Haskier, of proberen jou en Alfré uit die doolhof te krijgen. Allebei was onmogelijk. Het leek ons het beste om jullie eerst te redden.'

Struyk had even tijd nodig om het nieuws te verwerken. 'Nee... Nee, je hebt gelijk.' Zijn gezicht vertrok van kwaadheid. 'Haskier! Die stomme, gestoorde klóótzak!'

'Die ziekte, koorts, wat het ook was,' zei Alfré. 'Hij gedroeg zich al dagen vreemd.'

'Ik had hem nooit moeten achterlaten,' zei Struyk. 'Of ik had de sterren moeten meenemen.'

'Het is jouw schuld niet,' zei Jup. 'Niemand had dit kunnen zien aankomen.'

'Ík had het moeten zien aankomen, zoals hij zich gedroeg. Toen ik hem naar de sterren liet kijken, deed hij... raar.'

'Het is nu eenmaal gebeurd,' zei Alfré. 'Wat gaan we eraan doen?'

'We gaan achter ze aan, natuurlijk. Ik wil over twee minuten klaar zijn voor vertrek.'

'En hij?' zei Jup, wijzend naar Tannar.

'Hij gaat voorlopig met ons mee. Voor de zekerheid.'

De knorren braken snel het kamp op en de paarden werden in gereedheid gebracht. Tannar werd op een van de paarden gezet en met zijn handen aan de zadelknop gebonden. Ze verdeelden de pellucide onder de leden van de troep, zoals vóór het ondergrondse uitstapje. Alfré vond de banier van de Veelvraten terug en nam die mee.

Toen Struyk de troep wegleidde, tolden de mogelijkheden door zijn hoofd. En ze waren allemaal slecht.

4

Het was Haskier nu allemaal zo duidelijk, zo helder. De mist was uit zijn gedachten opgetrokken en hij wist precies wat er gebeuren moest.

Hij spoorde zijn paard aan en kwam in een vallei verder naar het noordoosten terecht. Althans, dat hoopte hij. De werkelijkheid was dat zijn nieuwe inzicht niet tot al zijn zintuigen was doorgedrongen, en dat hij niet precies wist waar Steenburcht lag. Maar hij zette toch door.

Voor de honderdste keer ging zijn hand instinctief naar zijn riembuidel, waar hij de vreemde voorwerpen in had zitten die de orcs sterren noemden. Mobs, de geleerde gremlin die de Veelvraten er meer over had verteld, zei dat ze instrumentaliteiten heetten. Haskier gaf de voorkeur aan 'Sterren'. Dat was makkelijker te onthouden.

Hij wist niet wat ze precies waren of wat ze moesten doen, evenmin als Struyk en de anderen, maar desondanks was er iets gebeurd. Iets waardoor hij het gevoel had dat hij verbonden was met de sterren.

Ze zongen voor hem.

Zingen was eigenlijk niet het juiste woord, maar het kwam het dichtst in de buurt bij wat hij in zijn hoofd hoorde. Het leek ook op fluisteren of het zachte geluid van een onbekend instrument, en dat klopte evenmin. Dus hield hij het op zingen.

Hij hoorde ze nu ook, zelfs in zijn buidel uit het zicht. De dingen die leken op een kindertekening van sterren, spraken tegen hem. Haskier verstond hun taal niet, als het een taal was, maar hij begreep de betekenis. Alles zou goed komen zodra ze waren waar ze hoorden te zijn. Het evenwicht zou worden hersteld. Alles zou weer net zo zijn als voordat de Veelvraten deserteerden.

Hij hoefde de sterren alleen maar naar Jennesta te brengen. Hij verwachtte dat ze zó dankbaar zou zijn dat ze de troep gratie zou verlenen. Misschien zou ze hen zelfs wel belonen. Dan zouden Struyk en de anderen ook wel waarderen wat hij had moeten doen en zouden ze hem dankbaar zijn.

Aan het eind van de vallei begon een pad. Het leek in de richting te lopen die hij moest hebben, dus volgde hij het. Het pad klom omhoog, en hij spoorde zijn zwetende paard aan de heuvel op.

Toen hij boven aan de heuvel was, zag hij een groep ruiters van de andere kant komen. Het waren er vier. En het waren mensen.

Ze waren allen in het zwart gekleed en zwaarbewapend. Een van hen had die vreemde gezichtsbeharing die de mensen een baard noemden.

Haskier was te dicht bij hen om uit het zicht te blijven of zich nog om te draaien, maar in zijn huidige stemming kon hem dat niet schelen. Hij vond het al erg genoeg dat het mensen waren, en nog erger dat hij ze moest tegenkomen. Hij zou zich niet laten ophouden.

De mensen leken geschrokken dat ze een eenzame orc op deze afgelegen plek troffen. Ze keken argwanend om zich heen of er nog anderen waren, en galoppeerden naar hem toe. Haskier bleef het pad volgen en vertraagde zijn gang niet. Hij stopte pas toen ze zijn paard op niet meer dan een zwaardlengte afstand insloten.

Ze keken naar zijn verweerde gezicht, de sergeantstatoeages op zijn wangen en de ketting van sneeuwluipaardtanden om zijn hals.

Hij staarde zonder met zijn ogen te knipperen terug.

De man met de baard leek de leider te zijn. Hij zei: 'Dat is een van hen.' Zijn metgezellen knikten.

40

'Wat een lelijkerd, hè?' zei een van de mannen zonder baard. Ze lachten.

Haskier hoorde ze boven het verleidelijke gezang van de sterren uit, die nu urgent klonken.

'Zijn er nog meer leden van je troep in de buurt, orc?' vroeg de man met de baard.

'Alleen ik. En nu aan de kant.'

Dat veroorzaakte weer een lachsalvo.

Een andere man sprak. 'Je gaat mee naar onze meester. Dood of levend.'

'Dacht het niet.'

De ruiter met de baard leunde naar Haskier toe. 'Jullie ondermensen zijn stommer dan varkens. Probeer dit te begrijpen, sufkop. Je gaat met ons mee, ín dat zadel of eroverheen.'

'Aan de kant. Ik heb haast.'

De leider trok een grimmig gezicht. 'Ik zeg het niet nog een keer.' Hij legde zijn hand op zijn zwaard.

'Jouw paard is beter dan dat van mij,' constateerde Haskier. 'Ik neem jouw paard mee.'

Deze keer duurde het even voor ze lachten en klonk het minder zelfverzekerd.

Haskier trok zachtjes aan de leidsels van zijn paard en draaide het bij. Hij haalde zijn linkervoet uit de stijgbeugel. Hij kreeg een warm gevoel in zijn buik, dat hij herkende als een teken van opkomende moordlust en verwelkomde als een oude vriend.

De man met de baard loerde naar hem. 'Ik snij je tong eruit, engerd.' Hij greep zijn zwaard en stond op het punt het te trekken.

Haskier sprong op hem af en knalde vol tegen de borst van de man. Samen vielen ze op de grond, Haskier bovenop. De man was het hardst terechtgekomen en was half bewusteloos. Haskier liet een regen van slagen op hem neerkomen en veranderde zijn gezicht in een rode, bloederige massa.

De andere ruiters schreeuwden. Een van hen sprong van zijn paard en rende met getrokken zwaard op Haskier af. De orc rolde van zijn levenloze tegenstander af en krabbelde overeind, net toen de man hem aanviel. Haskier stapte snel achteruit en trok zijn eigen zwaard om de slagen te pareren.

Tijdens het tweegevecht werd hij ook door de twee ruiters aangevallen. Hij ontweek hun zwaarden en de dansende paardenhoeven en concentreerde zich op de dreiging die het dichtst bij was. Hij sprong vooruit en bombardeerde de man met een regen van felle slagen. De tegenstander werd al snel in de verdediging gedwongen en had al zijn energie nodig om de aanvallen van Haskier af te slaan.

Tien tellen later paste Haskier een truc toe. Hij ontweek een slecht gemikte slag en hakte met zijn zwaard in op de onderarm van de man. De arm viel met zwaard en al op de grond. De man gilde en struikelde vooruit met zijn bloedende stomp, recht onder de hoeven van een steigerend paard.

Terwijl de ruiter vocht om zijn paard in bedwang te krijgen, stortte Haskier zich op de andere ruiter. Hij koos een directe aanpak. Hij greep de teugels en trok er uit alle macht aan, alsof hij een noodklok luidde. De ruiter werd uit het zadel geslingerd en smakte op de grond. Haskier gaf hem een doodschop tegen zijn hoofd en sprong op de rug van het paard. Hij draaide het dier bij om zijn laatste tegenstander te bevechten.

De in het zwart geklede man spoorde zijn rijdier aan en kwam op hem af. Ze hakten woest op elkaar in en probeerden vlees te raken, intussen worstelend om hun stampende paarden onder controle te houden.

Uiteindelijk bleek Haskier meer uithoudingsvermogen te hebben. Zijn aanhoudende slagen stuitten op steeds minder weerstand. Toen braken ze door de verdediging van de man heen. De vijand schreeuwde toen Haskier hem in zijn arm raakte. De orc ging met hernieuwde energie door, onophoudelijk hakkend als een bezetene. De man gaf het op. Een welgemikte stoot kwam diep in zijn borst terecht en hij viel van zijn paard.

Haskier kalmeerde zijn nieuwe paard en bekeek de lijken. Hij voelde geen bijzondere triomf over zijn overwinning; enkel irritatie omdat hij was opgehouden. Hij veegde het bebloede zwaard af aan zijn mouw en stak het weg. Weer ging zijn hand onbewust naar zijn riembuidel.

Hij keek om zich heen om te bepalen welke kant hij op moest, toen zijn aandacht werd getrokken door beweging vanuit zijn ooghoek. In het westen zag hij nog een groep mensen, ook in het zwart, die zijn kant op galoppeerde. Hij dacht dat het er dertig of veertig waren.

Zelfs in zijn moordlust wist hij dat hij zo'n grote groep niet in zijn eentje aankon. Hij spoorde zijn paard aan en ging ervandoor.

De sterren vulden zijn gedachten met hun gezang.

Op een heuvel, een paar honderd meter verderop, keek een andere groep mensen toe hoe een kleine figuur over de vlakte reed, achtervolgd door een stel van hun groepsleden.

De belangrijkste onder hen was een lange, slanke man. Hij was, net als de andere eni's, geheel in het zwart gekleed maar droeg daarnaast een hoge zwarte hoed. De hoed was een symbool van zijn autoriteit, al zou niemand het wagen zijn leiderschap te betwijfelen, of hij hem nu droeg of niet.

Zijn gezicht stond vastberaden en het zag er niet uit alsof hij ooit lachte. Hij had een puntige kin en een grijzende snor. Zijn mond was een dunne streep, bijna zonder lippen, en zijn ogen waren donker en intens.

Kimbal Hobrauws stemming was onheilspellend, maar dat was niet ongebruikelijk.

'Waarom hebt U mij verlaten, Heer?' riep hij naar de hemel. 'Waarom laat U dit goddeloze, ondermenselijke ondier ongestraft nadat hij Uw dienaar heeft getart?'

Hij keerde zich om naar zijn volgelingen, zijn elite die bekendstond als de bewaarders, en sprak hen vermanend toe. 'Zelfs een eenvoudige taak als het opjagen van heidense monsters is jullie al te veel! Jullie hebben de zegen van de Schepper door mij, zijn discipel op de wereld, en tóch falen jullie nog!'

Ze ontweken schaapachtig zijn blikken.

'Wees er maar zeker van dat ik kan terugnemen wat ik uit Zijn heilige naam heb gegeven!' dreigde hij. 'Haal terug wat de

Heer en mij toebehoort! Ga nu en sla die verdorven ondermensen neer! Laat ze onze woede voelen!'

Zijn volgelingen renden naar hun paarden.

Op de vlakte waren de gevluchte orc en de mensen die hem achtervolgden bijna uit het zicht verdwenen.

Hobrauw zakte op zijn knieën. 'Heer, waarom ben ik vervloekt met zulke idioten?' bad hij.

Mersadion, pas verheven tot commandant van het leger van koningin Jennesta, liep naar een stevige eikenhouten deur in de catacomben van het paleis in Steenburcht. De keizerlijke wachters die aan weerszijden ervan stonden, sprongen in de houding. Hij groette hen met een korte hoofdknik.

De generaal dacht aan het lot van zijn voorganger en aan hoe relatief jong hij zelf nog was, en moest moeite doen zijn zenuwen in bedwang te krijgen en aan te kloppen. Hij troostte zich met de gedachte dat iedereen die door haar werd geroepen zich zo voelde.

Vanuit de kamer, gedempt door de dikke deur, kwam een antwoord. Het klonk melodieus en onmiskenbaar vrouwelijk. Mersadion stapte naar binnen.

De kamer was van steen en had een hoog koepelplafond. Er waren geen ramen. Aan de wanden hingen draperieën en kleden, sommige met afbeeldingen waar hij liever niet te lang naar keek. Aan één kant van de kamer stond een klein altaar met daarvoor een marmeren plaat in de vorm van een doodskist. Hij dacht liever ook niet te lang na over het doel waarvoor die dingen werden gebruikt.

Jennesta zat aan een grote tafel. Op de tafel stonden kaarsen die voor het meeste van de verlichting in de kamer zorgden. Het gedimde licht gaf haar toch al aparte uiterlijk een bizar aspect. Het was nergens mee te vergelijken.

Doordat ze half nyade, half mens was, had Jennesta's huid een groenige, zilverachtige glans, alsof ze was bedekt met piepkleine schubjes. Haar gezicht was iets te plat en te breed en haar haren waren donker, met een glans waardoor ze altijd nat leken. Ze had een bijzonder puntige kin, een licht gekromde neus en een brede mond. Haar opvallende ogen, met ongewoon lange wimpers, waren peilloos diep.

Ze was mooi. Maar het was een soort schoonheid waarvan je niet wist dat die bestond, tot je haar zag.

Mersadion bleef stijfjes net binnen de deuropening staan en durfde niet te spreken. Ze was verdiept in oude boeken en vergeelde kaarten. Er lag een enorm boek met metalen gespen open naast haar. Hij zag, zoals hem al eerder was opgevallen, dat ze heel lange vingers had, die nog eens werden benadrukt door haar lange nagels.

Zonder op te kijken, zei ze: 'Op de plaats rust.'

Niemand kon zich in haar aanwezigheid ontspannen. Hij ging iets gemakkelijker staan, maar hij wist wel beter dan te overdrijven.

De ongemakkelijke stilte hield aan terwijl Jennesta bleef lezen. Hij boog zich een stukje voorover om er iets van te kunnen zien. Ze merkte het en keek hem aan. Tot zijn verrassing reageerde ze niet woedend, zoals hij gevreesd had, maar glimlachte ze meegaand. Natuurlijk was hij daardoor nog meer op zijn hoede.

'Je bent nieuwsgierig, generaal,' zei ze. Het was geen vraag.

'Vrouwe,' antwoordde hij aarzelend. Hij wist hoe onvoorspelbaar ze was.

'Jij hebt vele verschillende wapens, en ik ook. Dit is er een van.'

Hij keek naar de ongeordende stapels op tafel. 'Majesteit?'

'Ik geef toe dat het niet snijdt of hakt, maar het heeft krachten zo scherp als van elk zwaard.'

Ze zag zijn niet-begrijpende blik en voegde er ongeduldig aan toe: 'De hemel wordt weerspiegeld op aarde, Mersadion. De invloed van de hemellichamen op onze dagelijkse levens.'

Hij begreep wat ze bedoelde. 'Aha, de sterren.'

'De sterren,' bevestigde ze. 'Of eigenlijk de zon, de maan en andere werelden in hun relatie tot de onze.'

Hij begreep haar al niet meer, maar het leek hem onverstandig dat te zeggen. Hij zweeg en hoopte dat hij voldoende oplettend overkwam.

'Dit,' zei ze, tikkend op een kaart, 'is gereedschap voor onze jacht naar de Veelvraten.'

'Hoe dat zo, Vrouwe?'

'Het is niet makkelijk uit te leggen aan... een mindere intelligentie.'

Hij voelde zich bijna opgelucht over de achteloze belediging. Dat paste meer bij haar stijl.

'De stand van de hemellichamen vertelt ons zowel over karakters als over toekomstige gebeurtenissen,' legde ze uit. 'Het karakter wordt gevormd op het moment van de geboorte, afhankelijk van de hemellichamen die zich dan boven ons bevinden. De kosmische raderen draaien langzaam en precies.' Ze pakte een rol papier. 'Ik heb de geboortegegevens van de commandanten van de Veelvraten laten uitzoeken. Natuurlijk doen de lagere rangen er niet toe. Nu weet ik de geboortetekens van de vijf officieren, en daardoor weet ik iets over hun aard.'

'Geboortetekens, Majesteit?'

Ze zuchtte, en hij vreesde dat hij te ver was gegaan. 'Je weet wat geboortetekens zijn, Mersadion, ook al heb je nog nooit van het woord gehoord. Of wou je soms zeggen dat je nog nooit van de Slang, de Zeegeit of de Boogschutter hebt gehoord?'

'Nee, nee, natuurlijk niet, Vrouwe. Zonnetekens.'

'Zo noemt het gepeupel ze, ja. Maar in de kern is deze discipline veel diepgaander dan de onzin die waarzeggers op de markt verkopen. Ze halen de kunst naar beneden.'

Hij knikte. Het leek hem het beste om te zwijgen.

'De... zonnetekens van de officieren van de Veelvraten geven inzicht in hun persoonlijkheid,' vervolgde Jennesta, 'en in de wijze waarop ze zouden kunnen handelen in bepaalde omstandigheden.' Ze legde het papier vlak en zette kandelaars op de hoeken. 'Let op, generaal. Misschien leer je nog iets.'

'Vrouwe.'

'Sergeant Haskier wordt bestuurd door zijn geboorteteken Langhoorn. Dat maakt hem star, koppig, heetgebakerd en, in extreme omstandigheden, een woesteling. De dwergsergeant, Jup, is een Balladier. De krijger met een ziel. Hij ziet de mythische kant van gebeurtenissen. Maar hij is evenzeer praktisch. Korporaal Alfré is een Lovervis. Dat betekent dat hij een dromer is. Hij is geneigd in het verleden te leven en is waarschijnlijk conservatief. Hij bezit mogelijk helende krachten. De vrouwelijke orc, korporaal Coilla, is een Basilisk. Een vuurspuwer; eigenwijs, roekeloos dapper. Maar ook een loyale kameraad.'

Jennesta zweeg even en Mersadion waagde te spreken. 'En hun kapitein, Majesteit? Struyk?'

'Op bepaalde punten is hij het interessantst van zijn zooitje ongeregeld. Hij is een Scarabee. Dat is het teken van het goddelijke, van de onthulling van verborgen zaken, van verandering en het mystieke. Hij heeft ook sterke krijgereigenschappen.' Ze haalde de kandelaars weg en het papier rolde zichzelf op. 'Natuurlijk zijn dit maar grove schetsen. Al hun eigenschappen worden versterkt of verzwakt door vele factoren.'

'U had het over toekomstige gebeurtenissen, Hoogheid.'

'Onze toekomstige paden liggen al vast. Voor elke actie is er een reactie, en die staat ook al vast.'

'Dus alles is al bepaald?'

'Nee, niet alles. De goden hebben ons vrije wil gegeven. Al zou ik willen dat ze dat niet bij iedereen hadden gedaan,' voegde ze er sarcastisch aan toe.

Gesterkt door haar schijnbare openheid, vroeg hij: 'Wat heeft uw onderzoek over de toekomst onthuld, Vrouwe?'

'Niet genoeg. En om meer te weten moet ik het exácte moment en de precieze plaats van hun geboorte weten, zodat ik een meer accurate kaart kan opstellen. Maar dat soort details wordt niet bijgehouden voor simpele orcs.'

Mersadion reageerde niet op de wederom achteloos geuite belediging.

'De precisie van profetieën,' zei ze, 'is enkel gegarandeerd als we tijd gericht zoeken.'

Hij keek haar verbijsterd aan.

'Probeer het maar niet te begrijpen. Ik kan niet voorspellen hoe de huidige situatie zal aflopen. Niet met zekerheid. Maar wat de Veelvraten aangaat, voorzie ik nog geen einde aan bloed, vuur, dood en oorlog. Hun pad ligt vol gevaren. Wat ze ook proberen te bereiken, hun kansen zijn gering.'

'Zal dit ons helpen ze te vinden, Majesteit?'

'Misschien.' Ze sloeg het enorme boek dicht, waardoor er een wolk stof door het kaarslicht dwarrelde. 'Terug naar actuele zaken. Is er al nieuws van de premiejagers?'

'Nog niet, Majesteit.'

'Dat was natuurlijk ook te veel gevraagd. Ik vertrouw erop dat je beter nieuws hebt over de divisies die je in gereedheid moest brengen voor de actie van morgen.'

'Drieduizend lichte infanterie, volledig bewapend en bevoorraad, Vrouwe. Ze wachten op uw bevelen.'

'Laat ze bij zonsopgang klaarstaan. Ondanks alles verheug ik me erop een paar eni's een bloedneus te bezorgen.'

'Ja, Majesteit.'

'Goed. Ingerukt.'

Hij maakte een buiging en vertrok.

Terwijl hij wegliep van haar vertrekken, begon hij weer normaal te ademen. In de korte tijd die hij nu als generaal onder Jennesta diende, had Mersadion al veel beledigingen en vernederingen van haar moeten slikken. Hij had verschillende keren voor zijn leven gevreesd. Maar dat alles viel in het niet bij de opluchting die hij voelde, nu hij een uiting van redelijkheid van haar had overleefd.

5

Struyk leidde de troep zo snel mogelijk weg van Kras. Ze reden richting het noorden, aangezien ze vermoedden dat Haskier naar Steenburcht onderweg was.

Halverwege de ochtend vertraagden ze hun gang, omdat er nu wel voldoende afstand was tussen hen en de trollen, al zouden die hen waarschijnlijk niet bij daglicht volgen. Tannar gaf hierover geen uitsluitsel. Het enige wat hij deed, was vloeken.

De Veelvraten vorderden de rest van de dag op een meer gematigde snelheid. Al die tijd bleven ze uitkijken naar een teken van Haskier of Coilla en stuurden ze verkenners vooruit en naar weerszijden. De lengende schaduwen van de schemering maakten hun taak bijna onmogelijk, en de vertwijfelde stemming onder de orcs was bijna voelbaar.

Na meer dan een uur van grimmige stilte, draaide Alfré zich om in zijn zadel en zei: 'Dit is hopeloos, Struyk. We zwerven maar wat rond. We hebben een plan nodig.'

'En rust,' voegde Jup eraan toe. 'We hebben al twee dagen niet geslapen.'

'We hébben een plan: we zoeken Coilla en Haskier,' zei Struyk koppig. 'We hebben geen tijd om te rusten.'

Jup en Alfré keken elkaar veelbetekenend aan.

'Het is niets voor jou om zonder plan te werk te gaan, kapitein,' zei Alfré. 'Vooral in een crisis hebben we een strategie nodig. Dat heb je zelf vaak genoeg gezegd.'

'En dan hij nog,' zei Jup. Hij wees met een duim naar Tannar, die verder naar achteren in de rij reed met aan weerszijden een knor. Hij was nog steeds vastgebonden en geblinddoekt.

Alfré knikte. 'Ja, gaan we die lelijkerd overal mee naartoe slepen?'

Struyk keek ook achterom en zuchtte gelaten. 'Goed dan. We zetten op de dichtstbijzijnde geschikte plek ons kamp op. Maar we stoppen niet lang.'

Jup bekeek het terrein. 'Waarom niet hier?'

Struyk keek om zich heen. 'Oké. Het is goed genoeg.' Hij wees naar een laagte in het terrein, waar een makkelijk verdedigbare heuvel was ontstaan. 'Daar. Post dubbele wachters. Zeg de knorren dat ze niet te veel kletsen. Geen vuurtjes.'

Jup gaf de bevelen door, maar op een iets vriendelijker toon.

Ze stegen af. De vloekende trollenkoning werd van zijn paard getild en aan een boom gebonden. De bladeren van de boom vertoonden al herfstkleuren, maanden te vroeg. De wachters verspreidden zich maar bleven in de buurt. Struyk, Alfré en Jup schaarden zich bij elkaar en de rest van de troep verzamelde zich om hen heen. Toen Struyk met zijn hand zwaaide, gingen ze zitten. Veel knorren lieten zich uitgeput achterovervallen.

Alfré kwam direct terzake. 'Wat in naam van de goden gaan we doen, Struyk? Wat kúnnen we doen dat we niet al gedaan hebben? We weten alleen dat Haskier naar het noorden is gegaan. Er is een kans dat hij onderweg is naar Steenburcht.'

'Als hij denkt dat hij van Jennesta genade kan verwachten, is hij echt gek,' zei Jup.

'Dat laatste weten we,' zei Alfré. 'Maar wat zijn noordelijke richting betreft, denk ik dat hij te ver heen is om zo voorspelbaar te zijn. We kunnen daar niet op vertrouwen. Hij kan wel ergens rondjes aan het rijden zijn.'

'Wanneer we hem vinden...' zei Struyk. 'Áls we hem vinden, maak ik hem misschien wel af.'

'Eén gek geworden orc en we zijn weer terug bij af,' zei Alfré somber.

'En Coilla,' zei Struyk. 'Het begint er slecht uit te zien nu ze nog niet terug is.'

'Je geeft jezelf nog steeds de schuld,' zei Jup. 'Je kunt niet blijven...'

'Natuurlijk doe ik dat!' riep Struyk. 'Dát is wat leiderschap inhoudt; je verantwoordelijkheid nemen, kansen afwegen, dingen voorzien.'

Jup knipte met zijn vingers. 'Dingen voorzien. Vergezicht, commandant. Ik heb het al een tijdje niet geprobeerd. Het is een kansje waard, toch?'

Struyk haalde zijn schouders op. 'Waarom niet? We hebben niks te verliezen.'

'Ik beloof niets. Je weet hoe slecht het met de energie gesteld was op alle andere plaatsen waar we geweest zijn.'

'Doe je best.'

De dwerg zonderde zich af van de groep, vond een stukje grond waar de begroeiing wat weelderiger was en ging met gekruiste benen zitten. Hij boog zijn hoofd, legde zijn handpalmen plat op de aarde en sloot zijn ogen. De anderen negeerden hem. Struyk en Alfré gingen verder met het bespreken van hun opties.

Een paar minuten later kwam Jup terug. Ze konden niet aan zijn gezicht zien of hij iets zinnigs te melden had.

'Nou?' vroeg Struyk.

'Het wisselt. De kracht neemt inderdaad af. Maar ik heb iets opgepikt. Een heel vaag energiespoor waarvan ik denk dat het van Haskier is. Wat ik veel sterker voelde, was een vrouwelijke aanwezigheid, en ik denk dat dat Coilla is. Allebei ten noorden van hier, zij dichterbij dan hij.'

'Dus misschien zijn ze niet samen. Dat wisten we niet, neem ik aan.'

Jups gezicht betrok. 'Maar misschien is het geen goed teken. Een afstandsverschil is niet de enige oorzaak waardoor het ene patroon sterker kan zijn dan het andere. Dat kan ook een andere reden hebben.'

'Zoals?'

'Zoals sterke emoties.'

'Je bedoelt dat je Coilla daardoor beter voelt? Omdat ze sterkere gevoelens heeft?'

'Dat is mogelijk, commandant.'

'Goede gevoelens, of slechte? Kun je dat bepalen?'

'Nee, het kan allebei. Maar wetende waar ze mee bezig is, zullen het wel slechte zijn, denk je ook niet? Als de energiebanen niet zo verkloot waren, zouden we wat meer zekerheid hebben.'

'Smerige rotmensen zuigen de magie weg,' mompelde Alfré.

'Dit bevestigt alleen maar wat we al dachten,' zei Struyk. 'Ik vind nog steeds dat we richting het noorden moeten gaan.' Hij dacht even na en sprak toen de knorren aan. 'We moeten het samen doen. Ik wil naar het noorden, achter onze kameraden aan. Heeft iemand een beter idee? Ik meen het. Ik luister.'

Afgezien van wat geschuifel en gestaar, kreeg hij geen antwoord.

'Goed dan,' zei hij. 'Dan neem ik aan dat we het eens zijn. We rusten nog even voordat we verdergaan. Vanaf nu is onze prioriteit het terugvinden van onze kameraden en de sterren.'

'Dan gaan jullie je dood tegemoet!'

Ze keken allemaal naar Tannar, die ze min of meer vergeten waren.

'De wens is de vader van de gedachte,' antwoordde Jup.

'Het is een profetie,' verzekerde de trollenkoning hem.

'En waarop is die gebaseerd?' wilde Alfré weten.

'Op mijn kennis van de voorwerpen die jullie sterren noemen. Ik weet er duidelijk meer van dan jullie.'

Struyk liep naar de boom en hurkte naast de trol. Het begon te schemeren, dus deed hij hem de blinddoek af. Tannar knipperde met zijn ogen en fronste zijn voorhoofd.

'Vertel,' zei Struyk.

'Niet voordat je me losmaakt,' eiste de trol met koninklijke arrogantie. 'Alles doet me zeer. Ik ben het niet gewend zo behandeld te worden.'

'Dat geloof ik best. Maar ik geef je je zin.'

'Pas op, Struyk,' waarschuwde Alfré.

'Als deze bende niet opgewassen is tegen één ongewapende tunnelbewoner, moeten we een ander beroep kiezen.' Hij trok een mes om Tannars boeien los te snijden, maar aarzelde toen.

'Weet iemand wat voor magie trollen gebruiken?'

Jup wist het. 'Het is tweeledig, commandant. Eén deel heeft te maken met hun zicht in het donker. Hoe donkerder het wordt, hoe beter ze zien. Het andere deel is een grote vaardigheid om voedsel te vinden. Ratten, schimmels, wat ze dan ook eten. Ik zie niet hoe dat een bedreiging kan zijn. Behalve als hij probeert ons dood te snuffelen.'

De knorren lachten.

'Dat dacht ik al,' zei Struyk, en hij sneed het touw door.

Tannar wreef over zijn behaarde polsen en loerde naar zijn gevangenbewaarders. 'Ik heb dorst. Geef me water.'

'Eisen, eisen,' sneerde Jup terwijl hij een veldfles naar de trol gooide.

De trollenkoning dronk de fles halfleeg en zou hem helemaal hebben geleegd als Struyk hem niet had weggegrist. Tannar hoestte en sputterde.

'Dus wat weet je?' vroeg Struyk.

'Mijn ras heeft verhalen en legenden over deze voorwerpen. Het schijnt dat jullie soort die niet heeft. Misschien omdat orcs een van de weinige oude rassen zonder magie zijn. Ik weet het niet.'

'Wat zeggen die legenden?'

'Dat deze... sterren heel oud zijn, en dat ze misschien wel zijn gemaakt op hetzelfde moment dat Maras-Dantia door de goden vanuit de chaos werd geschapen.'

'Is daar bewijs van?' vroeg Alfré zich af.

'Jullie zijn zó ontzettend nuchter. Hoe kan er nu bewijs zijn voor een geloofskwestie?'

'Ga door,' spoorde Struyk hem aan. 'Wat nog meer?'

'Leden van veel oude rassen zijn gestorven of hebben gemoord voor de macht die de sterren vertegenwoordigen, net als jullie nu doen. Dat was allemaal lang geleden. Tegenwoordig weet bijna geen enkele Maras-Dantiaan er meer van. Maar ze blijven deel uitmaken van de geheime geschiedenis van het land, als verhalen die worden overgeleverd binnen sektes en verborgen ordes.'

'Dus het zijn allemaal hersenspinsels.'

'Dat meen je vast niet, anders zouden jullie niet zoveel risico nemen om ze te vinden.'

'We zoeken ze omdat ze belangrijk zijn voor anderen die iets over ons te vertellen hebben. Dát maakt ze nuttig voor ons.'

'Ze zijn zoveel meer dan onderhandelingsstukken. Als je denkt dat het zulke aardse dingen zijn, speel je blind met vuur.'

'We weten niets over de macht van de sterren, behalve dan dat anderen erin geloven.'

'Van wat ik je heb horen zeggen, hebben ze jullie leven veranderd,' antwoordde Tannar. 'Is dat geen macht?'

'Je had het over een geheime geschiedenis,' onderbrak Alfré hem. 'Wat bedoelde je daarmee?'

'Men zegt dat, door de geschiedenis heen, die dingen die jij sterren noemt, heel veel Maras-Dantianen hebben beïnvloed. Volgens zeggen waren zij de inspiratiebron voor de machtige gouden boog van Azazrel, de prachtige poëzie van Elphame, het fabelachtige Boek van Schimmen, de hemelse harp van Kimmen-Bers en nog veel meer. Dáár hebben jullie toch wel van gehoord?'

'Ja, zelfs wij hebben daarvan gehoord,' sneerde Struyk. 'Al hebben we niet veel op met poëzie, boeken en tingeltangelmuziek. Wij hebben een meer... praktisch beroep.'

'Hoe hebben de sterren aan die dingen bijgedragen?' drong Alfré aan.

'Via onthullingen, visioenen, voorspellende dromen,' antwoordde Tannar. 'Ze gaven een klein deel van hun mysterie prijs aan degenen die de kennis hadden om eruit te putten.'

Terwijl Struyk en Alfré hierover nadachten, had Jup ook een vraag. 'Niemand heeft ons kunnen vertellen wat de sterren precies zijn of wat ze doen, waar ze voor dienen. Weet jij het?'

'Ze zijn een pad naar de goden.'

'Dat klinkt mooi. Wat betekent het?'

'De plannen van de goden liggen buiten ons sterfelijke bereik.'

'Je bedoelt dat je het niet weet.'

'Hoe is jullie ster in Kras terechtgekomen?' vroeg Struyk.

'Het was een erfstuk van een van mijn voorgangers, Rasatenan, die hem heel lang geleden voor ons ras in de wacht sleepte.'

'Nooit van gehoord,' zei Jup ongeïnteresseerd.

Tannar fronste zijn wenkbrauwen. 'Hij was een machtige trollenheld. Zijn daden worden nog steeds door onze woordsmeden bezongen. Ze vertellen hoe hij een pijl uit de lucht greep, hoe hij in zijn eentje vijftig vijanden versloeg, en...'

'Je zou het goed doen in een wedstrijd opscheppen,' zei Jup.

'... en hoe we de ster van een dwergenstam hebben ingepikt nadat we hen hadden verslagen in de strijd,' maakte Tannar zijn verhaal nadrukkelijk af.

Jup kleurde. 'Ik geloof er geen bal van,' zei hij gekwetst.

'Hoe jullie er ook aan zijn gekomen,' mengde Struyk zich erin, 'wat wil je zeggen over de sterren, Tannar?'

'Dat ze altijd alleen maar dood en vernietiging brachten als er niet juist mee werd omgegaan.'

'Wat voor jou betekent dat je er bloed aan moet offeren.'

'Jullie doden ook!'

'In oorlogstijd. En we nemen het zwaard op tegen andere krijgers, niet tegen onschuldige wezens.'

'Een offer brengt mijn ras voorspoed. De goden bieden ons in ruil daarvoor bescherming.'

'Tot nu toe,' bracht Alfré hem in herinnering.

De koning deed geen moeite zijn ongenoegen over deze opmerking onder stoelen of banken te steken. 'En jullie handen kleven niet van het bloed van offerandes, zeker?'

'Nooit van hogere levensvormen, Tannar. En we offeren het meest aan onze goden wanneer we oorlog voeren. De geesten van degenen die we doden zijn ons offer.'

'Misschien hebben de goden het goed met jullie voor, omdat jullie binnen korte tijd meer dan één ster hebben gevonden. Of misschien is het een grapje van ze.'

'Misschien,' gaf Struyk toe. 'Maar waarom vertel je ons dit allemaal?'

'Zodat jullie inzien hoe belangrijk dit artefact is voor mijn ras.

Geef het terug en laat me gaan.'

'Waarom zouden we je helpen nog meer onschuldige wezens af te slachten? Vergeet het maar, Tannar.'

'Ik eis dat jullie het teruggeven!'

'Je hebt niks te eisen. We hebben in dat gat dat jij je thuis noemt ons leven niet in de waagschaal gesteld om die ster zomaar terug te geven. We hebben hem nodig.'

De trol keek hem samenzweerderig aan. 'En wat dacht je van een ruil?'

'Wat kan jij nu hebben dat wij zouden willen?'

'Nóg een ster?'

Struyk, Jup en Alfré keken elkaar sceptisch aan.

'Denk je dat we geloven dat je er nóg een hebt?' vroeg Struyk.

'Ik zei niet dat wij hem hebben. Maar ik weet wellicht waar jullie nog een ster kunnen vinden.'

'Waar?'

'Er is een prijs.'

'Je vrijheid en de ster terug.'

'Natuurlijk.'

'Hoe zie je die ruil voor je?'

'Ik vertel jullie de plaats en jullie laten me gaan.'

Struyk dacht er even over na. 'Goed.'

Jup en Alfré wilden bezwaar maken. Hij legde hun met een kort handgebaar het zwijgen op.

'Ik heb gehoord dat Keppataun de centaur een ster heeft,' legde Tannar uit. 'Hij is wapensmid en zijn stam bewaakt de ster in het Droganwoud.'

'Waarom zijn jullie er niet achteraan gegaan?'

'Wij hebben niet die waanzinnige ambitie die jullie hebben om ze te verzamelen. Wij zijn tevreden met één.'

'Hoe komt die Keppataun aan de ster?'

'Dat weet ik niet. Wat maakt het uit?'

'Drogan is een centaurbolwerk,' zei Jup, 'en die kunnen erg territoriaal zijn.'

'Dat is niet mijn probleem,' zei de koning hooghartig. 'Geef me nu de ster en laat me gaan.'

Struyk schudde zijn hoofd. 'We houden de ster. En je moet nog even bij ons blijven.'

De koning was woedend. 'Wát? Ik heb me aan mijn deel van de afspraak gehouden! Je ging akkoord!'

'Nee. Dat dacht je alleen maar. Je gaat met ons mee, tot we zeker weten dat je de waarheid hebt verteld.'

'Jij twijfelt aan mijn woord? Smerige bovenlander, huurling, schuim van de aarde! Jíj twijfelt aan míjn woord?'

'Ja. Het leven is niet eerlijk, hè?'

Tannar begon onsamenhangend te tieren.

'Je hebt je zegje gedaan,' zei Struyk. Hij wenkte een knor.

'Nep, zet hem weer vast aan die boom.'

De soldaat greep de koning bij zijn arm en leidde hem weg. Tannar klaagde luidkeels over verraad, over de vernedering die hij onderging, over de minderwaardige handen die hem aanraakten. Hij trok de afkomst van de hele troep in twijfel. Struyk draaide zich om en sprak verder met zijn officieren.

Plotseling klonk er geroep en gescheld van de knorren. Tannar bulderde: 'Nee!'

Struyk draaide zich pijlsnel om.

Tannar en Nep stonden een paar meter verderop. De trol had zijn arm om de nek van de orc geslagen en hield hem een mes op de keel.

'Shit!' riep Jup. 'Niemand heeft hem gefouilleerd!'

'Nee!' herhaalde de trol. 'Ik laat me niet zo behandelen! Ik ben kóning!'

Nep stond stram rechtop, zijn gezicht asgrauw en zijn ogen groot. 'Sorry, kapitein,' zei hij zachtjes.

'Rustig,' riep Struyk. 'Kalmeer, Tannar, dan raakt er niemand gewond.'

De trol greep de knor steviger vast en drukte het mes tegen zijn hals. 'Loop naar de hel! Ik neem de ster mee en ik gá.'

'Laat hem gaan. Dit heeft geen zin.'

'Doe wat ik zeg, anders sterft hij!'

Nep kromp ineen.

Jup trok langzaam zijn zwaard. Alfré pakte een pijl en boog.

De andere leden van de troep bewapenden zich ook.

'Laat jullie wapens vallen!' eiste Tannar.

'Nooit van z'n leven,' antwoordde Struyk. 'Als je onze kameraad vermoordt, wat denk je dat er dan gebeurt?'

'Probeer me niet te overbluffen, Struyk. Zet het leven van die orc hier niet op het spel.'

'We zorgen voor elkaar, daar heb je gelijk in. Maar dat is maar een deel van het motto van de orcs. Voor de rest is het één op één, allen op één. Als we niet kunnen beschermen, nemen we wraak.'

Alfré zette een pijl klaar en richtte zijn boog. Verschillende knorren deden hetzelfde. Nep draaide zich en probeerde een kleiner doel te vormen. Tannar hield hem grimmig vast.

'Je kunt hier levend vandaan komen,' zei Struyk, 'en Kras weer terugzien. Je hoeft alleen dat mes maar neer te gooien.'

'En de ster?'

'Je hebt mijn antwoord daarover.'

'Dan kunnen jullie allemaal naar de hel lopen!'

Hij wilde het mes over de hals van de orc halen. Nep draaide zich ruw om, waarbij zijn hoofd vooruit en omlaag bewoog en waardoor het mes van de koning langs zijn hals schraapte. Alfré liet zijn pijl vliegen. De pijl schampte de wang van de trol, maakte een wond en vloog verder. Tannar brulde en liet Nep los. De knor viel en rende struikelend weg met zijn hand op zijn bloedende hals.

Nog twee pijlen raakten Tannar in zijn borst. Hij wankelde maar ging niet neer. Hij maaide met het mes door de lucht en riep onverstaanbare dingen, en redde het zelfs om een paar stappen richting de troep te zetten.

Struyk trok zijn zwaard, holde op de koning af en maakte het af met een stevige onderhandse stoot in de organen van de trol. De trollenkoning zakte met open mond ineen.

Struyk porde hem in de zij met zijn laars. Het was gedaan.

Alfré onderzocht Neps wond. 'Je hebt geluk gehad,' zei hij. Hij stelpte het bloeden met een doek. 'Het is een oppervlakkige wond. Hou dit stevig vast.'

Samen met Jup liep hij naar Struyk. Ze keken naar het lijk.

'Hoe kon hij zo stom zijn om te denken dat je zijn voorstel zou aannemen?' vroeg Jup zich af.

'Ik weet het niet. Arrogantie? Hij was gewend aan absolute alleenheerschappij, en dat alles wat hij zei voor waar werd aangenomen. Dat is niet goed voor iemand van het oude ras. Het maakt je hersens week.'

'Je bedoelt dat hij zijn hele leven al uit zijn nek lult en dat niemand hem tegensprak. Misschien kon hij die gewoonte niet van zich afzetten.'

'Absolute macht lijkt op zichzelf wel een soort waanzin.'

'Hoe meer vorsten ik zie, hoe meer ik het met je eens ben. Zijn er dan helemaal geen goedaardige dictators meer over?'

'Dus nu hebben we ook nog een koningsmoord gepleegd,' zei Alfré.

'Het is niet echt moord,' zei Jup. 'En dan meer tirannenmoord, zou ik zeggen.'

'En we hebben weer meer vijanden gemaakt,' vulde de dwerg aan.

Struyk stak zijn zwaard weg. 'We hebben er al zoveel; een paar meer of minder maakt ook niet meer uit. Laat een gat voor hem graven, wil je?'

Jup knikte. 'Dan naar het noorden?'

'Naar het noorden.'

Droge plekken waren schaars in het rijk van Adpar. Gezien de lichaamsbouw van de nyaden, was een gebrek aan water even schadelijk als een gebrek aan lucht. Voor wezens die nog afhankelijker waren van water, zoals de meerz, leidde een gebrek aan water onvermijdelijk tot een gebrek aan leven. Langzaam.

De enige plek in de citadel van Adpar waar water schaars was, was in de kerker, die door haar manier van regeren maar zelden lang bezet was. Niet dat ze dat voldoende reden vond om de kerker minder onplezierig te maken. Vooral wanneer ze informatie wilde hebben van de bewoners ervan.

Ze had bij dit soort zaken graag zelf de touwtjes in handen, daarom liep ze met de wachters mee naar de cel waarin twee meerzmannen zaten die pasgeleden waren gevangengenomen. Ze waren vastgebonden op stoffige stenen platen in de kurkdroge cel, en waren al een keer flink afgeranseld. Het overgrote deel van de dag hadden ze al geen water meer gehad.

Adpar stuurde de wachters weg en liet zich zien aan de gevangenen. Hun korstige ogen werden groot toen ze haar zagen, en hun gebarsten lippen trilden.

'Jullie weten wat we willen,' zei ze. Haar stem was zacht en bijna verleidelijk. 'Vertel me gewoon waar de overige vestigingen zijn, dan hoeven jullie niet meer te lijden.'

Hun weigering, die krakend uit hun droge kelen kwam, was niet minder dan ze verwacht had, en eigenlijk ook gehoopt. Ze moest wel het gevoel hebben dat ze iets bereikte, anders waren deze bezoekjes niet de moeite waard.

'Moed is soms misplaatst,' zei ze redelijk. 'We komen er vroeg of laat toch wel achter, of jullie ons nu helpen of niet. Waarom zou je pijn lijden?'

De een vervloekte haar, de ander schudde zijn hoofd, pijnlijk langzaam terwijl zijn droge huid afschilferde.

Adpar pakte de waterfles en ontkurkte die als in een soort van erotische voorstelling. 'Weten jullie het zeker?' Ze daagde hen uit en dronk met grote slokken uit de fles, waarbij ze het water langs haar mond en hals liet lopen.

Ze weigerden nog steeds, al groeide de begeerte in hun ogen.

Ze pakte een donzige spons, vulde hem met water en kneep hem uit boven haar hoofd en lichaam. Zilveren druppeltjes glansden op haar schubbenhuid.

De meerzmannen likten met hun zwart geworden tong over hun lippen, maar bleven weigeren.

Adpar vulde de spons nog eens.

Het bleken uiteindelijk twee welbestede uren, zowel om de informatie die ze kreeg als om het plezier dat ze had bij het verkrijgen ervan.

Ze zorgde ervoor dat de twee zagen dat ze de fles en spons meenam toen ze vertrok. Hun wanhopige uitdrukkingen gaven haar nog een laatste genoegdoening.

De wachters stonden buiten de cel te wachten. 'Laat ze maar uitdrogen,' zei ze.

6

De troep trok voor het ochtendgloren weer verder. Ze gingen richting het noordoosten, ervan uitgaande dat Haskier nog richting Steenburcht ging. En ze hoopten dat Coilla zich ergens tussen Haskier en hen in bevond.

Ze waren nu op de bovenste vlakten, een gebied waar minder beschutting was, dus moesten ze nog voorzichtiger zijn. Af en toe kwamen ze kleine bosjes en groepjes bomen tegen, en het pad dat ze nu volgden leidde naar een woud. Struyk was beducht op gevaar en stuurde twee verkenners vooruit en twee naar de zijkanten.

Toen ze de bomen bereikten, zei Jup: 'Moeten we niet eens gaan denken aan wat er gebeurt als we Coilla en Haskier niet vinden? Tegen de tijd dat we in de buurt komen van Steenburcht, bedoel ik? We hoeven daar niet op een warme ontvangst te rekenen, Struyk.'

'Ik denk dat we héél warm ontvangen zouden worden. Maar ik weet het antwoord op je vraag niet, Jup. Om eerlijk te zijn, begin ik te vrezen dat ze een andere kant op zijn gegaan.'

Alfré knikte. 'Dat begon ik ook te denken. Als dat zo is, kunnen we ons hele leven alleen al hier naar ze lopen zoeken. En als ze héél ergens anders naartoe zijn...'

'Daar denken we maar niet over na,' zei Struyk.

'Dat kunnen we dus maar beter wel doen. Behalve als je van plan bent voor altijd rondjes te rennen.'

'Kijk, Alfré. Ik weet niet beter dan jij wat we...'

Er was commotie rechts van hen. De struiken bewogen, er

kraakten takken en er vielen bladeren omlaag. Kleine boompjes vielen om. Er kwam iets groots uit het bos vandaan.

Struyk trok aan de teugels. De rij hield halt. Zwaarden werden getrokken.

Er kwam een wezen tevoorschijn. Zijn lichaam leek op dat van een paard maar hij was nog groter dan een strijdros en hij had klauwen, geen hoeven. Onder de huid waren sterke spieren te zien. Zijn nek was lang als een slang en aan de achterkant getooid met zwarte manen. Het hoofd was bijna geheel dat van een griffioen, met een katachtige neus, een gele, hoornige snavel en omhoogstekende, harige oren.

Ze zagen dat het een jong was, nog lang niet volgroeid, en dat een van zijn vleugels was gebroken en nutteloos omlaag hing. Dat was natuurlijk ook de reden dat het dier, ondanks het feit dat het schijnbaar in paniek was, niet wegvloog. Het beest zag er log uit maar bewoog zich razendsnel.

De hippogrief kruiste hun pad en draaide zijn kop naar hen om. Ze zagen zijn enorme groene ogen. Toen denderde het aan de andere kant van het pad weer tussen de bomen door en was verdwenen.

Enkele paarden steigerden en snoven.

'Kijk hem gáán!' riep Jup.

'Ja, maar waarom?' wilde Alfré weten.

Een hartslag later kwamen er twee verkenners tussen de bomen vandaan gegaloppeerd uit dezelfde richting als waar de hippogrief vandaan was gekomen. Ze schreeuwden, maar de woorden waren niet te verstaan. Een van hen wees achter zich.

Alfré tuurde tussen de bomen door. 'Struyk, ik denk...'

Er sprongen tientallen figuren het pad op. De voorste zaten op paarden, de tweede rij was te voet. Het waren mensen, allemaal in het zwart gekleed en zwaarbewapend.

'Shit,' zei Jup.

Een eeuwigdurende tel lang keken de twee groepen elkaar aan.

Toen werd de betovering verbroken.

De mensen draaiden zich om, begonnen te schreeuwen en zetten de aanval in.

'We zijn in de minderheid! Het is twee tegen één!' riep Alfré.
Struyk hief zijn zwaard. 'Laten we daar dan maar snel wat aan doen! Geen pardon!'

De zwarte ruiters stormden op hen af. Struyk spoorde zijn paard aan en leidde zijn troep op hen af. Orcs en mensen bestormden elkaar met luid gebrul en gekletter van staal.

Struyk ramde de voorste ruiter. De man hield een breed zwaard vast en sloeg daarmee door de lucht richting het zwaard van de orc. Hun wapens raakten elkaar twee keer voordat Struyk onder de verdediging van de man door kwam en hem in zijn middel raakte. De man viel op de grond. Zijn ruiterloze paard liep door en vergrootte de chaos.

De man die de plaats innam van de gevallen ruiter, bevestigde Struyks wantrouwen ten opzichte van gemakkelijke overwinningen. Dit was een veel sterkere tegenstander. Hij was gewapend met een dubbele bijl en was daar bijzonder vaardig mee. Ze wisselden enkele slagen uit. Daarna probeerde Struyk zijn wapen te ontduiken, omdat hij bang was dat zijn zwaard zou breken.

Terwijl ze vochten om het voordeel, kwam Struyks zwaard op de houten steel van de bijl terecht en hakte er een stukje uit. Dit leek de man niet te deren, maar al snel werd hij moe van het hanteren van de zware bijl. Hij werd langzaam en reageerde trager. Niet veel trager, maar net voldoende voor Struyk om er gebruik van te maken.

Dankzij het kleine snelheidsvoordeel kon Struyk laag toeslaan. Hij haalde het dijbeen van de man open. De man bleef in het zadel, maar de pijn bracht hem van zijn stuk. Zijn verdediging leek nergens meer op. Struyk richtte op zijn borst en raakte. De man liet zijn bijl vallen, graaide met beide handen naar de bloedende wond en klapte dubbel. Zijn paard schrok en ging ervandoor, en nam de man mee.

De open plek werd onmiddellijk gevuld door een volgende tegenstander. Struyk begon weer te schermen.

Alfré bevond zich tussen een ruiter aan de ene kant en een voetsoldaat aan de andere. De voetsoldaat was het gevaarlijkst.

Alfré rekende met hem af door de puntige staak van de banier in zijn borst te steken. De man ging neer en trok de banier en staak met zich mee. Alfré richtte zijn aandacht op de ruiter. Ze kruisten hun zwaarden. Bij de derde slag verloor de man zijn zwaard, en Alfré maakte er een eind aan met een stuk koud staal in zijn maag.

Een andere voetsoldaat met een korte speer kwam op Alfré af, maar die stortte zich als een wilde op hem en liet het zwaardslagen regenen. De speer werd in tweeën geslagen en voor de man kon bukken, had Alfré zijn schedel gespleten.

Overal langs het pad braken handgevechten uit. Enkele mensen probeerden om de troep heen te lopen om ze van achteren aan te vallen. De knorren weerden zich kranig en hielden hen op afstand.

Jup was bezig met zijn zwaard een ruiter uit te schakelen, en had daardoor geen oog voor de voetsoldaat die op hem afkwam. De man greep het been van de dwerg en trok hem van zijn paard. Jup landde met een smak op de grond. De man hief zijn zwaard hoog op om hem een kopje kleiner te maken, maar Jup was net op tijd bij zinnen om opzij te rollen. Hij zag verbaasd dat hij zijn zwaard nog steeds vast had, en begon ermee op de benen van de man in te hakken. De man schreeuwde omdat zijn pezen waren doorgesneden en viel. Jup begroef het zwaard in zijn borstkas.

Het was nadelig om in dit tumult rond te lopen, dus keek Jup om zich heen in de hoop dat hij een paard kon vinden. Hij werd echter belemmerd door een ruiter die dacht dat de dwerg een gemakkelijke prooi zou zijn. De man strekte zich uit het zadel en haalde met zijn zwaard naar Jup uit. Jup weerde hem af. Het was meer geluk dan wijsheid toen hij uiteindelijk het zwaard van de man uit zijn hand sloeg. Vervolgens sprong hij zo hoog mogelijk op en bracht de man een wond in zijn zij toe. De man viel. Jup nam zijn paard en stortte zich weer in de strijd.

Er zoefde een pijl langs Struyks schouder. Hij was afkomstig van twee mensenboogschutters verderop op het pad. Terwijl hij de aanvallen van zijn tegenstanders afweerde, zag hij de andere twee verkenners van de Veelvraten terugkeren. Ze kwamen van achter de boogschutters aan gegaloppeerd en vielen hen aan. De schutters hadden hen niet zien aankomen en waren snel uitgeschakeld. Struyk richtte zich op zijn eigen gevechten.

Alfré had het druk; hij werd van twee kanten aangevallen door voetsoldaten. Het was vermoeiend om zich steeds te moeten omdraaien. Maar ze hadden de leidsels van zijn paard vastgegrepen, dus hij had geen keus.

Jup haastte zich ernaartoe. Hij dook op de man aan de linkerhand van Alfré en zette zijn zwaard diep in diens schouder. Alfré concentreerde zich op de andere aanvaller, en stond op het punt hem te doden toen de twee teruggekeerde verkenners hem te hulp schoten. Ze maakten korte metten met de vijanden.

Struyk sloeg met een krachtige zwaai van zijn zwaard, dat hij in beide handen hield, een man zijn hoofd af. Terwijl het levenloze lichaam ter aarde stortte, keek hij om zich heen. De enige mensen die nog leefden, vijf of zes man te voet en te paard, vluchtten het bos in. Struyk riep een bevel en een stel knorren volgde hen.

Hij liep naar Alfré, die juist bezig was zijn banier uit de borst van een dode man te trekken.

'Wat denk je van onze verliezen?' vroeg Struyk.

'Bij ons geen doden, voorzover ik kan zien.' Hij hijgde. 'We hebben geluk gehad.'

'Het waren geen krijgers. Geen beroeps, althans.'

Jup kwam bij hen staan. 'Denk je dat ze achter ons aan zaten, kapitein?'

'Nee. Ik denk dat het een jachtpartij was.'

'Ik heb gehoord dat mensen voor hun plezier jagen, niet alleen voor voedsel.'

'Dat is barbáárs,' zei Alfré. Hij veegde met een mouw langs zijn bebloede gezicht.

'Maar wel typisch iets voor hun ras,' vond Struyk.

De knorren waren al bezig de lijken van de vijanden na te kijken op wapens en andere bruikbare voorwerpen.

'Wat denk je dat ze waren?' vroeg Alfré zich af. 'Eni's? Meni's?'

Jup liep naar het dichtstbijzijnde lijk en bekeek het. 'Eni's. Herken je die zwarte kleding niet? Kimbal Hobrauws wachters. Uit Drie-eenheid.'

'Weet je het zeker?' vroeg Struyk.

'Ik heb er meer gezien dan jullie. En van dichtbij ook nog. Ik weet het zeker.'

Alfré staarde naar de dode. 'Ik dacht dat we die maniakken hadden afgeschud.'

'Het zou me niet verrassen als het niet zo was,' antwoordde Struyk. 'Ze zijn fanatiek, en wij hebben hun ster. Het lijkt erop dat niemand ons daar graag mee ziet vertrekken.' De knorren die Struyk achter de vluchtende mannen had aangestuurd, kwamen terug. Ze hielden hun bebloede zwaarden triomfantelijk omhoog. 'Het zijn er nu tenminste een paar minder,' voegde hij eraan toe.

Jup liep weer naar hen terug. 'Is het mogelijk dat zij Coilla en Haskier hebben?'

Struyk haalde zijn schouders op. 'Wie zal het zeggen?'

Er rende een knor op hen af met een opgerold stuk perkament. Hij gaf het aan Struyk. 'Ik heb dit gevonden, commandant. Ik dacht dat het misschien belangrijk was.'

Struyk rolde het perkament uit en liet het aan Alfré en Jup zien. In tegenstelling tot de knorren konden zij lezen, in meer of mindere mate. Hun taak werd gemakkelijker gemaakt doordat het document in het universele schrift was geschreven.

'Het gaat over óns!' riep Jup.

'Ik denk dat iedereen dit moet horen,' besloot Struyk.

Hij riep zijn troep bijeen en vroeg Alfré het perkament voor te lezen.

'Dit is een soort afkondiging,' legde Alfré uit. 'En dit lijkt op Jennesta's zegel. Er staat: "Laat het bekend zijn dat op bevel van..." Nou ja, op bevel van Jennesta, dat eh... "de strijdtroep die deel uitmaakt van de horde van de Koningin, bekend als de Veelvraten, vanaf dit moment dient te worden beschouwd als voortvluchtig en vogelvrij en niet langer onder bescherming staat van dit rijk. Laat verder bekend zijn dat een passende beloning in munten, pellucide of land zal worden betaald bij overlegging van de hoofden van de officieren van deze troep, te weten..." Dan volgen de namen van de officieren. Even kijken. Het gaat nog verder. "Verder wordt er een beloning in relatie tot hun rang betaald bij uitlevering, dood of levend, van de gewone soldaten van de troep, met de namen..." Dan volgen de namen van alle knorren. Zelfs van de kameraden die we al verloren hebben. Het eindigt met: "Laat het bekend zijn dat eenieder die genoemde voortvluchtigen herbergt..." Het gebruikelijke verhaal.'

Hij gaf het perkament terug aan Struyk.

Iedereen was stil geworden. Struyk doorbrak de stilte. 'Dit bewijst alleen maar wat de meesten van ons al vermoedden, toch?'

'Het is wel een schok om het bevestigd te zien,' zei Jup somber.

Alfré wees naar de dode wachters. 'Betekent dit niet dat ze ons zochten, Struyk?'

'Ja en nee. Ik denk dat we toevallig op elkaar stuitten. Al denk ik dat ze inderdaad in deze streek zijn vanwege hun meester, Hobrauw, en de ster die we hebben gestolen. Maar er zullen er meer dan genoeg zijn die wél naar ons op zoek gaan voor die beloning.' Hij zuchtte. 'Een bewegend doel is het moeilijkst te raken. Laten we maar opschieten.'

Terwijl ze het bos uit reden, zei Jup: 'Laten we het van de zonnige kant bekijken. Voor het eerst in mijn leven ben ik iets waard. Jammer dat het alleen geldt als ik dood ben.'

Struyk lachte. 'Kijk.' Hij wees. In het westen, een heel eind verderop, liep de hippogrief over de vlakte. 'Híj is tenminste wel ontsnapt.'

Alfré knikte wijs. 'Ja. Jammer dat hij niet meer lang te leven heeft.'

'Dank je hartelijk voor die opmerking,' zei Jup.

Ze reden nog drie of vier uur in een flauwe bocht door en bleven zoeken naar hun kameraden. Tot overmaat van ramp sloeg het weer om. Het was koud en ze werden op onvoorspelbare momenten overvallen door ijskoude regenvlagen en harde windstoten. De nattigheid en ellende deden hun moraal weinig goed.

Voor Struyk was het een tijd om na te denken, en uiteindelijk nam hij een beslissing, al ging die tegen zijn natuur in. Hij liet de rij halt houden bij een grazige heuvel. De verkenners werden teruggehaald.

Hij stuurde zijn paard naar de top van de heuvel zodat hij iedereen tegelijk kon aanspreken. 'Ik heb besloten om tot een andere aanpak over te gaan,' begon hij. 'En ik denk dat we daar maar beter meteen mee kunnen beginnen.'

Er klonk geroezemoes onder de rangen.

'We lopen als een kip zonder kop rond op zoek naar Haskier en Coilla,' vervolgde hij. 'Er staat een prijs op onze hoofden, en misschien zijn er anderen op zoek naar de sterren. Alles heeft zich tegen ons gekeerd. We hebben geen vrienden, geen bondgenoten. Het is tijd om van tactiek te veranderen.'

Hij keek naar hun gespannen gezichten. Wat ze ook verwachtten, het was niet wat hij vervolgens zei. 'We gaan de troep opsplitsen.'

De orcs slaakten kreten.

'Waaróm, Struyk?' riep Jup.

'Je zei dat we dat nooit zouden doen,' voegde Alfré eraan toe.

Struyk hief zijn handen in de lucht en toen de leden van zijn troep zijn gezichtsuitdrukking zagen, hield het tumult op. 'Luister!' brulde hij. 'Ik bedoel niet voor altijd, alleen tot we hebben gedaan wat nodig is.'

'En dat is, commandant?' vroeg Jup.

'Coilla en Haskier vinden, en ten minste een kijkje nemen in Drogan.'

Alfré keek verre van blij. 'Eerst wilde je de troep niet opsplitsen. Hoezo nu wel?'

'We wisten niets van die mogelijke andere ster. En we hadden er ook geen bewijs van dat we officieel als deserteurs te boek staan, en alles wat dat inhoudt. Het vinden van onze kameraden is niet meer onze enige prioriteit. Ik zie geen andere manier om naar onze vrienden én nog een ster te zoeken, zonder ons op te splitsen.'

'Je denkt dat Tannar de waarheid sprak over die ster in Drogan? Misschien loog hij wel om zijn huid te redden.'

Een flink aantal orcs mompelde instemmend.

Struyk schudde zijn hoofd. 'Ik denk dat hij de waarheid sprak.'

'Dat kun je niet zeker weten.'

'Je hebt gelijk, Alfré. Dat kan ik ook niet. Maar wat hebben we te verliezen?'

'Alles!'

'Voor het geval je het niet gemerkt had, we hebben alles toch al op het spel gezet. Misschien is het op dit moment niet goed om alles op één paard te wedden. Met twee groepen hebben onze vijanden minder kans om ons allemaal te pakken te krijgen. En als elke groep één of meer sterren heeft...'

'Áls!' zei Jup. 'Denk eraan, we weten nog steeds niet wat die verdomde sterren doen, waar ze voor dienen. Het is een gok, een wilde gooi.'

'Je hebt gelijk. We begrijpen hun doel nog steeds niet. Wat we wél weten is dat ze waardevol zijn, al is het maar omdat Jennesta er ten minste één wil hebben. Waar we wél zeker van kunnen zijn, is dat de macht ligt in het bezit ervan. Ik denk nog steeds dat ze onze onderhandelingspositie versterken, en misschien kan ons dat redden. Zoals ik al zei: wat hebben we te verliezen?'

'Is wat jij zegt niet juist een reden om de troep te splitsen en dat zo te láten?' stelde Alfré voor.

'Nee. Dit zijn ongewone omstandigheden. We missen twee leden, en we moeten ons best doen om ze te vinden. Veelvraten blijven bij elkaar.'

'Je ziet Haskier nog steeds als een lid van onze troep? Na alles wat hij gedaan heeft?'

'Ja, Struyk,' zei Jup. 'Het lijkt erop dat hij ons heeft verraden. Als we hem vinden, wat doen we dan met hem?'

'Ik weet het niet. Laten we hem eerst maar zien te vinden. Maar zelfs al heeft hij ons verraden, dan is dat nog geen reden om niet naar Coilla te zoeken.'

Alfré zuchtte. 'Je bent niet van plan van gedachten te veranderen, hè?'

Struyk schudde zijn hoofd.

'Dus, wat is je plan?'

'Ik neem de halve troep mee op zoek naar Coilla en Haskier. Jij, Alfré, neemt de andere helft mee naar Drogan en zoekt die centaur Keppataun op.'

'En ik?' vroeg Jup. 'Met welke groep ga ik mee?'

'Met mijn groep. Jouw vergezicht kan nuttig zijn bij het zoeken.'

De dwerg keek een beetje chagrijnig. 'De kracht neemt af, dat weet je.'

'Desondanks. We hebben alle hulp nodig die we kunnen krijgen.'

'Hoe denk je dat we bij die centaurs worden ontvangen?' vroeg Alfré zich af.

'We hebben geen onenigheid met ze,' zei Struyk.

'We hadden ook geen onenigheid met de meeste andere Maras-Dantianen. En kijk eens hoe dát is afgelopen!'

'Doe gewoon niets om ze te beledigen. Je weet hoe trots ze zijn.'

'Ze zijn een strijdlustig ras.'

'Wij ook. Dat zou wederzijds respect moeten afdwingen.'

'Wat wil je dat ik doe als ik daar ben?' vroeg Alfré. 'Vriendelijk vragen of ze een ster hebben en of ze die aan ons willen afstaan?'

'Aangenomen dat ze een ster hebben, valt er misschien over te onderhandelen.'

'Waarmee?'

'De pellucide lijkt me prima geschikt. Wat denk jij?'

'Wat als ze niet geïnteresseerd zijn? Of het gewoon inpikken? Ik heb maar de helft van een toch al kleine troep bij me. De hele troep zou zijn handen al vol hebben aan wie weet hoe veel centaurs, en op hun eigen grond ook nog.'

'Alfré, ik vraag je niet om tegen ze te vechten. Ik wil alleen dat je naar Drogan gaat en kijkt hoe het eruitziet. Je hoeft niet eens contact met ze te maken als je denkt dat het te riskant is. Wacht dan gewoon tot wij er zijn.'

'En wanneer is dat?'

'Ik wil ten minste een paar dagen zoeken. Dan is er nog de reistijd. Laten we zeggen vijf dagen, misschien zes.'

'Waar ontmoeten we elkaar?'

Struyk dacht erover na. 'Op de oostelijke oever van de Calyparmonding, waar het bos begint.'

'Goed dan, Struyk. Als je echt denkt dat dit de enige manier is,' gaf Alfré toe. 'Hoe verdelen we de manschappen?'

'Ieder de helft, dan hebben we allebei een even aantal.' Hij keek naar de orcs. 'Alfré, jouw groep bestaat uit Gleadeg, Kestix, Liffin, Nep, Eldo, Zoda, Orbon, Prooq, Noska, Vobe en Bhose. Jup en ik nemen Talag, Reefdag, Sief, Toche, Hystykk, Gant, Calthmon, Breggin, Finje en Jad mee.'

Hij nam met opzet de laatste drie knorren op in zijn eigen groep, omdat zij aanvankelijk met Haskier hadden meegestemd tegen het openen van de koker met de eerste ster. Hij had geen reden om aan hun loyaliteit te twijfelen, maar het leek hem het beste ze niet met Alfré mee te sturen, voor het geval dát.

Alfré had geen bezwaren tegen de verdeling, en toen Struyk vroeg of een van de knorren er iets tegen in te brengen had, bleek dat ook niet het geval.

Hij keek naar de hemel. 'Ik wil zo weinig mogelijk vertraging oplopen, maar een paar uur rust hebben we wel nodig. We lopen twee wachtperiodes, elk van een uur. De rest gaat pitten. Ingerukt.'

'Ik zal mijn geneeskrachtige kruiden en zalfjes over beide groepen verdelen,' kondigde Alfré aan. 'Misschien zijn ze nodig.' Hij liep weg, duidelijk niet gelukkig.

Jup bleef bij Struyk in de buurt.

Struyk begreep de gezichtsuitdrukking van zijn sergeant en was hem voor. 'Als ik puur naar rangen had gekeken, had jij de missie naar Drogan moeten leiden, Jup. Maar bot gezegd weet ik dat er vooroordelen tegen dwergen bestaan, misschien zelfs in onze troep. En alles wat jouw autoriteit ondermijnt, binnen of buiten de troep, brengt de missie in gevaar.'

'En het feit dat ik jou en Alfré heb gered, dat telt niet?'

'Voor mij en Alfré telt het zeer zeker. Daar gaat het niet om, en dat weet je. Hoe dan ook, ik wil je bij me hebben. We werken goed samen.'

Jup lachte dunnetjes. 'Bedankt, commandant. Maar ik vind het niet eens zo erg. Als dwerg raak je gewend aan dit soort dingen. Ik kan er ook niet veel tegen inbrengen; mijn ras heeft er zelf om gevraagd.'

'Mooi zo. Ga nu maar rusten.'

'Nog één ding, Struyk: wat doen we met het kristal? Moet Alfré er méér van meenemen, aangezien zij er misschien mee moeten onderhandelen?'

'Nee. Ik denk dat we het laten zoals het is. Ik vind het het beste dat elk lid van de troep een deel bij zich heeft. Alfré heeft denk ik wel genoeg. Maar we maken iedereen nogmaals duidelijk dat niemand het zonder toestemming mag gebruiken.'

'Goed. Ik zal het regelen.'

Hij liet Struyk achter, zodat die ook kon gaan slapen.

Struyk wikkelde zich in een deken en legde zijn hoofd op een zadel, en voelde toen pas dat hij door en door moe was.

Terwijl hij in slaap zakte, dacht hij de geur van pellucide te ruiken. Hij besloot dat hij het zich inbeeldde en liet zich door de slaap overmannen.

7

Er hing iets groots en onduidelijks over hem heen.

Zijn zicht was wazig en hij kon niet zien wat het was. Hij knipperde een paar keer met zijn ogen, tuurde, en zag dat het een boom was. Een hoge, dikke boom. Hij keek om zich heen en zag dat hij in een bos was waar alle bomen hoog en stevig waren, met uitbundig veel bladeren. Stralen zonlicht sneden door het smaragdgroene bladerdak hoog boven zijn hoofd.

Er hing hier een gevoel van vrede dat bijna voelbaar was. Maar het was niet helemaal stil. Hij hoorde een vogel zingen, maar ook een geluid dat hij niet kon thuisbrengen. Het leek op een aanhoudende, gedempte donder. Het was geen bedreigend geluid, maar wel totaal onbekend.

In één richting, waar het bos dunner werd, was het lichter. Hij liep die kant op, over een laag krakende bladeren, naar wat de rand van het bos bleek te zijn. Het donderende, razende geluid werd luider. Hij had nog steeds geen idee wat het kon zijn.

Toen hij tussen de bomen vandaan was, stond hij tot aan zijn enkels in een tapijt van zacht gras. Waar de bodem langzaam omhoogliep, maakten de bomen plaats voor een vlakte van fijn wit zand.

Voorbij het zand lag een uitgestrekte oceaan.

Hij zag water tot zover zijn blik reikte, ook naar links en rechts. Golven met witte schuimvlekken rolden traag naar het strand. Het water had precies dezelfde diepblauwe kleur als de lucht, waar krijtwitte schapenwolkjes in voorbijdreven.

Struyk was diep onder de indruk. Hij had nog nooit zoiets gezien.

Hij liep over het zand. Zijn gezicht werd gestreeld door een plezierig warm briesje. De geur van ozon hing in de lucht. Hij keek achterom naar de bomen en zag zijn eigen voetafdrukken in het zand. Hij kon niet zeggen waarom die aanblik hem zo trof.

Toen zag hij iets schitteren op een rotspunt, misschien een halve mijl verderop langs het strand en honderd meter vanaf de kust. Het leek wel een gebouw, een krijtwit gebouw. Hij liep die kant op.

Het klif bleek verder te zijn dan hij had gedacht, maar was niet moeilijk te bereiken. Hij liep door het hete zand en passeerde duinen, die door de ijverige wind waren gevormd. Hier en daar staken felgroene plantenscheuten uit de poederige laag omhoog.

Terwijl hij naderde, zag hij dat er meerdere gebouwen op de zwarte rotspunt stonden. In de klifwand aan de zeezijde bleken treden te zijn gemaakt. Hij begon te klimmen.

Al snel bereikte hij een klein plateau. Er stonden ruïnes op: omgevallen pilaren, de overblijfselen van gebouwen, verspreide blokken uitgehouwen stenen, een gebarsten trap. Dit alles werd omgeven door een afgebrokkelde muur met kantelen. Het materiaal waarvan alles was gebouwd, had het gebleekte aanzien van oud marmer. De meeste oppervlakken waren begroeid met mos en klimop.

Hij kende deze architectuur niet. De details en versieringen leken op niets wat hij eerder had gezien. Maar sommige elementen wezen er duidelijk op dat dit een fort was geweest. Dit werd bevestigd door de positie van het gebouw; op een hoog punt en met uitzicht over de oceaan. Hier zou hij het zelf ook hebben neergezet. Iedereen met een beetje strategisch inzicht zou dat hebben gedaan.

Hij zette een hand boven zijn ogen en bekeek het uitzicht. De wind sloeg in zijn gezicht en liet zijn kleding wapperen.

Struyk stond al een tijdje zo te kijken, toen hij plotseling beweging zag. Er kwam een groep ruiters aan over het strand, van de andere kant dan waar hij vandaan gekomen was. Toen ze naderden, zag hij dat het er zeven waren. Even later leek het erop dat ze naar het fort onderweg waren. Een stemmetje achter in zijn hoofd waarschuwde hem dat er mogelijk een conflict ophanden was.

Toen zag hij dat het orcs waren en hield het stemmetje zich stil.

De ruiters stopten aan de voet van de rots. Toen ze afstegen, herkende hij een van hen. Het was de orcvrouw die hij hier eerder had ont-

moet. Aangenomen dat het hier geweest was, en waar 'Hier' dan ook was.

Hij liet de gedachte varen.

Ze leidde de groep de treden op. Ze bewoog zich soepel en vol vertrouwen. Toen ze als eerste de top bereikte, strekte ze een hand naar hem uit. Hij pakte haar hand en trok haar omhoog. Net als de laatste keer dat hij haar had aangeraakt, voelde hij hoe stevig en aangenaam koel haar hand was.

Ze sprong soepel naar hem toe en lachte. Haar sterke, open gezicht kreeg een warme uitstraling. Ze was iets kleiner dan Struyk, maar compenseerde dat met haar hoofdtooi, dit keer van felgroene en blauwe veren. Haar lichaam was mooi gespierd en haar rug was recht. Hij kon niet ontkennen dat ze zeer aantrekkelijk was.

'Gegroet,' zei ze.

'Gegroet.'

De andere orcs kwamen het plateau op. Twee van hen waren vrouwelijk. Ze knikten naar hem in het voorbijgaan, schijnbaar vriendelijk en niet bezorgd over wie hij was of wat hij hier deed.

'Enkele van mijn stamleden,' legde ze uit.

Hij keek toe terwijl de orcs doorliepen naar een ander punt. Ze keken uit over het water en spraken met elkaar.

Struyk keek de orcvrouw weer aan. Ze stond naar hem te staren. 'Het lijkt erop dat we weer naar elkaar toe worden getrokken.'

'Waarom zou dat zijn, denk je?'

Ze keek hem aan alsof hij een vreemde vraag had gesteld. 'Vanwege het lot, de goden, wie zal het zeggen? Had je het liever anders gehad?'

'Nee! Eh... Nee.'

Ze lachte, een beetje wijs vond hij, en keek toen weer ernstig. 'Je kijkt altijd zo bezorgd.'

'Is dat zo?'

'Wat zit je dwars?'

'Het is... moeilijk uit te leggen.'

'Probeer het.'

'Mijn land is onrustig. Zeer onrustig.'

'Verlaat het dan. Kom hier wonen.'

'Er zijn te veel belangrijke zaken die me daar houden, en bovendien

lijk ik niets te zeggen te hebben over hoe en wanneer ik hier kom.'

'Dat begrijp ik niet. Je komt hier zo vaak. Kun je het uitleggen?'

'Nee. Ik snap het zelf ook niet.'

'Misschien komt dat nog. Het geeft niet. Hoe kan je last worden verlicht?'

'Ik ben op een missie om dat mogelijk te bewerkstelligen.'

'Dus er is hoop?'

'Mogelijk, zei ik.'

'Het enige waar je je zorgen om moet maken, is of dat wat je doet juist en rechtvaardig is. Denk je dat?'

Hij antwoordde zonder aarzelen. 'Ja.'

'En je denkt dat je trouw aan jezelf blijft tijdens deze missie?'

'Ja.'

'Dan heb je jezelf een belofte gedaan, en sinds wanneer breken orcs hun woord?'

'Maar al te vaak, waar ik vandaan kom.'

Ze was geschokt. 'Waarom?'

'Daar worden we toe gedwongen.'

'Dat is droevig, en des temeer reden om het nu niet te doen.'

'Ik kan me dat ook niet veroorloven. De levens van mijn kameraden staan op het spel.'

'Je staat altijd aan hun kant. Zo zijn orcs.'

'Als jij het zegt, klinkt het allemaal zo eenvoudig. Maar de gebeurtenissen zijn niet altijd zo gemakkelijk te besturen.'

'Er is moed voor nodig, dat weet ik, maar ik zie dat je daar geen gebrek aan hebt. Wat deze taak ook is die je jezelf gesteld hebt, je moet hem zo goed mogelijk uitvoeren. Waarom léven we anders?'

Nu was het zijn beurt om te lachen. 'Je woorden zijn wijs. Ik zal erover nadenken.'

Ze voelden zich geen van beiden ongemakkelijk bij de stilte die viel.

Uiteindelijk zei hij: 'Wat is dit voor een plek?' Hij wees naar de ruïnes.

'Niemand weet het, behalve dat ze heel oud zijn en dat de orcs ze niet claimen.'

'Hoe kan dat? Je zei me dat er in dit land geen ander ras woont dan dat van ons.'

'En jij zei dat jullie je land delen met vele andere rassen. Ik vind dat
een even groot mysterie.'

- *'Niets wat ik hier zie, ken ik,' gaf hij toe.*

'Ik dacht al dat ik je hier niet eerder had zien wachten. Is dit de eer-
ste keer dat je ze komt begroeten?'

'Wachten? En wie moet ik begroeten?'

Ze lachte hardop. Het was een warme lach. 'Weet je het echt niet?'

'Ik heb geen idee wat je bedoelt,' zei hij.

Ze draaide zich om en keek uit over de oceaan. Toen wees ze. 'Daar.'

Hij keek in de richting waarin ze wees en zag de bolle witte zeilen
van verschillende schepen aan de horizon.

'Je bent zó vreemd,' zei ze vriendelijk. 'Je verbaast me telkens weer,
Struyk.'

Natuurlijk, ze kende zijn naam. Maar hij wist nog steeds niet hoe
zij heette.

Hij wilde het net vragen, toen hij werd opgeslokt door de duisternis.

Toen hij wakker werd, zag hij haar gezicht nog voor zich. Ondanks de kou zweette hij.

Na het heldere licht van zojuist, kostte het hem even tijd om
te wennen aan het waterige daglicht dat in deze wereld steeds
normaler scheen te worden. Hij vermaande zichzelf. Waarom
dacht hij in termen van 'Deze wereld'? Was er nog een andere
dan, behalve die wereld die hij zelf in zijn dromen had gecreëerd?
Als het dromen wáren. Hoe dan ook, ze werden steeds levens-
echter. Daardoor twijfelde hij aan zijn eigen geestelijke vermo-
gens, en het laatste wat hij nu kon gebruiken was dat zijn eigen
gedachten hem bedotten.

Maar toch, ondanks het feit dat hij de droom niet begreep,
voelde hij zich vastberadener. Hij voelde zich absurd optimistisch
over de beslissing die hij had genomen, ook al leverde die dan
weer nieuwe obstakels voor hen op.

Zijn dagdroom werd onderbroken doordat er een schaduw
over hem heen viel. Het was Jup.

'Commandant, je ziet er niet zo goed uit. Gaat het?'

Struyk vermande zich. 'Prima, sergeant.' Hij stond op. 'Is alles
klaar?'

'Min of meer.'

Alfré had zijn helft van de troep verzameld en overzag het beladen van de paarden. Struyk en Jup liepen naar hem toe.

Onderweg vroeg Struyk: 'Heeft er iemand gisteravond kristal gebruikt?'

'Niet dat ik weet. En dat zou ook niemand zonder toestemming doen. Hoezo?'

'O, zomaar.'

Jup keek hem even bevreemd aan, maar voor hij iets kon zeggen, hadden ze Alfré bereikt.

Hij was bezig met het aantrekken van de zadelriem. Hij gaf nog een laatste ruk aan het leer en zei: 'Zo. Dat was het. We zijn klaar.'

'Denk aan wat ik zei,' bracht Struyk hem in herinnering. 'Maak pas contact met de centaurs als je zeker weet dat het niet gevaarlijk is.'

'Ik zal eraan denken.'

'Heb je alles wat je nodig hebt?'

'Ik denk het wel. We zien je wel bij de Calypar.'

'Zes dagen, op z'n hoogst.'

Struyk stak zijn arm uit en ze grepen elkaar bij de pols, zoals strijders dat deden. 'Vaarwel, Alfré.'

'Jij ook, Struyk.' Hij knikte naar de dwerg. 'Jup.'

'Veel succes, Alfré.'

Het vaandel van de troep stond in de aarde naast Alfrés paard. 'Ik ben eraan gewend dit ding bij me te hebben,' zei hij. 'Vind je het erg, Struyk?'

'Tuurlijk niet. Neem maar mee.'

Alfré steeg op en trok de banier uit de grond. Hij hief hem in de lucht en zijn soldaten stegen op.

Struyk, Jup en de overige knorren keken zwijgend toe terwijl de kleine groep naar het westen reed.

'Waarnaartoe?' wilde Jup weten.

'We zoeken ten oosten vanhier,' besloot Struyk. 'Laat iedereen opstijgen.'

Jup organiseerde alles terwijl Struyk naar zijn eigen paard liep.

Hij was nog wat gedesoriënteerd door zijn droom en haalde diep adem om weer tot zichzelf te komen.

Hij keek naar zijn gereduceerde troep en dacht weer aan de vastberadenheid die hij uit de droom had geput. Hij was er nog steeds zeker van dat zijn keus goed was, maar hij kon zich ook niet bevrijden van het gevoel dat hij Alfré en de anderen nooit meer zou zien.

Jup kwam met zijn paard naar Struyk toe. 'Klaar.'

'Mooi, sergeant. Laten we maar eens kijken of we Haskier en Coilla kunnen vinden.'

Ze dwongen Coilla mee te lopen, vastgebonden aan een touw dat om Aulays zadelknop was gebonden. Haar eigen paard werd meegevoerd door Blaan. Lekman reed voorop en stapte stevig door.

Ze had hun namen uit hun gesprekken opgevangen. Ze had ook ontdekt dat geen van hen zich scheen te bekommeren over hoe het met haar ging. Af en toe gaven ze haar, met tegenzin, wat water. En dat was alleen maar om hun investering in leven te houden tot ze Heldiep bereikten.

Af en toe wisselde het trio wat woorden uit, meestal gefluisterd zodat ze het niet kon verstaan. Ze keken af en toe achterom en de blikken van Aulay waren moorddadig.

Coilla was fit en gewend aan lange marsen, maar ze had het zwaar bij het tempo dat de mannen aanhielden. Toen ze bij een stroompje kwamen en Lekman, de pokdalige, vetharige leider, zei dat ze hun kamp gingen opslaan, kon ze haar opluchting bijna niet verbergen. Ze liet zich hijgend op de grond vallen. Al haar ledematen deden pijn.

De kwezelige Aulay, de vent die ze een stuk uit zijn oor had gebeten, zette haar paard vast. Ze zag niet dat hij samenzweerderig naar Lekman knipoogde. Toen bond hij haar zittend vast tegen een boom. Het trio ging zitten.

'Hoe ver nog naar Heldiep?' vroeg Aulay aan Lekman.

'Een paar dagen, schat ik.'

'Het kan me niet snel genoeg gaan.'

'Ja. Ik verveel me, Mica,' zei de grote stomme die Blaan heette.

Aulay prutste aan zijn slordig verbonden oor en wees met zijn duim naar Coilla. 'Misschien kunnen we wat pret met haar hebben.' Hij trok een mes en hield het vast alsof hij het wilde gooien. 'We kunnen de tijd doden met een beetje messen gooien.' Hij mikte op haar.

Blaan lachte luidkeels.

'Laat dat,' gromde Lekman.

Aulay negeerde hem. 'Vangen, teef!' riep hij, en hij wierp het mes. Coilla verstijfde. Het mes landde net voorbij haar voeten in de grond.

'Káppen!' bulderde Lekman. 'We krijgen geen goede prijs als je haar beschadigt.' Hij gooide zijn veldfles naar Aulay. 'Ga eens wat water halen.'

Grommend pakte Aulay zijn eigen veldfles, haalde die van Blaan en liep naar het water.

Lekman strekte zich uit met zijn hoed over zijn ogen. Blaan legde zijn hoofd op een opgerolde deken, met zijn rug naar Coilla toe.

Ze keek naar hen. Haar ogen flitsten naar het mes, dat ze blijkbaar vergeten waren. Ze dacht dat ze er nét bij kon. Voorzichtig schoof ze er een voet naartoe.

Aulay kwam terug met de veldflessen. Ze bleef stil zitten en liet haar hoofd vooroverzakken alsof ze zat te dommelen.

De man met één oog keek haar aan. 'Zul je altijd zien, dat wij hier zitten met een vrouw die geen mens is,' klaagde hij.

Lekman gniffelde. 'Het verbaast me dat je het niet toch probeert. Of ben je tegenwoordig kieskeurig?'

Aulay trok een walgend gezicht. 'Ik doe het nog liever met een varken.'

Coilla deed haar ogen open. 'Je bent niet de enige,' verzekerde ze hem.

'Krijg de kolere,' zei hij.

'Insgelijks.'

'Of je nu geld waard bent of niet, ik heb veel zin om je in elkaar te slaan.'

'Maak me eerst even los, dan maken we er een wedstrijdje van. Ik zou graag wat schade aanrichten aan dat wat er tussen die spillepootjes van je hangt.'

'Wat een grote bek! Waarméé, teef?'

'Hiermee.' Ze liet hem haar tanden zien. 'Je weet al hoe scherp ze zijn.'

Aulay kookte van woede, één hand op zijn gehavende oor.

Lekman grijnsde.

'Hoe weten we dat ze niet liegt over haar troep en dat ze naar Heldiep zijn?' zei Aulay.

'Begin nou niet weer, Griever,' antwoordde Lekman vermoeid. Hij keek Coilla aan. 'Je liegt toch niet, schatje? Dat zou je niet durven.'

Ze zweeg en keek hem alleen maar vernietigend aan.

Lekman tastte in een zak van zijn wambuis en haalde er een stel benen dobbelstenen uit. 'Laten we even een uurtje dobbelen.' Hij rammelde met de dobbelstenen in zijn vuist.

Aulay liep naar hem toe, en Blaan ging bij hen zitten. Ze waren al snel geconcentreerd bezig met een luidruchtig spel en hadden geen aandacht meer voor Coilla.

Ze richtte zich op het mes. Langzaam, met één oog steeds op het lawaaierige trio, strekte ze haar voet ernaar uit. Uiteindelijk raakte haar teen het mes. Ze rekte zich nog wat verder uit en draaide haar voet eromheen. Ze trok het terug. Het viel. Gelukkig haar kant op. Met nog wat onhandig gewriemel en acrobatiek kreeg ze het mes eindelijk binnen haar bereik.

Er was een touw om haar heen geslagen waarmee haar armen tegen haar zijden waren gebonden, maar ze had net voldoende speling om haar vingers naar het wapen uit te steken. Heel voorzichtig pakte ze het mes, en met haar hand in een lastige, pijnlijke hoek, begon ze in het touw te snijden.

De premiejagers waren nog bezig met hun spel, met hun rug naar haar toe.

Ze zaagde zo snel als ze durfde op en neer met het mes. Draadjes hennep knapten. Ze spande haar spieren en zette wat extra druk op het touw.

Toen braken de laatste draadjes en was ze vrij.

Heel, heel langzaam maakte ze zich los van het touw. De mannen bleven dobbelstenen gooien en tegen elkaar schreeuwen, en leken zich totaal niet van haar bewust. Ze sloop heel voorzichtig richting haar paard, dat gelukkig ook aan de voor haar gunstige kant van de mannen stond.

Laag bij de grond en met het mes in haar hand bereikte ze het paard. Ze hoopte dat het dier niet zou snuiven of een ander geluid zou maken waardoor de mannen zouden opkijken. Ze gaf het een paar zachte klopjes en fluisterde tegen het paard om het te kalmeren. Coilla zette een voet in de stijgbeugel en greep naar de zadelknop om zich op te trekken.

Het zadel liet los en ze smakte op de grond. Het mes vloog uit haar hand. Het paard schrok en bokte.

Achter haar werd bulderend gelachen. Ze keek achterom en zag dat de premiejagers dubbel lagen. Lekman kwam met getrokken zwaard naar haar toe en schopte het mes aan de kant.

Toen zag ze dat de zadelriem was losgegespt.

'Je moet hier op de vlakte voor je eigen vermaak zorgen,' bulderde Lekman.

'Dat gezícht!' lachte Aulay.

Blaan hield zijn buik vast en kwam niet meer bij. De tranen rolden over zijn dikke wangen.

Plotseling trok iets zijn aandacht en stopte hij met lachen. 'Hé, kijk.'

Er kwam een ruiter aan op een spierwitte hengst.

8

Toen de ruiter naderbij kwam, zagen ze dat hij een mens was.

'Wie is dát?' zei Lekman. De andere twee haalden hun schouders op en keken verbaasd. Lekman knielde en bond Coilla's handen achter haar rug.

De premiejagers grepen hun wapens en keken toe hoe de ruiter zonder aarzelen naderbij kwam. Weldra was hij dicht genoeg genaderd zodat ze hem goed konden zien.

Zelfs in het zadel was hij lang, met een rechte rug, maar hij was pezig. Zijn koperkleurige haar kwam tot aan zijn schouders en hij had een netjes geknipte baard. Hij droeg een kastanjebruin wambuis, lichtjes geborduurd met zilverdraad. Verder droeg hij een bruinleren broek die in hoge zwarte laarzen was gestopt, en een donkerblauwe mantel. Hij had zo te zien geen wapen bij zich.

Hij trok aan de teugels van zijn witte hengst en stopte voor hen. Zonder het te vragen, steeg hij af. Zijn bewegingen waren soepel en zelfverzekerd en hij glimlachte.

'Wie ben je?' vroeg Lekman. 'Wat wil je?'

De vreemdeling wierp een korte blik op Coilla en keek toen Lekman weer aan. Zijn glimlach bleef. 'Ik heet Serapheim,' antwoordde hij met sonore, ongehaaste stem. 'En ik wil alleen wat water.' Hij knikte in de richting van het stroompje.

Zijn leeftijd was niet te raden. Hij had blauwe ogen, een lichte haakneus en een mooi gevormde mond en was knap, op een onopvallende manier. Maar er was iets aan hem wat hem een bepaalde uitstraling gaf, een autoriteit die niets met zijn uiterlijk te maken had.

Lekman keek naar Blaan en Aulay. 'Hou in de gaten of er meer komen.'

'Ik ben alleen,' zei de man tegen hen.

'Dit zijn onrustige tijden, Serapheim, of hoe je jezelf dan ook noemt,' zei Lekman. 'Je vraagt om moeilijkheden als je rond-zwerft zonder ten minste een half leger.'

'Dat doen jullie ook.'

'Wij zijn met zijn drieën, en dat is genoeg. Wij kunnen voor onszelf zorgen.'

'Daar twijfel ik niet aan. Maar ik bedreig niemand en niemand bedreigt mij. Trouwens, zijn jullie niet met zijn vieren?' Hij keek naar Coilla.

'Zij is toevallig bij ons,' legde Aulay uit. 'Ze is niet één van ons.'

De man antwoordde niet en aan zijn gezichtsuitdrukking viel niets af te lezen.

'Heb je nog meer van haar soort in de buurt gezien?' vroeg Lekman.

'Nee.'

Coilla bestudeerde de bebaarde man en dacht aan zijn ogen te zien dat hij slimmer was dan hij voorgaf. Maar ze dacht niet dat ze hulp van hem kon verwachten.

Het paard van de vreemdeling liep naar het water en begon te drinken. Ze lieten het gaan.

'Zoals ik zei, in deze duistere tijden is het risicovol voor een man alleen om op een stel vreemdelingen af te stappen,' her-haalde Lekman nadrukkelijk.

'Ik zag jullie pas op het laatste moment,' gaf Serapheim toe.

'Ronddwalen met je ogen dicht is ook niet verstandig.'

'Ik loop vaak te dromen. Ben in mezelf gekeerd.'

'Dat is een goede manier om binnenstebuiten gekeerd te wor-den,' merkte Aulay op.

'Ben je een eni of een meni?' vroeg Blaan bot.

'Geen van beide,' antwoordde Serapheim. 'Jullie?'

'Ook zo,' zei Lekman.

'Dat is een opluchting. Ik heb er genoeg van om op eieren te lopen. Tegenwoordig kan één verkeerd woord in het verkeerde gezelschap je al problemen bezorgen.'

Coilla vroeg zich af in welk gezelschap hij nu dacht te verkeren.

'Dus je bent goddeloos?' vroeg Aulay.

'Dat zei ik niet.'

'Ik dacht al wel dat je in een hogere macht geloofde, aangezien je geen zwaard bij je hebt.' Het was snerend bedoeld.

'Ik heb er geen nodig in mijn beroep.'

'En dat is?' vroeg Lekman.

Serapheim gaf een zwieper aan zijn mantel en boog theatraal zijn hoofd. 'Ik ben een zwervende bard. Een verhalenverteller. Een woordsmid.'

Aulay kreunde om aan te geven wat ze allemaal dachten van een dergelijk beroep.

Coilla was er nu nog meer van overtuigd dat de man haar niet zou helpen.

'En hoe verdienen jullie heren de kost?'

'We leveren vrije gevechtsdiensten,' antwoordde Lekman patserig.

'En een beetje ongediertebestrijding erbij,' voegde Aulay eraan toe. Hij keek Coilla kil aan.

Serapheim knikte. Zijn glimlach bleef waar hij was, maar hij zei niets.

Lekman grijnsde. 'Met al die oorlog en toestanden overal, zal het wel een slechte tijd voor je zijn.'

'Integendeel. Onzekere tijden zijn goed voor mij.' Hij zag de mannen twijfelen. 'Wanneer de dingen er grimmig uitzien, willen mensen graag even hun dagelijkse zorgen vergeten.'

'Als de zaken goed gaan, zal het jou ook wel goed gaan,' opperde Aulay sluw.

Coilla dacht dat de vreemdeling ofwel een stommeling was, of te goed van vertrouwen.

'Mijn rijkdom kan niet worden gewogen of geteld zoals goud.'

Dat begreep Blaan niet. 'Hoezo?'

'Kun je een waarde toekennen aan de zon, de maan, de sterren? Aan de wind in je gezicht, het gezang van vogels? Dit water?'

'De zoetsappige woorden van een... dichter,' antwoordde Lekman minachtend. 'Als jouw rijkdom bestaat uit Maras-Dantia, heb je beschadigde waar.'

'Daar zit wel een kern van waarheid in,' gaf Serapheim toe. 'De dingen zijn niet zoals vroeger, en het wordt erger.'

Aulay ging op de sarcastische toer. 'Wou je beweren dat je de maan en sterren eet? Met de wind als toetje? Dat lijkt me geen beste betaling voor je waar.'

Blaan grijnsde vals.

'In ruil voor mijn verhalen geven de mensen me eten, drinken, onderdak, af en toe een muntje. Soms zelfs een eigen verhaal. Misschien hebben jullie ook een verhaal om te delen?'

'Natuurlijk niet,' snoof Lekman. 'De verhalen die wij hebben, zouden jou niet interesseren, woordsmid.'

'Daar moet je niet te zeker van zijn. Alle verhalen hebben waarde.'

'Je hebt het onze niet gehoord. Waar ga je naartoe?'

'Ik heb geen bepaalde bestemming.'

'En je komt zeker ook net van nergens in het bijzonder, hè?'

'Heldiep.'

'Daar gaan wij naartoe!' riep Blaan.

'Hou je kóp!' snauwde Lekman. Hij wendde zich vervolgens naar Serapheim, trok zijn mondhoeken op en veinsde een glimlach. 'Hoe eh... Hoe is het tegenwoordig in Heldiep?'

'Net als overal elders – chaotisch, minder tolerant dan vroeger. Het begint een toevluchtsoord voor misdadigers te worden. Het stikte er van de zakkenrollers, slavenhandelaars en dat soort volk.'

Coilla had het idee dat hij meer nadruk legde op het woord slavenhandelaars dan nodig was, maar ze wist het niet zeker.

'O, ja?' zei Lekman, quasi-ongeïnteresseerd.

'De Raad en de Wakers proberen alles onder controle te houden, maar de magie is daar even onvoorspelbaar als op andere plaatsen. Dat maakt het hun moeilijk.'

'Dat kan ik me voorstellen.'

Serapheim knikte naar Coilla. 'Wat vindt jullie vriendin van het oude ras ervan dat jullie naar zo'n beruchte plek gaan?'

'Het zou een goed begin zijn als ik een keus had,' zei ze.

'Ze heeft er niets over te zeggen!' onderbrak Lekman haar snel. 'Hoe dan ook, ze is een orc en ze kan heel goed op zichzelf passen.'

'Geloof dát maar,' mompelde Coilla.

De verhalenverteller keek in de boze gezichten van het trio. 'Ik ga even wat water halen, en dan vertrek ik.'

'Je moet er wel voor betalen,' besloot Lekman.

'Ik wist niet dat deze stroom van iemand was.'

'Vandaag is hij van ons.'

'Zoals ik al zei, ik heb niets.'

'Je vertelt verhalen. Vertel ons er één. Als we het mooi vinden, mag je water halen.'

'En als jullie het niets vinden?'

Lekman haalde zijn schouders op.

'Goed dan, verhalen zijn mijn betaalmiddel, dus waarom niet?'

'Je komt zeker met iets wat bedoeld is om idioten bang te maken,' gromde Aulay. 'Iets wat elfjes zingen over trollen die baby's eten, of over angstaanjagende vliegende demonen. Jullie woordwevers zijn allemaal hetzelfde.'

'Nee, dat is niet wat ik in gedachten had.'

'Wat dan?'

'Jullie hadden het net over de eni's. Ik wilde jullie daar een fabel van vertellen.'

'O, nee, niet die geloofsrommel.'

'Ja en nee. Willen jullie het horen of niet?'

'Ga je gang,' zuchtte Lekman. 'Ik hoop alleen dat je niet al te veel dorst hebt.'

'Net als de meeste mensen, denken jullie waarschijnlijk ook dat de eni's kortzichtige, stijfkoppige fanatiekelingen zijn.'

'Natuurlijk denken we dat.'

'En wat de meeste eni's aangaat, hebben jullie gelijk. Er zitten ontzettend veel fanatiekelingen bij. Maar ze zijn niet allemáál zo.'

Sommigen zijn best flexibel en zien zelfs de humor wel in van hun eigen overtuigingen.'

'Daar geloof ik geen bal van.'

'Het is echt waar. Het zijn ook maar gewone lui, net als jij en ik, alleen heeft hun geloof zo'n greep op ze. En dat blijkt wel uit de verhalen die ze vertellen. Dat doen ze natuurlijk wel alleen stiekem. Die verhalen doen de ronde, en soms vang ik ze op.'

'Ga je nog vertellen of hoe zit dat?'

'Weten jullie wat de eni's geloven? Min of meer, dan?'

'Een beetje.'

'Dan weten jullie misschien dat in hun heilige boeken staat dat hun God het menselijk ras schiep vanuit slechts één man, Ademnius, en één vrouw, Evelaine.'

Aulay sneerde. 'Eén vrouw zou voor mij niet genoeg zijn.'

'Dat weten we wel,' zei Lekman ongeduldig. 'We zijn niet achterlijk.'

Serapheim negeerde de opmerkingen. 'De eni's geloven dat hun God aanvankelijk rechtstreeks met Ademnius sprak, om hem uit te leggen wat hij deed en wat hij hoopte voor dit leven dat hij had gecreëerd. Dus op een dag zei God tegen Ademnius: "Ik heb twee delen goed nieuws, en één deel slecht nieuws voor je. Wat wil je het eerst horen?" Ademnius antwoordde dat hij het goede nieuws het eerst wilde weten. "Nou," zei God tegen hem, "het eerste goede nieuws is dat ik een pracht van een orgaan voor je heb gemaakt, dat het brein heet. Je kunt ermee leren en dingen overdenken en er allerlei slimme dingen mee doen." Ademnius dankte zijn God hartelijk. "Het tweede goede nieuws is dat ik nóg een orgaan voor je heb gemaakt, dat de penis heet," zei God tegen hem.'

De premiejagers grinnikten. Aulay gaf Blaan gnuivend een por in zijn ribben.

'God zei: "Dit orgaan zal jou en Evelaine plezier bezorgen. Bovendien kunnen jullie er kinderen mee verwekken om deze prachtige wereld te bevolken." Ademnius antwoordde dat het allemaal geweldig klonk, maar vroeg toen: "En wat is het slechte nieuws?" God antwoordde: "Je kunt ze niet tegelijkertijd gebruiken." '

De mannen zwegen even terwijl ze de clou verwerkten, en barstten toen in een bulderend gelach uit. Coilla vermoedde dat Blaan de grap eigenlijk niet eens snapte.

'Ik geef toe dat het meer een mop is dan een verhaal,' zei Serapheim. 'Maar ik ben blij dat jullie het leuk vonden.'

'Het was wel grappig,' gaf Lekman toe. 'En er zit ook een kern van waarheid in, denk ik.'

'Natuurlijk is het, zoals ik al zei, gebruikelijk om me een munt of ander klein blijk van waardering aan te bieden.'

Het trio hield onmiddellijk op met lachen.

Lekmans gezicht vertrok van woede. 'Nu heb je mijn goede humeur weer om zeep geholpen.'

'Wij hadden eigenlijk meer in gedachten dat jíj óns zou betalen,' zei Aulay.

'Zoals ik al zei: ik heb niets.'

Blaan grijnsde vals. 'Je hebt nog minder als wij met je klaar zijn.'

Aulay nam de reiziger op. 'Je hebt een paard, een stel goede laarzen, die dure mantel. Misschien wel een beurs, al zeg je van niet.'

'Bovendien weet je te veel over onze zaakjes,' zei Lekman.

Ondanks de dreigende sfeer was Coilla er vrij zeker van dat de verhalenverteller niet van zijn stuk was gebracht. Al moest hij toch ook kunnen zien dat deze kerels er geen enkel probleem mee hadden iemand zonder goede reden te doden.

Haar aandacht werd getrokken door iets wat op de vlakte bewoog. Even gloeide de hoop in haar op. Maar toen zag ze dat hetgeen naderde, geen hoop op bevrijding was. Integendeel.

Serapheim had het niet gezien, en de premiejagers ook niet. Ze stonden op het punt geweld te gebruiken. Lekman had zijn zwaard geheven en stapte op de verhalenverteller af. De andere twee volgden hem op de voet.

'We krijgen gezelschap,' zei ze.

Ze bleven staan, keken haar aan en volgden toen haar blik.

Er was een grote groep ruiters verschenen. Ze trokken langzaam van het oosten naar het zuidwesten. Hun route zou hen dicht langs het stroompje voeren.

Aulay zette een hand boven zijn ogen. 'Wie zijn dat, Mica?'

'Mensen. Voorzover ik kan zien dragen ze zwart. Weet je wat ik denk? Dat dat Hobrauws mannen zijn. Die... Hoe ze zichzelf dan ook noemen.'

'Bewaarders.'

'Ja. Verdomme, we moeten wegwezen. Grijp die orc, Griever, en Jabez, haal de paarden.'

Blaan kwam niet in beweging. Hij stond met open mond naar de ruiters te gapen. 'Denk je dat ze geen gevoel voor humor hebben, Mica?'

'Nee! Haal de paarden!'

'Hé, de vreemdeling!'

Serapheim reed weg in westelijke richting.

'Vergeet hem. We hebben wel wat anders aan ons hoofd.'

'Goed dat we hem niet hebben gedood, Mica,' vond Blaan. 'Het brengt ongeluk om gekken te vermoorden.'

'Bijgelovige stomkop! In beweging!'

Ze zetten Coilla op haar paard en gingen er als een haas vandoor.

9

'Kíjk dan!' schreeuwde Jennesta. 'Kijk hoe je gefaald hebt!'

Mersadion keek met knikkende knieën naar de perkamenten kaart aan de muur. De kaart stond vol vlaggetjes; rood voor de legers van de koningin en blauw voor de eni's. Van elke kleur waren er ongeveer evenveel. Dat was niet goed genoeg.

'We hebben niet echt verlíezen geleden,' zei hij timide.

'Als dat zo was, had ik je allang je eigen lever laten opvreten! Maar waar is de overwinning?'

'Het is een ingewikkelde strijd, Vrouwe. Er wordt op zoveel fronten gevochten...'

'Je hoeft me niet te onderwijzen over onze situatie, generaal! Ik wil resultáten!'

'Ik kan u verzekeren...'

'Dit is al erg genoeg,' raasde ze door, 'maar we boeken ook al geen vooruitgang in onze zoektocht naar die rottige orctroep! Heb je dáár al nieuws over?'

'Nou, ik...'

'Niet dus. Hebben we al iets van Lekman en zijn premiejagers gehoord?'

'Ze...'

'Nee, dus.'

Mersadion durfde haar er niet aan te herinneren dat het inhuren van de menselijke premiejagers háár idee was geweest. Hij was er al snel achter gekomen dat Jennesta graag de eer van de overwinning naar zich toe trok, maar anderen de schuld gaf van mislukkingen.

'Ik hoopte dat je het beter zou doen dan Kystan, wijlen je voorganger,' zei ze nadrukkelijk. 'Ik vertrouw erop dat je me niet zult teleurstellen.'

'Majesteit...'

'Wees gewaarschuwd dat ik je vorderingen vanaf nu nóg nauwlettender in de gaten houd.'

'Ik...'

Deze keer werd hij onderbroken door een klop op de deur.

'Binnen!' beval Jennesta.

Een van haar elfbedienden kwam binnen en maakte een buiging. Het androgyne wezen was zo delicaat gebouwd, dat het leek alsof haar botten elk moment konden breken. Haar huid was bijna transparant en het breekbare gezichtje werd omlijst door gouden haar. De ogen van de elf waren lichtblauw met blonde wimpers, en haar neus wipte omhoog.

De elf lispelde: 'Uw drakenmoer, Vrouwe.'

'Nog zo'n incompetente werknemer,' zei Jennesta ziedend. 'Stuur haar naar binnen.'

De drakenmoer was een nachtelf, een kruising tussen een goblin en een elf, en leek wel wat op de bediende. Maar ze was steviger gebouwd en lang, zelfs onder haar toch al vrij rijzige ras. Volgens de traditie was ze helemaal in de roodbruine kleuren van haar thuisland gekleed. De enige versierselen die ze droeg, waren smalle gouden bandjes rond haar polsen en hals.

Ze bewees Jennesta eer met een lichte buiging van haar hoofd.

Zoals altijd wanneer ze met haar onderdanen te maken had, verspilde Jennesta geen adem met overbodig geklets. 'Ik ben niet echt uitgelaten over je inspanningen de laatste tijd, Glozellan,' liet ze de drakenmoer weten.

'Vrouwe?' De stem van de nachtelf was hoog en, typisch voor haar ras, kalm en afstandelijk. Jennesta ergerde zich eraan.

'Ten aanzien van de Veelvraten,' benadrukte ze dreigend.

'Mijn drakengeleide heeft uw opdrachten tot op de letter uitgevoerd, Majesteit,' antwoordde Glozellan. Haar gezicht straalde een zelfverzekerdheid uit die vaak voor arrogantie werd aangezien. Het was nog een karaktertrek van haar trotse ras, en dit ergerde de koningin nog meer.

'Maar jullie hebben ze niet gevonden,' zei ze.

'Pardon, Vrouwe, maar we hebben de troep wel bestreden op het slagveld nabij Wevershaven,' bracht de drakenmoer haar in herinnering.

'En ze laten ontsnappen! Dat is nauwelijks een strijd. Behalve natuurlijk als jullie vinden dat het signaleren van de troep al telt als strijd.'

'Nee, Majesteit. We hebben ze achtervolgd, en ze ontsnapten maar net aan onze aanval.'

'En?'

'Door de onberekenbare aard van draken is er altijd een onvoorspelbare factor, Vrouwe.'

'Een slecht vakvrouw geeft altijd de schuld aan haar gereedschap.'

'Ik aanvaard de verantwoordelijkheid voor mijn daden en die van mijn ondergeschikten.'

'Dat is maar goed ook. Want wie in mijn dienst zijn verantwoordelijkheid probeert te ontlopen, merkt daar direct de gevolgen van. En die gevolgen zijn niet bepaald plezierig.'

'Ik wil enkel zeggen dat draken een onberekenbaar wapen zijn, Majesteit. Ze zijn berucht om hun koppigheid.'

'Misschien moet ik dan op zoek naar een drakenmoer die hen beter in de hand heeft.'

Glozellan zweeg.

'Ik dacht dat mijn wensen duidelijk waren,' vervolgde Jennesta, 'maar blijkbaar moet ik mezelf herhalen. Dit is ook voor jou bedoeld, generaal.' Mersadion verstijfde. 'Hou jezelf niet voor de gek; niets is belangrijker dan het opsporen en terugbrengen van het artefact dat de Veelvraten hebben gestolen.'

'Het zou kunnen helpen, Majesteit,' zei Glozellan, 'als we wisten wat dit artefact is, en waarom...'

Er klonk een harde pets die echode tegen de stenen muren. Glozellans hoofd werd door de slag opzij bewogen. Ze struikelde en legde een hand op haar roodgekleurde wang. Uit haar mondhoek liep een klein straaltje bloed.

'Laat dat een les voor je zijn,' zei Jennesta met vuurspuwende ogen. 'Je hebt al eerder gevraagd naar het voorwerp dat ik zoek, en ik herhaal wat ik je toen al zei: dat gaat je niet aan. Als je zo opstandig blijft, kun je rekenen op meer en ook zwaardere straffen.'

Glozellan beantwoordde haar blik zwijgend en uit de hoogte.

'Alle middelen worden ingezet voor deze zoektocht,' verklaarde de koningin. 'En als jullie twee me niet bezorgen wat ik hebben wil, ga ik op zoek naar een nieuwe generaal en drakenmoer. Gaan jullie maar eens goed nadenken over de vorm die jullie... pensioen zal hebben. En nu wegwezen.'

Toen ze vertrokken waren, bezwoer Jennesta dat ze van nu af aan veel directer bij de zaken betrokken zou zijn. Maar ze zette dat even van zich af. Ze had een andere gedachte. Een gedachte die haar helemaal niet aanstond.

Via een andere, minder opvallende deur, verliet ze haar strategiekamer en ze liep een smalle wenteltrap af. Haar voetstappen veroorzaakten echo's toen ze door de ondergrondse gangen naar haar vertrekken in de catacomben van het paleis liep. De orcwachters bij de deur sprongen in de houding toen ze naderde.

Binnen in de grote ruimte waren orcs aan het werk. Ze sleepten emmers naar een grote, ondiepe ton die was versterkt met metalen klemmen. Jennesta keek ongeduldig toe terwijl ze hun werk voltooiden. Zodra ze hen had weggestuurd, knielde ze naast de ton en ze liet haar vingers door de lauwe inhoud ervan gaan.

Het bloed zag er goed genoeg uit voor haar doeleinden, maar ze was verbijsterd te zien dat er nog enkele stukjes vlees in dreven. De oudsten die deze vloeistof als medium hadden aangeraden, hadden erbij gezegd dat hij zo puur mogelijk moest zijn. Ze zou de wachters nog eens moeten vertellen dat ze het moesten filteren, en hen laten afranselen om er zeker van te zijn dat haar woorden tot hen zouden doordringen.

Aangezien er zich al een vel op het bloed vormde, sprak ze direct de nodige bezweringen en spreuken uit. De stroperige rode brij werd harder en begon te glanzen. Uiteindelijk begon een deel van het oppervlak langzaam te draaien en vormde zich de afbeelding van een gezicht.

Je kiest altijd de rottigste momenten uit, Jennesta, klaagde het gezicht. *Dit is dus géén goed moment.*

'Je hebt tegen me gelogen, Adpar.'

Waarover?

'Over hetgeen van me is gestolen.'

O, nee, niet dát gezeur weer.

'Heb je me gezegd dat je niets wist over het voorwerp dat ik zoek, of niet?'

Ik wéét niet wat je zoekt. Einde gesprek.

'Nee, wacht. Ik heb zo mijn middelen, Adpar. Ogen die voor me op de uitkijk zijn. En wat ik nu weet, kan alleen met mijn artefact te maken hebben.' Ze dacht na. 'Of...'

Ik heb het gevoel dat je weer een van je bizarre fantasietjes gaat spuien, lieverd.

'Het is er nóg een, hè? Je hebt er nóg een!'

Ik weet echt niet wat...

'Jij smerig achterbaks loeder! Jij had er stiekem ook een!'

Dat zeg ik niet.

'Van jou is dat net zo goed als een bevestiging.'

Luister, Jennesta. Mogelijk had ik iets wat léék op wat jij zoekt, maar dat is nu niet meer het geval. Het is gestolen.

'Net als die van mij. Wat een toeval. Je denkt toch niet dat ik dat geloof?'

Het kan me geen moer schelen of je het gelooft of niet! In plaats van mij lastig te vallen met je obsessies, kun je je aandacht beter op de dieven richten. Als iémand met vuur speelt, zijn zij het wel!

'Dan weet je dus tóch hoe belangrijk het voorwerp is! Hoe belangrijk ze allemáál zijn!'

Ik weet alleen dat het wel extreem moet zijn, als jij je er zo druk over maakt.

Het donkerrode vel op het bloed werd een beetje verstoord. Er vormde zich nog een gezicht, en er klonk een nieuwe stem.

Ze heeft gelijk, Jennesta.

Adpar en Jennesta kreunden tegelijkertijd.

Hou je erbuiten, wijsneus! snauwde Adpar.

'Waarom kunnen we nooit eens praten zonder dat jij je ermee bemoeit, Sanara?' gromde Jennesta.

Dat weet je toch, zuster. Onze band is te sterk.

Helaas, mompelde Adpar.

We hebben geen tijd voor ons gebruikelijke geruzie, waarschuwde Sanara. Een groep orcs heeft ten minste één van de instrumentaliteiten. Hoe zouden zij de ontzagwekkende krachten ervan kunnen begrijpen?

'Hoe bedoel je, ten minste één?' vroeg Jennesta.

Weet je zeker dat het niet zo is? De gebeurtenissen voltrekken zich snel. Dit is een tijd waarin alles mogelijk is.

'Ik heb alles onder controle.'

O, ja? zei Sanara sceptisch.

Let maar niet op mij, snoof Adpar. *Ik heb alleen maar mijn eigen oorlog te voeren. Ik heb álle tijd om naar jullie raadseltjes te luisteren.*

Misschien weet jij niet waar ik het over heb, Adpar, maar Jennesta weet dat wel. Ze moet begrijpen dat de kracht voor het goede moet worden aangewend, niet voor kwade dingen, want anders worden we allemaal vernietigd.

'O, hou toch op,' siste Jennesta sarcastisch, 'niet Sanara de martelaar weer.'

Denk van me wat je wilt, dat ben ik gewend. Maar onderschat niet wat er kan vrijkomen nu het spel van start is gegaan.

'Jullie kunnen allebei naar de hel lopen!' riep Jennesta. Met het gebaar van een verwend kind haalde ze haar hand door de korstige laag bloed. De gezichten verdwenen.

Ze bleef een tijdje zitten nadenken. Het lag niet in haar aard om toe te geven dat Sanara wel eens gelijk kon hebben of Adpar te geloven. Ze kwam tot de conclusie dat het tijd was om iets te doen aan ten minste één van haar lastige zusters.

De gedachte aan de problemen die de Veelvraten hadden veroorzaakt, brandde haar nog het meest. En aan de straf die ze hun zou opleggen.

Haskier wist nog steeds niet zeker of hij de goede kant op reed.

Hij was zich niet helemaal bewust van zijn omgeving en trok zich niets aan van het weer, dat hier in het noorden almaar slechter werd.

Het enige wat écht was, was het gezang in zijn hoofd. Het spoorde hem meedogenloos aan, steeds verder en sneller in een richting die, als hij er al over nadacht, ongetwijfeld naar Steenburcht zou leiden.

Het pad dat hij volgde liep door een beboste vallei. Hij galoppeerde zonder aarzelen door, zijn blik recht vooruit.

Ongeveer halverwege de vallei, op het diepste punt, was water blijven staan waardoor er een grote moddervlakte was ontstaan. Het pad was hier ook smaller, waardoor de begroeiing aan weerszijden dichterbij was. Ondanks de winterse koude was die nog bijzonder dicht. Hij moest zich tot zijn ergernis beperken tot een draf.

Terwijl hij een weg zocht door de modder, hoorde hij van rechts een zoevend geluid, gevolgd door het gekraak van takken. Hij draaide zich om en zag in een flits iets op zich afkomen. Hij had geen tijd om te reageren. Het voorwerp raakte hem met een dreun, en Haskier viel van zijn paard.

Hij lag duizelig in de modder en zag waardoor hij geraakt was. De dikke boomstam hing nog te zwaaien aan stevige touwen die aan een tak boven zijn hoofd waren gebonden. Iemand in de struiken had de boomstam als ram gebruikt.

Hij had overal pijn en was buiten adem. Toen hij probeerde overeind te krabbelen, werd hij ruw vastgepakt. Vanuit zijn ooghoeken zag hij mensen in het zwart. Ze begonnen hem te slaan en te schoppen. Hij was niet in staat om terug te vechten, dus sloeg hij zijn handen voor zijn gezicht en rolde zich op.

Ze trokken hem ruw overeind en pakten zijn wapens af. De buidel werd van zijn riem gerukt en zijn handen werden achter zijn rug gebonden.

Ondanks zijn pijn richtte Haskier zijn blik op de figuur die voor hem was komen staan.

'Weet je zeker dat hij goed vastzit?' vroeg Kimbal Hobrauw.

'Hij zit goed vast,' bevestigde een bewaarder.

Een van de anderen gaf Haskiers buidel aan de prediker. Hij keek erin en zijn gezicht lichtte op van blijdschap. Of misschien van inhaligheid.

Hobrauw graaide in de buidel en hield triomfantelijk de sterren omhoog. 'Het relikwie! En zelfs nog eentje extra! Daar had ik niet op durven hopen. De Heer is met ons vandaag.' Hij hief zijn armen in de lucht. 'Dank U, Heer, dat we hebben teruggekregen wat we verloren hadden! En voor het uitleveren van dit wezen aan ons, de instrumenten van Uw gerechtigheid!'

Hobrauw keek de orc met gefronst voorhoofd aan. 'Je wordt gestraft voor je wandaden, barbaar, in naam van het Opperwezen.'

Haskier voelde zich al wat minder verdwaasd. Het gezang was opgehouden, en nu stond die vent tegen hem te raaskallen. Hij kon zich niet bewegen of zijn handen bevrijden. Maar er was wel iets anders wat hij kon doen.

Hij spoog Hobrauw in het gezicht.

De prediker sprong achteruit alsof hij met kokendheet water was besproeid. Hij trok een walgend gezicht en begon met zijn mouw over zijn wangen te poetsen. 'Onrein, onrein,' mompelde hij.

Toen hij klaar was, vroeg hij nog eens: 'Weet je zeker dat hij goed vastzit?'

Zijn volgelingen overtuigden hem. Hobrauw stapte vooruit, balde zijn vuist en sloeg Haskier een paar keer hard in zijn maag. 'Je zult boeten voor je respectloosheid tegenover een dienaar van de Heer!'

Haskier had wel erger meegemaakt. Veel erger. Eigenlijk stelden de stompen van Hobrauw niet veel voor. Maar de bewaarders, die waarschijnlijk doorhadden hoe weinig de inspanningen van hun leider uithaalden, begonnen ook op hem in te slaan.

Boven het gestomp uit hoorde hij Hobrauw roepen: 'Denk aan de rest van de troep! Misschien zijn er meer van zijn soort in de buurt! We moeten hier weg!'

Haskier werd half bewusteloos meegesleurd.

Alfré en zijn helft van de Veelvraten reisden een groot deel van de dag richting de Calyparmonding zonder dat er zich problemen voordeden.

Hij had net een tijdelijke promotie gegeven aan Kestix, een van de betere knorren in de groep. Dit betekende dat Kestix tijdelijk direct onder hem zou staan, en het betekende ook dat Alfré iemand had met wie hij op nagenoeg gelijke voet kon praten.

Terwijl ze naar het westen reden, over de geel wordende graslanden van de vlakte, probeerde hij van Kestix iets los te krijgen over de sfeer onder de soldaten.

'Ze zijn bezorgd natuurlijk, commandant,' antwoordde Kestix. 'Of misschien kan ik beter zeggen dat ze zich zorgen maken.'

'Ze zijn niet de enigen.'

'Alles is zo snel en ingrijpend veranderd, korporaal. Alsof we zijn meegesleurd voordat we tijd hadden om erover na te denken.'

'Alles verandert,' zei Alfré. 'Maras-Dantia verandert. Misschien is het wel afgelopen met het land. Door de mensen.'

'Sinds de mensen er zijn, ja. Ze hebben alles op zijn kop gezet, die klootzakken.'

'Maar houd moed. Misschien kunnen we er nog iets aan doen, als we het plan van de kapitein volbrengen.'

'Neem me niet kwalijk, korporaal, maar wat betekent dat?'

'Hè?'

'Nou, we weten allemaal dat het belangrijk is om die sterren te vinden. Maar... Waaróm?'

Alfré wist niet wat hij zeggen moest. 'Waar doel je op, soldaat?'

'We weten nog steeds niet wat ze doen, waar ze voor dienen, toch?'

'Dat is waar. Maar afgezien van... Nou, laten we zeggen een eventuele magische kracht die ze hebben, weten we dat ze op een andere manier ook macht hebben. Anderen willen ze hebben. In het geval van onze vroegere meesteres Jennesta wil dat zeggen: een ander met macht. Misschien levert dat ons voordeel op.'

Alfré keek achterom langs de rij soldaten terwijl Kestix hierover nadacht. Toen Alfré zich weer omdraaide, had hij nog een vraag.

'Wat stel je je voor van onze missie naar Drogan, als ik vragen mag? Lopen we er gewoon naar binnen en grijpen de ster?'

'Nee. We rijden tot kort voor het dorp van Keppataun en bekijken de situatie. Als het er niet te vijandig uitziet, gaan we misschien met ze praten. Maar in principe doen we niets anders dan kijken, en wachten tot de rest van de troep komt.'

Aarzelend vroeg Kestix: 'Denk je dat ze komen?'

Alfré schrok daar een beetje van. 'Niet zo negatief, soldaat,' antwoordde hij streng. 'We gaan ervan uit dat Struyk en zijn groep weer terugkomen.'

'Ik bedoelde niets ten nadele van de kapitein,' zei de knor snel. 'Maar het lijkt erop dat we de zaken niet meer onder controle hebben.'

'Ik weet het. Maar vertrouw op Struyk.' Hij vroeg zich af of dat een goed advies was. Niet dat hij dacht dat Struyk niet te vertrouwen was, maar hij kon het gevoel niet van zich afschudden dat hun kapitein te veel hooi op zijn vork had genomen.

Zijn gedachten werden onderbroken door geschreeuw vanuit de rij. Kestix schreeuwde: 'Korporaal! Kijk!'

Alfré tuurde vooruit en zag een stoet van vier ossenwagens de hoek omkomen. Het pad waarover de orcs en de wagens reden, lag diep en had steile wanden. Een van beide groepen zou aan de kant moeten gaan. Ze konden nog niet zien wie er op de wagens zaten.

Alfré dacht verschillende dingen tegelijk. Als zijn groep zich zou omdraaien, zou dat aandacht trekken. Bovendien lag vluchten niet in de aard van de orcs. En als degenen in de wagens vijandig bleken, zouden de orcs waarschijnlijk toch in de meerderheid zijn.

'Het kan best dat deze wezens op doorreis zijn,' zei hij tegen Kestix.

'Wat als het eni's zijn?'

'Als het mensen zijn, wat voor soort ook, doden we hen,' liet Alfré hem bot weten.

Toen de groep naderbij kwam, zagen de orcs dat het gnomen waren.

'Het kon erger, commandant. Gnomen vechten als konijntjes.'

'Ja, en ze bemoeien zich meestal niet met anderen.'

'Ze worden alleen lastig als iemand aan hun schatten komt. En volgens mij is hun magie gericht op het zoeken naar ondergrondse goudaders, dus dat zal geen probleem opleveren.'

'Als er moet worden gepraat, laat mij het woord dan doen,' zei Alfré terwijl hij zich omdraaide naar de soldaten. 'Blijf op jullie posities. Er worden geen wapens getrokken, behalve als het nodig is. Laten we kalm blijven.'

'Denk je dat ze weten dat er een prijs op ons hoofd staat?' vroeg Kestix zich af.

'Misschien. Maar zoals je al zei, het zijn geen vechters. Behalve als je slechte manieren en stinkende adem wapens wilt noemen.'

De voorste wagen was nu nog maar een steenworp van Alfré verwijderd. Er zaten twee gnomen op de bok. Achter hen stonden nog twee gnomen rechtop in de wagen. De lading was bedekt met een wit dekkleed.

Alfré stak een hand op en zijn soldaten hielden halt. De wagens stopten ook. Even keken de twee groepen naar elkaar.

Sommigen vonden dat gnomen leken op misvormde dwergen. Ze waren klein van stuk maar verhoudingsgewijs overdreven gespierd. Ze hadden grote handen, grote voeten en grote neuzen. De gnomen hadden witte baarden en borstelige, witte wenkbrauwen. Hun kleding bestond uit ruwe wambuizen zonder versiering en broeken in grauwe kleuren. Sommige droegen een mantel met kap.

Alle gnomen zagen er stokoud uit, ook al waren ze pas geboren. Geen van hen deed ooit iets anders dan boos kijken.

Na een moment van stilte, kondigde de menner op de bok van de voorste wagen aan: 'Ja, ík ga niet aan de kant.'

Vanachter hem keken de andere wagenmenners onbewogen toe.

'Waarom moeten wíj van het pad?' vroeg Alfré.

'Schat? Schát?' bulderde de wagenmenner. 'We hebben geen schat!'

'Dat zal ons weer overkomen; een dove,' mompelde Alfré. 'Nee, niet schát,' zei hij langzaam, 'pád!'

'Wat is daarmee?'

'Gaan jullie aan de kant?'

De gnoom dacht er even over na. 'Nee.'

Alfré besloot tot een wat vriendelijker aanpak. 'Waar komen jullie vandaan?' vroeg hij.

'Dat zeg ik niet,' zei de gnoom zuur.

'Waar gaan jullie naartoe?'

'Dat gaat je niks aan.'

'Weten jullie dan of de weg naar Drogan veilig is? Of er geen mensen zijn?'

'Misschien. Misschien niet. Wat is het je waard?'

Alfré herinnerde zich dat gnomen precies wisten wat alles kostte, maar nergens de waarde van zagen. Daar waren ze berucht om. Van beleefdheid tussen reizigers onderling hadden ze ook nog nooit gehoord.

Hij gaf toe. Op zijn bevel stuurden de knorren hun paarden tegen de hellingen aan weerszijden van het pad op om de gnomen door te laten.

Toen de eerste wagen langsreed, mompelde de menner met stalen gezicht: 'Gelukkig. Het werd hier veel te druk.'

Alfré keek hen na en probeerde een grapje te maken. 'Nou, daar hebben we korte metten mee gemaakt,' zei hij ironisch.

'Dat is waar,' zei Kestix. 'Eh... Korporaal?'

'Ja, soldaat?'

'Waar komen metten vandaan?'

Alfré zuchtte. 'Kom, we gaan verder.'

10

Coilla had nog nooit zo lang in het gezelschap van mensen verkeerd. Eigenlijk had ze alleen ervaring met het doden ervan.

Maar nu ze al enkele dagen bij de premiejagers was, had ze meer dan ooit in de gaten hoe ánders ze waren. Ze had mensen altijd gezien als vreemde, buitenissige wezens die stalen wat ze wilden en alles op hun weg verwoestten. Nu zag ze dat er nog meer verschillen waren tussen hen en de oude rassen. Hoe ze uit hun ogen keken, hoe ze dachten, hun geur; mensen waren op zoveel manieren ráár.

Ze zette die gedachte uit haar hoofd toen ze de top van een heuvel bereikten en Heldiep zagen liggen.

Het schemerde, en overal in de vrijhaven werden de lichten ontstoken. Vanaf hun uitkijkpunt was goed te zien dat er over de vorm van Heldiep niet was nagedacht. Het was gewoon zo gegroeid. Zoals je zou verwachten in een stad waar alle rassen gelijk waren, bestond Heldiep uit een verzameling gebouwen in alle mogelijke stijlen; hoge gebouwen, lage gebouwen, torens, koepels, bogen en kantelen. Ze waren gemaakt van hout en steen, klei, hooi en steenplaten. Voorbij het dorp konden ze in het schemerlicht nog net de grijze zee ontwaren. De masten van de hoogste schepen staken boven de daken uit.

Zelfs vanaf deze afstand hoorden ze een vaag geroezemoes.

Lekman keek omlaag naar de haven. 'Ik ben hier al een tijd niet meer geweest, maar het lijkt erop dat er niets is veranderd. Heldiep blijft neutraal terrein. Het maakt niet uit hoezeer je een ras haat, hier geldt een wapenstilstand. Geen gerotzooi en geen gevechten. Hier worden geen schulden vereffend met messen.'

'Daar staat toch de doodstraf op?' vroeg Blaan.

'Als ze je pakken.'

'Fouilleren ze je als je naar binnen wilt?' vroeg Aulay.

'Nee. Je moet je wapens zelf inleveren. Fouilleren is niet meer praktisch nu Heldiep zo populair is geworden. Maar als je daarbinnen vecht, word je meteen door de Wakers afgemaakt. Niet dat ze nog zo oplettend zijn als voorheen. Maar ze grijpen je wel, dus pas voor ze op.'

Coilla zei: 'De Wakers werken niet meer goed omdat jullie soort de magie opvreet.'

'Magie,' sneerde Lekman. 'Jullie ondermensen met jullie gezeik over magie. Weet je wat ik denk? Het is allemaal gelul.'

'Het is overal om je heen. Je ziet het alleen niet.'

'Zo is het wel genoeg!'

'Als we die orcs vinden, wordt er gevochten, toch?' zei Blaan.

'Ik denk dat we ze maar beter kunnen volgen tot ze de stad weer verlaten, en dán toeslaan. Maar als het moet, kunnen we ze binnen ook wel een mes tussen de ribben duwen. Dat zijn we wel gewend.'

'Dat klinkt wel als jullie stijl,' merkte Coilla op.

'Ik zei dat je je bek moest houden.'

Aulay aarzelde. 'Dat plan stelt niet veel voor, Mica.'

'We moeten roeien met de riemen die we hebben, Griever. Weet jij iets beters?'

'Nee.'

'Precies. Doe als Jabez en laat het denken maar aan mij over. Ja?'

'Wat je zegt, Mica.'

Lekman wendde zich tot Coilla. 'En jij: jij gedraagt je daarbinnen en houdt je mond. Anders snijden we je tong eruit. Begrepen?'

Ze keek hem ijzig aan.

'Mica?' zei Blaan.

Lekman zuchtte. 'Ja?'

'In Heldiep komen alle rassen, toch?'

'Ja.'

'Dus zijn er misschien ook orcs.'

'Daar reken ik op, Jabez. Daarom zijn we hier ook, weet je nog?' Zijn geveinsde geduld raakte op.

'Maar als we orcs zien, hoe weten we dan dat het die lui zijn die we zoeken?'

Aulay grijnsde en liet zijn rottende tanden zien. 'Daar zegt hij wat, Mica.'

Lekman had daar blijkbaar nog niet aan gedacht. Uiteindelijk wees hij met zijn duim naar Coilla. 'Zij wijst ze voor ons aan.'

'Je kunt de pot op.'

Hij loerde dreigend naar haar. 'Dat zullen we nog wel eens zien.'

'Dus wat doen we met onze wapens?' vroeg Aulay.

'We leveren ons zwaard in bij de poort, maar we houden wat achter de hand.'

Hij pakte een mes achter zijn riem vandaan en schoof het in zijn laars. Blaan en Aulay deden hetzelfde, maar Aulay hield twee messen – hij schoof een dolk in zijn ene laars en een werpmes in de andere.

'Als we bij de poort zijn, zeg jij niks,' zei Lekman nogmaals tegen Coilla. 'Je bent niet onze gevangene, je bent gewoon bij ons. Gesnopen?'

'Je weet toch wel dat ik je ga vermoorden?' antwoordde ze vlak.

Hij lachte, maar ze had zijn ogen gezien en wist dat hij geen pret had. 'Kom mee,' zei hij en hij spoorde zijn paard aan.

Ze reden naar Heldiep.

In de buurt van de poorten sneed Aulay Coilla's boeien los en fluisterde: 'Als je probeert ervandoor te gaan, krijg je een mes in je reet.'

Voor de poort stond een rij wezens van verschillende rassen, te voet en te paard. De rij bewoog zich langzaam langs het punt waar de wapens moesten worden ingeleverd. De premiejagers en Coilla gingen in de rij staan en bereikten het inleverpunt voor ze de eerste Wakers zagen.

De Wakers waren tweevoeters, maar verder leken ze in niets op levende wezens. Hun lichamen waren stevig gebouwd en leken uit verschillende metalen te bestaan. De armen, benen en brede borstkassen leken van ijzer. Er zaten banden van gepoetste koper om hun polsen en enkels. Om hun middel liep een wat bredere band, die misschien wel van goud was. Op de scharnieren van hun ellebogen, knieën en vingers glinsterden zilveren klemmen.

Hun koppen waren gemaakt van iets wat leek op staal, en waren bijna geheel rond. Grote rode edelstenen vormden hun ogen, er zaten gaten in hun gezicht die een neus moesten voorstellen, en hun mond was recht en voorzien van scherpe metalen tanden. Aan weerszijden van hun hoofd zaten deuken die voor oren moesten doorgaan.

Ze waren allemaal even groot, groter dan de premiejagers, en bewogen zich verrassend soepel. Toch bewogen ze zich niet helemaal zoals een levend wezen, omdat ze af en toe onbeholpen waren en haperden.

De Wakers waren allesbehalve onopvallend.

De mannen legden hun wapens in de uitgestoken armen van een Waker, die hen voorging naar een verstevigde poortwoning.

'Homunculi,' fluisterde Coilla. 'Met behulp van magie gemaakt.'

Aulay en Blaan keken elkaar aan; ze waren duidelijk onder de indruk. Lekman deed achteloos.

Er kwam nog een Waker aan, die bij wijze van ontvangstbewijs drie houten plaatjes in Lekmans hand legde. Toen gebaarde de Waker dat ze naar binnen mochten.

Lekman gaf de anderen de houten plaatjes terwijl ze de stad binnenwandelden. 'Zie je, ik zei toch dat het geen punt was om wat messen binnen te smokkelen?'

Aulay stopte het ontvangstbewijs in zijn zak en zei: 'Ik had verwacht dat ze wat grondiger zouden zijn.'

'Ik denk dat die zogenaamde Raad van Magiërs die hier de baas is, de controle kwijtraakt. Maar als ze niet vakbekwaam zijn, is dat alleen maar mooi voor ons.'

Ze liepen door de drukke straten, met hun paarden achter zich aan en Coilla in het midden. Aulay zorgde ervoor dat hij achter haar bleef, zodat hij zijn dreigement kon waarmaken als het moest.

In Heldiep wemelde het van de oude rassen. Gremlins, pixies en dwergen stonden te praten, te ruziën of te onderhandelen, en hier en daar stonden ze zelfs grappen met elkaar te maken. Kleine groepen kobolden liepen te midden van de drukte te kletsen in hun eigen onverstaanbare taal. Een stel strak kijkende gnomen met pikhouwelen over hun schouders liep voorbij op weg naar hun werk. Trollen met kappen tegen het licht werden geleid door ingehuurde elfgidsen. Er klepperden ook centaurs over de geplaveide straten, al zag je hen minder vaak omgaan met de andere rassen.

'Wat nu, Mica?' vroeg Aulay.

'We zoeken een herberg op en denken na over onze strategie.'

Blaan glunderde. 'Bier! Mooi zo!'

'Dit is niet de tijd om je vol te gooien, Jabez,' waarschuwde Lekman. 'We hebben een helder hoofd nodig, begrepen?'

De enorme man liet zijn schouders zakken.

'Laten we eerst de paarden onderbrengen,' stelde Lekman voor. Tegen Coilla zei hij: 'Haal jij je maar niks in je hoofd.'

Ze liepen verder door de drukke straten, langs stalletjes en karren vol vlees, vis, brood, kaas, fruit en groenten. Verkopers prezen hun waren aan en handelaars trokken hun koppige ezels met ladingen stoffen en kruiden met zich mee. Zwervende muzikanten, straatartiesten en vasthoudende bedelaars voegden hun eigen herrie aan de kakofonie toe.

Op de straathoeken stonden succubus- en incubushoeren te hengelen naar klanten die dapper of stom genoeg waren om met hen mee te gaan. Overal hing de geur van pellucide in de lucht, die zich mengde met de geur van wierook die uit de open deuren van de vele tempels voor alle soorten goden dreef. Er patrouilleerden tientallen Wakers, en als door een wonder hadden zij overal vrij baan.

De premiejagers vonden een stal waar een gremlin voor een paar munten hun paarden onderbracht. Ze gingen te voet verder, en Aulay bleef steeds bij Coilla in de buurt.

Op een zeker moment dacht ze een groepje orcs te zien die verderop een kruising overstaken. Maar toen er een kirgizilslang met zijn vals kijkende koboldruiter voor haar langsliep, kon ze hen niet meer zien.

Ze zag Aulay aan zijn ooglapje prutsen. Hij had de orcs schijnbaar niet gezien, maar misschien kon hij de aanwezigheid van orcs inderdaad voelen en zat hij daarom aan zijn oog.

Ze wist wel dat er geen reden was waarom er hier geen orcs zouden zijn, al was het minder waarschijnlijk omdat de meeste orcs onder de wapenen stonden en voor anderen vochten. Dat was tenslotte hun lotsbestemming. Als er hier orcs waren, waren het misschien deserteurs. Dat kwam voor. Of misschien waren ze hier op een missie, bijvoorbeeld om te zoeken naar de gevluchte Veelvraten. Wat natuurlijk ook nog kon, was dat de twee die ze had gezien Veelvraten wáren. Ze had hen veel te kort gezien, maar ze besloot positief te blijven en te hopen.

'Dit is goed genoeg,' besloot Lekman.

Hij wees naar een herberg. Er hing een slordig geverfd bord boven de deur: Het Weerbeest en Breedzwaard.

Binnen zat het vol met luidruchtige drinkers.

'Ga naar binnen en zoek een tafel voor ons, Jabez,' commandeerde Lekman.

Blaan overzag de ruimte en baande zich toen met zijn enorme lichaam een weg door de drukte, met de andere drie achter zich aan. Krachtpatser als hij was, leidde zijn instinct hem rechtstreeks naar een tafel waar een groepje zwakke pixies omheen zat.

Zodra de premiejagers en Coilla waren gaan zitten, kwam er een elf aanlopen. Lekman deed zijn mond open om te bestellen. De elf zette met een klap vier tinnen kroezen mede op tafel en zei: 'Hier. Slikken of stikken.'

Blaan gooide haar minachtend wat munten toe. Ze veegde ze bij elkaar en liep weg.

De drie mannen staken de koppen bijeen en begonnen samenzweerderig te fluisteren. Coilla leunde met gekruiste armen achterover in haar stoel.

'Ik denk dat we een probleempje hebben,' fluisterde Lekman. 'Het zou het beste zijn om eerst van die teef af te komen, zodat we haar niet steeds in de gaten hoeven houden. Maar als we haar verkocht hebben, kan ze die andere orcs niet meer aanwijzen.'

'Ik zei je al,' zei Coilla, 'dat ik dat niet van plan ben.'

Lekman siste: 'We krijgen je wel zover.'

'Hoe dan?'

'Laat dat maar aan mij over, Mica,' bood Aulay aan. 'Ik krijg het wel voor elkaar.'

'Val dood, éénoog,' antwoordde ze.

Aulay zat te schuimbekken van woede.

'Laten we er voor het gemak van uitgaan dat dat monster ons níét helpt,' zei Lekman. 'In dat geval is het misschien het beste als we ons opsplitsen. Jabez en ik gaan op zoek naar een koper voor haar. Griever, jij gaat alvast zoeken naar die orcs.'

'En dan?'

'We komen over een paar uur weer hiernaartoe en kijken hoever we zijn.'

'Ik vind het best,' zei Aulay terwijl hij woedend naar Coilla keek. 'Ik heb meer dan genoeg van haar.'

Ze nam een grote slok van haar mede en veegde haar lippen af. 'Je haalt me de woorden uit de mond.' Toen liet ze haar kroes keihard op Aulays hand neerkomen. Er klonk een luid gekraak. Zijn gezicht vertrok en hij jankte van pijn.

Aulay staarde naar zijn pink. Zijn gezicht was asgrauw en zijn ogen traanden. 'Hij is... gebróken...' jammerde hij met trillende lippen. Toen veranderde zijn gezicht in een masker van woede en greep hij met zijn andere hand naar zijn laars. 'Ik maak je áf,' beloofde hij.

'Hou je bek, Griever!' snauwde Lekman. 'Je hebt publiek. En je doet haar niks, want ze is geld waard.'

'Maar ze heeft mijn pink...'

'Stel je toch niet zo aan. Hier.' Hij gooide hem een lap toe.

'Wikkel dit eromheen en hou je kop.'

Coilla lachte de mannen vriendelijk toe. 'Nou, laten we dan maar eens op zoek gaan naar een koper, hè?' zei ze zoetjes.

'Het zijn er nog meer, hè?' zei Struyk.

'Zonder twijfel,' bevestigde Jup. 'Net als bij Drie-eenheid en die jachtpartij.'

Ze hadden zich verborgen tussen de struiken, plat op hun buik, terwijl ze uitkeken op een kamp beneden hen. De rest van de groep was achtergebleven, uit het zicht, en vanuit hun positie konden Struyk en Jup hen niet zien.

De in het zwart geklede mensen beneden hen waren bezig met verschillende taken. Het waren allemaal mannen, een stuk of twintig. Ze waren stuk voor stuk zwaarbewapend. Er was een provisorische omheining gebouwd voor de paarden, en in het midden van het kamp stond een wagen met een huif.

'Verdomme, dat konden we net niet gebruiken,' zuchtte Struyk. 'Hobrauws bewaarders.'

'We wisten dat ze waarschijnlijk in de buurt waren, en dat ze zouden blijven proberen de ster terug te krijgen.'

'Ja, helaas. We hebben al genoeg zorgen aan ons hoofd.'

'Denk je dat ze Coilla of Haskier hebben?'

'Ik weet het niet. Zou je vergezicht ons kunnen helpen?'

'Het heeft ons tot nu toe niet veel gebracht, maar ik kan het proberen.'

Hij groef met zijn vingers een kuiltje in de aarde en stak zijn hand erin. Toen concentreerde hij zich, zijn ogen gesloten. Struyk zweeg en richtte zijn aandacht weer op het kamp.

Uiteindelijk opende Jup zijn ogen en hij zuchtte diep.

'En?'

'Ik voelde vaag een orc, maar niet hierbeneden. Ook weer niet al te ver weg, trouwens.'

'Is dat alles?'

'Zo ongeveer. Ik weet niet of het een mannelijke of een vrouwelijke was. En de richting ook niet. Als die rottige mensen onze magie niet opvraten...'

'Kijk.'

Beneden in het kamp klom iemand uit de wagen. Het was een mensenvrouw. Of eigenlijk was ze net geen kind meer, maar ook nog geen vrouw. Ze had aantrekkelijk kunnen zijn met haar mollige wangen, haar honingkleurige haar en blauwe ogen, maar ze keek chagrijnig en fronste haar wenkbrauwen, en ze had een gemene trek om haar mond.

'O, nee,' kreunde Jup.

'Wat?'

'Genade Hobrauw. De dochter van Kimbal.'

Ze schreed statig door het kamp en schreeuwde naar de bewaarders, die haar onmiddellijk gehoorzaamden.

'Ze is nog maar pas uit het ei,' zei Struyk, 'en toch zie je duidelijk dat ze bevelen geeft.'

'Tirannen vertrouwen niet veel mensen. En dan liever iemand van hun eigen familie dan een buitenstaander. Zo te zien heeft hij zijn nageslacht goed opgeleid.'

'Ja, maar om het bevel over te laten aan een... jong?'

'Alle mensen zijn gestoord, Struyk, dat weet je toch?'

Inmiddels had het meisje een zweep gepakt waarmee ze achter de bewaarders aan zat.

'Hebben die mannen dan geen tróts?' vroeg Struyk zich af.

'Waarschijnlijk zijn ze banger voor haar vader. Maar het was niet slim van hem om haar de leiding te geven; ze hebben niet eens wachters gepost.'

Struyk fluisterde: 'Zeg dat niet te snel.'

Jup wilde iets zeggen, maar Struyk sloeg een hand over zijn mond en draaide het hoofd van de dwerg naar rechts. Er kwamen twee bewaarders met getrokken zwaarden langzaam op hun schuilplaats aflopen. Struyk haalde zijn hand weg.

'Ze hebben ons niet gezien,' fluisterde Jup.

'Nee. Maar dat gebeurt wel, of misschien zien ze de troep.'

'We moeten ze uitschakelen.'

'Ja, en zonder de anderen te waarschuwen. Wil jij het aas zijn?'

Jup glimlachte droog. 'Heb ik een keus?'

Struyk keek naar de naderende wachters. 'Ik heb alleen wat

tijd nodig om stelling te nemen.' Hij kroop door de struiken in de richting van de twee naderende mannen.

Jup telde tot vijftig. Toen stond hij op en stapte het pad voor de wachters op.

Ze bleven met verraste gezichten stilstaan.

Hij liep op hen af, zijn armen opzij uitgestoken, uit de buurt van zijn wapens. Hij bracht de mannen nog verder in verwarring door te glimlachen.

Een van de bewaarders blafte: 'Blijf staan!'

Jup liep gewoon door.

De wachters hieven hun zwaarden. Achter hen kwam Struyk stilletjes uit de struiken tevoorschijn, een dolk in zijn hand.

De bewaarder brulde: 'Wie ben je?'

'Ik ben een dwérg,' antwoordde Jup.

Struyk besprong de mannen van achteren. Tegelijkertijd rende Jup met getrokken mes op hen af.

De vier gingen neer in een chaos van worstelende armen, benen en vuisten. Na een paar tellen had zowel Jup als Struyk de handen vol aan de mannen. Maar de zwaarden van de bewaarders waren in een handgevecht van weinig nut. Met hun messen waren Jup en Struyk in het voordeel.

Jup schakelde zijn tegenstander snel uit. De weg naar het hart van de vijand was vrij, en daar maakte hij gebruik van. Eenmaal steken was voldoende.

Struyk had het moeilijker. Hij verloor zijn mes in de worsteling. Toen lukte het zijn rivaal om boven op hem te komen. Hij greep zijn zwaard met beide handen vast en wilde het als een dolk in Struyks borst planten. Struyk had de onderarmen van de man vast en drukte die naar achteren. De patstelling werd verbroken toen hij zijn krachten verzamelde en de man van zich af duwde. Hij won een korte worsteling om het zwaard en plantte het in de buik van de man.

'Snel, we moeten die lijken verbergen,' zei Struyk.

Ze trokken de bewaarders de struiken in, juist toen er nog drie wachters van de andere kant aan kwamen lopen.

Jup greep snel zijn mes en gooide het naar een van hen toe.

Het mes landde in het middenrif van de man en hij ging neer. Zijn kameraden vielen aan.

Orc en dwerg kwamen hen met getrokken zwaarden tegemoet, en ze maakten zich klaar voor de strijd.

Struyk was bang dat ze de aandacht van de mensen in het kamp zouden trekken en probeerde zijn vijand zo snel mogelijk uit te schakelen. Hij ging als een dolle op de man af en liet het slagen regenen. Hij bukte en draaide om een opening in de verdediging van de bewaarder te vinden. Door de brute kracht van zijn aanvallen bleef er van de verdediging van de man niet veel over. Met een grote zwaai hakte Struyk hem in zijn hals.

Jup gebruikte dezelfde tactiek: woest en bruut aanvallen. Zijn tegenstander sloeg de eerste paar slagen af maar werd al snel moe. Hij liep achteruit en begon te schreeuwen. Jup sprong snel op hem af en sloeg hem met het platte eind van zijn zwaard in het gezicht. De man hield zijn mond en was afgeleid, en dus maakte Jup het af met een stoot in zijn buik.

Struyk liep naar de struiken en tuurde omlaag naar het kamp. Schijnbaar had niemand het geschreeuw gehoord. Samen verborgen ze de lijken.

'Wat denk je dat ze daarbeneden doen als die bewaarders zich niet melden?' hijgde de dwerg.

'Laten we daar maar niet op wachten.'

'Dus waarheen nu?'

'De enige richting die we nog niet hebben geprobeerd – naar het westen.'

'Dan komen we gevaarlijk dicht bij Steenburcht.'

'Weet ik. Heb je een beter idee?'

Jup schudde langzaam zijn hoofd.

'Kom mee, dan.'

Na een halve dag stevig doorrijden, zei Jup: 'Struyk, dit heeft geen zin. We moeten veel te veel terrein afzoeken.'

'We geven onze kameraden niet op. We zijn orcs.'

'Niet allemáál,' zei de dwerg, 'maar ik vat het maar op als compliment dat je mij daarmee ook bedoelt.'

Zijn kapitein lachte vermoeid. 'Je bent een Veelvraat. Ik vergeet vaak dat je een dwerg bent.'

'Misschien was het beter voor Maras-Dantia als meer lieden zo'n slecht geheugen hadden.'

'Misschien. Maar wat we niet mogen vergeten, zijn de leden van onze troep, wie het ook zijn en wat ze ook gedaan hebben.'

'Alle goden, Struyk. Ik zeg ook niet dat we ze aan hun lot moeten overlaten. Maar onze aanpak lijkt zo nutteloos.'

'Heb je een ander plan?'

'Je weet dat dat niet zo is.'

'Dan heeft het weinig zin om te klagen,' zei Struyk kortaf. Hij klonk vriendelijker toen hij eraan toevoegde: 'We blijven zoeken.'

'En Steenburcht? We komen steeds dichterbij.'

'We komen nog wel dichterbij voor ik denk aan opgeven.'

Ze reden in stilte door richting het westen.

Een tijd later kwam er een ruiter aangalopperen vanuit de richting waarin ze reden.

Jup herkende hem. 'Het is Sief.'

Struyk liet zijn soldaten halt houden.

Sief hield zijn zwetende paard in. 'Rapport van de voorste verkenners, commandant.'

Struyk knikte.

'We hebben hem gevónden, kapitein! Sergeant Haskier!'

'Wát? Waar?'

'Mijl of twee naar het noorden. Maar hij is niet alleen.'

'Laat me raden. Hobrauws mannen.'

'Ja, commandant.'

'Hoeveel?' vroeg Jup.

'Moeilijk te zeggen, sergeant. Twintig, dertig.'

'En Hobrauw zelf?' vroeg Struyk.

'Hij is er ook.'

'Is Coilla er ook?'

'Niet dat we gezien hebben. Ik heb Talag achtergelaten om de boel in de gaten te houden.'

'Mooi. Goed gedaan, Sief.' Hij draaide zich om en wenkte de

troep. 'Het lijkt erop dat we sergeant Haskier gevonden hebben,' vertelde hij hun. 'Maar hij wordt gevangen gehouden door Hobrauw en zijn eni's. Sief leidt ons ernaartoe. Blijf alert en wees voorzichtig. Kom, Sief, we gaan.'

Uiteindelijk bereikten ze een richel waarachter, zo vertelde Sief, het terrein omlaag liep.

'Ik denk dat we hier beter kunnen afstijgen en de paarden aan de hand meevoeren, commandant,' stelde hij voor.

Struyk stemde hiermee in en gaf het bevel. Ze liepen zachtjes door naar een punt een eindje vanaf de heuveltop.

'Wachters?' vroeg Struyk.

'Een paar,' bevestigde Sief.

'Dan is dat onze eerste prioriteit.' Struyk vreesde dat ze het moeilijk zouden krijgen, met maar de helft van de troep. Hij wenkte Hystykk, Calthmon, Gant en Finje. 'Zoek die wachters op en reken met ze af,' droeg hij de knorren op. 'Kom dan snel weer terug.'

Terwijl ze wegliepen, vroeg Jup: 'Denk je dat vier knorren genoeg zijn?'

'Ik hoop het. Meer kunnen we er niet missen.' Hij wenkte een andere soldaat en zei: 'Blijf hier bij de paarden, Reefdag. Wanneer de anderen klaar zijn met de wachters, stuur ze dan achter ons aan.'

'We verzamelen ons daarbeneden,' zei Sief tegen Reefdag, terwijl hij wees naar een hoge, smalle boom die boven de richel uitstak. Reefdag knikte.

Sief ging Struyk, Jup, Toche, Breggin en Jad voor de heuvel op. Het was een armzalig klein groepje, vond Struyk.

Ze bereikten de top en keken omlaag naar een lichtbebost terrein. Toen liepen ze voorovergebogen naar Talag toe, die onder de hoge boom op zijn buik lag. Hij gebaarde dat ze moesten kijken door een opening in de begroeiing.

Ze zagen een open plek waar een tijdelijk kamp was opgezet. Er liepen een stuk of twintig bewaarders rond. Aan één kant stond een koets zonder paard. De bomen van de koets lagen op een stel omgevallen stammen.

'Waar is Haskier?' fluisterde Struyk.

'Daarzo,' antwoordde Talag. Hij wees naar een plek rechts in het kamp, die schuilging achter de bomen.

Ze bleven zo'n tien minuten op hun plek zitten en wachtten af of er beneden iets zou gebeuren. Toen kwamen de andere orcs terug. Gant stak zijn duim naar hen op.

'Heb je ze allemaal?' vroeg Struyk.

'We zijn helemaal rondgelopen, commandant. Als er nog meer waren, hebben ze zich goed verstopt.'

'Ze worden vast snel gemist, dus we hebben niet veel tijd. Weet je zeker dat Haskier daar is, Sief?'

'Ja, commandant. Ik herken die lelijke kop uit duizenden.' Hij voegde er haastig aan toe: 'Met alle respect.'

Struyk lachte dunnetjes. 'Geen punt, soldaat, we weten wat je bedoelt.'

Er verstreek nog wat tijd waarin niets gebeurde. Ze begonnen onrustig te worden toen er beneden plotseling commotie was. Door de bomen zagen ze beweging. Ze zetten zich schrap.

Kimbal Hobrauw verscheen in het zicht. Hij zat met rechte rug op zijn paard en schreeuwde, maar de orcs konden hem niet verstaan. Achter hem liep een groep bewaarders in hun zwarte kleding.

Ze voerden Haskier met zich mee.

Zijn handen waren achter zijn rug gebonden en hij struikelde meer dan dat hij liep. Zelfs vanaf een afstand was duidelijk te zien dat hij was mishandeld.

Ze zetten hem in het midden van de open plek, naast een hoge boom. Er werd een paard gehaald. De mensen tilden hem erop.

Jup snapte het niet. 'Ze laten hem toch niet gaan?'

Struyk schudde zijn hoofd. 'Nooit van z'n leven.'

Een van de mensen haalde een touw met een strop tevoorschijn en deed die over Haskiers hoofd. Het touw werd aangesnoerd en het andere eind werd over een tak gegooid. De mannen trokken het touw stevig aan.

'Als we nog even wachten,' fluisterde Jup, 'hangt Haskier.'

11

Struyk keek toe hoe de uitgelaten menigte schreeuwde om Haskiers einde.

'Op dit soort momenten ben ik blij dat ik niet in jouw laarzen sta, commandant,' zei Jup.

Beneden klom Hobrauw op zijn koets en ging op de bok staan. Hij stak zijn armen in de lucht. De menigte zweeg. 'De Opperste Schepper heeft ons in Zijn genade ons heilige relikwie terugbezorgd!' bulderde hij. 'En méér nog, Hij heeft ons er nóg een gegeven!'

'Ze hebben de sterren,' zei Struyk.

'En in Zijn oneindige wijsheid heeft de Heer ons ook een van de goddeloze wezens die ons geboorterecht hebben gestolen in handen gegeven!' Hobrauw wees naar Haskier. 'Vandaag is het onze heilige taak die ondermens ter dood te brengen!'

'Ammenooitniet!' riep Struyk. 'Als iemand Haskier vermoordt, ben ík dat.' Terwijl Hobrauw stond te ratelen, wenkte hij een van de knorren. 'Jij bent onze beste boogschutter, Breggin. Zou jij vanaf hier dat touw kunnen raken?'

Breggin tuurde naar zijn doel. Hij stak een vinger in zijn mond en vervolgens in de lucht. Hij stak zijn tong uit terwijl hij zich concentreerde. Met gefronst voorhoofd beoordeelde hij de windsnelheid, de richthoek en de kracht die hij moest gebruiken bij het afschieten van de pijl.

'Nee,' zei hij.

'... zoals wij al onze vijanden zullen straffen met de hulp van God Almachtig, en...'

Struyk probeerde iets anders. 'Goed dan, Breggin. Neem Sief, Gant en Calthmon mee en haal Reefdag en de paarden. Opschieten!'

De knor draafde weg.

'Gaan we erop af?' vroeg Jup.

'We hebben geen keus.' Hij knikte naar de open plek. 'Aangenomen dat ze Haskier niet eerst vermoorden.'

'Als ze wachten tot die windbuil is uitgepraat, hebben we tijd zat.'

'... Zijn eeuwigdurende glorie! Zie hier de schat die de Heer ons heeft gegeven!' Hobrauw haalde een zakje tevoorschijn en liet de sterren eruit rollen. Hij hield ze omhoog en zijn volgelingen juichten.

Jup en Struyk keken elkaar aan.

'... Zijn wegen zijn ondoorgrondelijk, broeders, Zijn wonderen groot in aantal! Prijs Hem en stuur dit onreine wezen rechtstreeks naar de hel!'

Haskier leek zich nauwelijks bewust van wat er gaande was.

Struyk keek om zich heen. 'Ze mogen wel opschieten met die paarden.'

Hobrauw bracht zijn arm omlaag. Een van de mannen sloeg Haskiers paard op het achterwerk en het dier sprong vooruit.

De knorren kwamen op een holletje terug met de paarden achter zich aan.

Haskier bungelde trappelend aan het touw.

'Opstijgen!' blafte Struyk. 'Ik ga op Haskier af. Jup, jij gaat met me mee. De rest van jullie: vermoord zoveel mogelijk van die eni's!'

Hij galoppeerde denderend tussen de bomen door met de rest van de soldaten op zijn hielen.

Ze bukten voor takken op hun weg omlaag langs de heuvel en ontweken de bomen, en spoorden hun rijdieren almaar verder aan.

Toen bestormden ze de open plek.

Er waren misschien drie keer zoveel bewaarders als orcs, maar de orcs zaten op hun paarden en hun komst was een volslagen verrassing. Door de schok van de onverwachte aanval, leek de verdediging van de eni's nergens op.

Haskier kronkelde aan het touw. Struyk probeerde wanhopig hem te bereiken, en naast hem sloeg Jup wild om zich heen.

Toen verscheen er een joelende groep mensen tussen hun paarden en werden ze van elkaar gescheiden. Jups paard schrok, liet zich meevoeren en werd omringd door een haag van vijandige zwaarden. Jup vocht zich een weg door hen heen.

Struyk reed door, maar stuitte op evenveel weerstand. Hij ploegde zich door de mensen, schopte en zwaaide met zijn zwaard om zich heen. Een bewaarder sprong op en greep zijn riem in een poging hem van het zadel te trekken. Struyk sloeg zijn schedel in en smeet hem terug tussen zijn kameraden.

Hobrauw probeerde het geschreeuw en gekletter te overstemmen en stond bevelen te roepen en smeekbeden tot zijn god te richten.

Struyk worstelde zich verder en zag toen dat twee knorren de groep mannen van achteren aanvielen. Ze leidden voldoende bewaarders af, zodat Struyk een kans had om Haskier te bereiken. Nu stonden hem nog maar twee mensen in de weg. Hij schakelde de eerste uit met een zwaardstoot in de keel. De tweede raakte hij in het gezicht. De man sloeg zijn handen over de wond en viel.

Toen Struyk eindelijk bij Haskier was, was die opgehouden met kronkelen en hing stil. Het leek erop dat Struyk te laat was.

Plotseling kwam Jup aan. Hij zette zijn paard onder de bungelende voeten van Haskier en greep zijn benen. 'Schiet op, Struyk!' riep hij.

Struyk ging in zijn stijgbeugels staan en hakte het touw door. Jup slaakte een kreet toen hij het gewicht van de orc op zich kreeg. Samen hesen ze met veel moeite Haskier over het paard van de dwerg.

'Breng hem weg!' brulde Struyk.

Jup knikte en wilde weg draven, maar een bewaarder versperde zijn weg. De man zwaaide met zijn armen en probeerde het paard bang te maken. Jup reed over hem heen. Toen ging hij rich-

ting de bomen in een zigzaggende route om de eni's te ontwijken.

Overal op de open plek waren orcs met de mensen aan het
vechten. Struyk keek naar de koets. Er stond een stel bewaarders
omheen, in een beschermende cirkel rond Hobrauw. Hij stond
nog steeds bevelen te schreeuwen en wraak te zweren. Hij had
de zak met de sterren in zijn hand.

Struyk besloot erop af te gaan.

Hij spoorde zijn paard aan, maar kwam niet ver voor de bewaarders hem de weg versperden. Struyk had voldoende snelheid gemaakt en galoppeerde gewoon langs de eerste heen. De
man probeerde hem in het voorbijgaan nog te raken, maar dat
mislukte. De andere twee, iets verderop, waren bedrevener. Ze
kwamen van weerszijden op hem af. De een haalde met een bijl
uit naar Struyks benen. Hij miste op een haar na. De ander sprong
omhoog om hem van zijn paard te stoten. Hij hing nog in de
lucht toen Struyk hem met zijn elleboog op zijn neus raakte. De
man sloeg tegen de grond en Struyk galoppeerde verder.

Tussen de vechtende menigte werd Sief van zijn paard getrokken. Hij weerde zich kranig tegen drie of vier bewaarders.
Toen stortte Calthmon zich op hen en hij trok Sief achter op
zijn paard.

Hobrauw zag Struyk aankomen en kromp ineen terwijl hij
tegen zijn bewaarders schreeuwde dat ze hem moesten beschermen. Bijna onmiddellijk werd een van hen gedood door een
langsrijdende orc. Struyk denderde vooruit en ramde zijn zwaard
in de schedel van een andere man maar toen die neerging, raakte Struyk zijn zwaard kwijt.

Hij draaide zich om en keek naar Hobrauw. De predikant was
bang en jammerde. Struyk sprong van zijn galopperende paard
af, trok de teugels mee naar voren en landde op de koets. Hobrauw kon geen kant uit en maakte zich zo klein mogelijk. Struyk
greep hem bij zijn jas, trok hem overeind en begon op hem in
te slaan. Hobrauws hoed viel af en er liep bloed uit zijn neus,
maar toch hield hij de zak met de sterren vast.

Er kwam een stel bewaarders op hen afgerend. Struyk sloeg

harder en trok Hobrauw de zak uit zijn handen. De enileider viel. Hij leefde nog, wat Struyk jammer vond. Maar hij had nu geen tijd om daar iets aan te doen. Hij klom snel weer op zijn paard en ging ervandoor terwijl de eerste bewaarders aankwamen.

Breggin en Gant hadden de paarden van de eni's losgemaakt en weggejaagd. Verschillende bewaarders probeerden de galopperende paarden tegen te houden, maar werden op een vreselijke manier vertrapt. De paarden galoppeerden verder en vergrootten de chaos.

Struyk propte de zak onder zijn wambuis en gaf het bevel om terug te trekken.

De Veelvraten staakten hun gevechten. Waar ze konden, sloegen ze tijdens hun aftocht links en rechts nog wat vijanden neer.

Struyk zag Jup een eind voor zich, tussen de bomen op de heuvel. Hij haalde hem in. Haskier was half bewusteloos. Zijn hoofd rolde heen en weer en zijn ademhaling was zwak. Ze kwamen tussen de bomen vandaan en de heuvelrug op, met de rest van de troep vlak achter zich. Struyk telde snel de koppen. Iedereen was er nog.

Er kwamen enkele paarden van de bewaarders tussen de bomen vandaan. Ze vluchtten in verschillende richtingen.

'Dat houdt ze wel even bezig!' riep Jup.

'Kijk!' schreeuwde een knor.

Vanuit het zuiden kwam nóg een groep mensen in het zwart aangegaloppeerd. Achter hen reed een wagen met huif.

'Genades groep,' zei Struyk.

Sommigen van de mannen gingen de heuvel op, anderen reden richting de Veelvraten.

Struyk spoorde zijn paard aan en leidde zijn troep de vlakte op.

Het zou niet lang meer duren voor de avond viel. Er kwam een koude wind vanaf het grote ijsveld in het noorden. Het werd almaar kouder.

Alfrés helft van de Veelvraten naderde Drogan gestaag. Toen ze een zijrivier van de Calypar bereikten die in een bocht eerst land-inwaarts en toen weer terug in de richting van de zee stroom-de, besloot Alfré dan ook wat vroeger dan normaal hun kamp op te slaan. Hij was van plan voor het licht werd weer onder-weg te zijn.

Toen de soldaten hem vroegen of ze wat pellucide mochten ronddelen, dacht hij dat het geen kwaad kon. Ze hadden het wel verdiend. Maar niet te veel; ze waren nog steeds een gevechts-eenheid, en bovendien was het kristal bestemd om mee te on-derhandelen.

Er werden een paar pijpjes kristal doorgegeven. Toen begon-nen Alfré en Kestix een gesprek dat voor orcs neerkwam op een filosofische discussie.

'Ik ben maar een eenvoudige soldaat, korporaal,' zei de knor, 'maar volgens mij kan niemand zich betere goden wensen dan die van ons. Waarom zou je nog ándere goden nodig hebben?'

'Ach, wat zou alles toch een stuk eenvoudiger zijn als ieder-een het met ons eens was,' antwoordde Alfré, niet geheel serieus.

Kestix begreep de ironie niet. Zijn tong was een beetje dik door de drugs en hij keek wat glazig uit zijn ogen, maar drong aan: 'Ik bedoel, als je het Viertal hebt, wat wil je dan nog meer?'

'Voor mij is het altijd genoeg geweest,' stemde Alfré in. 'Wel-ke van de Tetra heeft jouw voorkeur?'

'Voorkeur?' Kestix keek alsof niemand hem dat ooit had ge-vraagd. 'Nou, zoals ik het zie, valt er niet veel te kiezen.' Hij dacht even na. 'Misschien Aik. Iedereen houdt van de god van de wijn, toch?'

'En Zeenoth?'

'De godin van de geslachtsdaad?' Kestix grinnikte als een jon-kie. 'Zij is zeker het aanbidden waard, als je weet wat ik bedoel.' Hij knipoogde naar Alfré.

'En Neaphetar?'

'Eigenlijk zou hij het moeten zijn, hè? Als god van de oorlog. Ik roep in ieder geval altijd zijn naam aan wanneer we ten strij-de trekken. Goeie vent, Neaphetar.'

'Vind je hem niet wreed?'

'O, ja, hij is wreed. Maar wel rechtvaardig.' Hij staarde Alfré een tijdje niets ziend aan en vroeg: 'Wie is jouw favoriet, korp?'

'Wystendel, denk ik. De god van de kameraadschap. Ik hou van vechten. Natúúrlijk, ik ben immers een orc. Maar soms denk ik dat de kameraadschap onder een goede strijdtroep het mooiste is.'

'Hoe dan ook, het Viertal is prima. Vechten, neuken, feesten, beesten. Zo moeten goden zijn.'

Een knor gaf hem de pijp door. Hij zoog eraan met holle wangen. Uit de pijp steeg een sterk ruikende rook op. Kestix gaf de pijp door aan Alfré.

'Wat ik niet begrijp,' vervolgde de knor, 'is die gassie, eh, passie voor een enkele pot. Shit! Gód. Voor een enkele god.'

'Het is een vreemd idee,' gaf Alfré toe. 'Maar mensen hebben wel meer gekke ideeën.'

'Ja, ik bedoel, hoe kan één god alles alleen doen? Daar heb je toch een team voor nodig?'

Alfré voelde zich op zijn gemak met de pijp en dacht na. 'Weet je, voordat de mensen kwamen waren de rassen veel toleranter over elkaars geloof,' mompelde hij. 'Nu probeert iedereen zijn eigen geloof door je strot te duwen.'

Kestix knikte wijs. 'De inkomers hebben veel op hun geweten. Zij hebben al die moeilijkheden veroorzaakt.'

'Toch heb je me er wel aan helpen herinneren dat we de laatste tijd niet genoeg aandacht aan onze goden hebben besteed. Ik denk dat ik ze een offer ga brengen zo gauw ik de kans heb.'

Ze zwegen, elk in beslag genomen door het kleurenschouwspel in zijn eigen gedachten. De rest van de troep hing ook wat rond, al werd er hier en daar gestoeid of gelachen.

De tijd verstreek. Toen ging Kestix rechtop zitten. 'Korporaal.'

'Hmm?'

'Wat denk je dat dát is?'

Er steeg een dichte mistwolk op van het stroompje. Vanuit de mist, uit de richting van de monding, doemde een vaartuig op.

Alfré riep de soldaten. Ze sprongen wat duizelig en grommend overeind en pakten hun wapens.

De mist trok op.

Er gleed een schip op hen af. Het lag laag in het water en was breed, zo breed dat de romp bijna de oevers raakte. Voorop was een grote hut gebouwd. Op de boeg van het schip was een boegbeeld in de vorm van een duif aangebracht. Het canvas zeil van het schip flapperde en kraakte in de wind.

Toen het schip dicht genoeg genaderd was, konden de orcs de bemanning ontwaren en kreunden ze.

'O, nee,' zuchtte Kestix. 'Net wat we nodig hadden.'

'Ze zijn tenminste niet levensgevaarlijk,' zei Alfré.

'Maar wel ontzettend irritant, commandant.'

'Laat ze leven als het kan,' zei Alfré tegen de knorren. 'De enige magie die ze hebben is om zich te verplaatsen, dus dat is geen bedreiging. Hou wel alles van waarde in de gaten.'

Hij dacht erover de aftocht te blazen, maar dan zouden ze hun bezittingen moeten achterlaten en waren ze die zeker kwijt. Bovendien zouden die lui op het schip hen toch achtervolgen tot hun beruchte nieuwsgierigheid bevredigd was. En dat zou wel eens een paar dagen kunnen duren. Ze konden het maar beter zo snel mogelijk achter de rug hebben.

'Misschien varen ze wel gewoon door,' zei Kestix hoopvol.

'Ik denk niet dat dat in hun aard ligt, soldaat.'

'Maar we zijn órcs. Weten ze niet dat we gevaarlijk zijn?'

'Waarschijnlijk niet. Ze zijn niet zo slim. Maar troost je, ze blijven niet al te lang. We overleven het wel.'

Het zeil werd gestreken. Ergens achter het schip plonsde een anker in het water.

Toen stegen er enkele tientallen kleine figuren als ballonnen van het dek op en kwamen op de orcs af. Ze vlogen niet echt, ze zweefden meer. Ze draaiden de kant op die ze uit wilden gaan, wapperden wat met hun korte armpjes en zweefden dan vooruit.

Ze leken een beetje op dwergen- of mensenjonkies. Alfré wist dat ze dat niet waren. Sommige waren waarschijnlijk ouder dan hij, en het waren allemaal vakkundige dieven. Waarschijnlijk weerhield alleen hun hulpeloze uiterlijk geplaagde reizigers ervan ze in groten getale te vermoorden.

De imps hadden bolle hoofden en grote ronde ogen, die innemend zouden zijn als er niet zo'n gemene glans in zat. Ze hadden een roze, onbehaarde huid, op wat donzig haar op hun hoofd na. Hun geslacht was niet te bepalen. Ze droegen lendendoeken van leer die wel wat leken op glanzende zwarte luiers, waar aan alle kanten buidels van stof aan hingen. Imps droegen geen wapens.

Ze babbelden tijdens het zweven. Op hoge toon, onverstaanbaar en irritant.

Een stel van de wezens zweefde boven hun hoofd. Toen doken ze omlaag, en ineens waren ze niet meer zo onschuldig.

Ze landden op de hoofden, schouders en armen van de soldaten, hielden zich stevig aan de kleren van de orcs vast en zochten met hun grijpgrage vingertjes naar alles wat ze in zakken en buidels konden vinden. Ze probeerden wapens en sneeuwluipaardtanden weg te grissen, en kleine handjes graaiden naar de helmen van de knorren.

Alfré greep een van de plunderaars en probeerde hem van zijn wambuis te trekken. Dat viel lang niet mee. Toen hij de hardnekkige plaaggeest had losgetrokken, gaf hij hem een ferme zet. De imp zweefde tollend weg.

Er kwamen steeds meer imps uit het schip tevoorschijn, die zich als gieren boven de troep verzamelden. Telkens wanneer een soldaat een imp had afgeschud, kwam er een andere voor in de plaats.

Alfré sloeg naar de lastposten en riep: 'Hoe krijgen ze er zoveel in zo'n klein bootje?'

Kestix wilde hem wel antwoord geven, maar een van de wezens hield met zijn knuistje de neus van de orc vast. Met de andere hand graaide de imp in de riembuidel van de orc. Met veel moeite trok Kestix de imp los en smeet hem van zich af. Het wezen raakte een stel van zijn kameraden en duwde hen alle kanten uit.

Terwijl Alfré een imp van zijn borst trok, kwam er een knor voorbij hinken met een imp aan zijn been. Hij schopte als een dolle om het irritante wezen af te schudden.

Af en toe werd hun nog maar eens duidelijk dat de magie in Maras-Dantia afnam, want dan viel een imp naar beneden. Ze moesten dan wild met hun armpjes zwaaien om weer de lucht in te komen. Alfré dacht dat dit gebeurde wanneer ze over verzwakte energiebanen zweefden en de betovering tijdelijk verbroken werd. Helaas hadden ze er niet allemaal last van.

Ze bleven neerkomen en zich aan elk bereikbaar lichaamsdeel van hun slachtoffers vastgrijpen. De orcs schopten hen aan de kant, porden hen met hun ellebogen, trokken ze van hun kleding en smeten hen van zich af. Een knor had een imp bij een arm en been, draaide hem een paar keer rond en liet los. Met zijn duim in zijn mond schoot de imp in een grote boog richting het schip.

Alfré was bezorgd dat de knorren hun geduld zouden verliezen en de imps zouden gaan vermoorden. 'Haal touw!' bulderde hij terwijl hij een imp van zijn gezicht sloeg. 'Touw!'

Dat was makkelijker gezegd dan gedaan. Een stel knorren rende voorovergebogen naar de paarden, met hun handen over hun hoofd om de imps in duikvlucht te ontwijken. Met veel moeite lukte het ze een stuk touw te bemachtigen.

'Neem allebei een uiteinde en loop van elkaar weg!' schreeuwde Alfré. Terwijl ze dat probeerden, trok Alfré zijn zwaard en riep naar de anderen: 'Trek je zwaard! Gebruik het platte eind om ze bijeen te drijven!'

Er volgde een vreemde worsteling toen de knorren hun best deden de imps bij elkaar te drijven. Er kwamen een hoop geklets op achterwerken en heen en weer geren aan te pas, maar een tiental frustrerende minuten later hadden ze de meeste wezens bij elkaar. Sommige zweefden tussen de anderen uit, maar daar was niets aan te doen.

Alfré blafte een bevel. De knorren met het touw liepen ermee om de massa imps heen. Met een paar rukken en een snel vastgemaakte knoop, zaten ze vast.

De levende lading werd teruggesleurd naar het schip. De knorren bonden het touw aan de mast en haalden het anker en het zeil op. De wind kreeg vat op het zeil en het bolde op. Met wat extra hulp van duwende knorren, kwam het vaartuig in beweging.

De vastgebonden imps verzetten zich zwakjes en gilden terwijl het schip door de mist werd opgeslokt. Een handjevol achterblijvers volgde.

Alfré zuchtte luid terwijl hij het schip nakeek. Hij haalde een hand over zijn voorhoofd. 'Ik hoop dat het Struyk beter vergaat,' zei hij.

Hobrauws mannen achtervolgden Struyks groep niet lang, dus liet hij hen stoppen zodra het kon.

Haskier werd van Jups paard gehesen en van zijn boeien bevrijd. Hij was bij bewustzijn, maar erg verward. Ze zetten hem op de grond en gaven hem wat water, dat hij maar moeilijk kon doorslikken. Om zijn hals zaten de rode striemen van de strop.

'Ik wou dat Alfré hier was,' zei Struyk terwijl hij de verwondingen van Haskier bekeek. 'Hij heeft een behoorlijke knauw gehad, maar volgens mij is er geen grote schade aangericht.'

'Behalve misschien aan zijn hersenpan,' antwoordde Jup. 'Vergeet niet waardoor hij in deze situatie is terechtgekomen.'

'Dat ben ik niet vergeten.' Hij sloeg Haskier een paar keer op de wangen. 'Haskier!'

Haskier kwam een beetje bij zinnen, maar niet voldoende. Struyk pakte zijn veldfles en gooide die leeg over Haskiers hoofd. Het water stroomde langs zijn gezicht en hij opende zijn ogen. Hij mompelde iets wat ze niet konden verstaan.

Struyk sloeg hem nog een paar keer. 'Haskier! Haskíér!'

'Hmm? Wa...?'

'Ik ben het, Struyk. Kun je me horen?'

Haskier gaf zwakjes antwoord. 'Struyk?'

'Wat waren dat voor geintjes, sergeant?'

'Geintjes...?'

Struyk schudde hem niet al te zachtzinnig door elkaar. 'Kom op! Word eens wakker!'

Haskier keek eindelijk weer wat helderder uit zijn ogen. 'Kapitein... Wat... Wat is er aan de hand?' Hij leek totaal van slag.

'Wat er aan de hand is, is dat je een elfenhaartje verwijderd bent van een aanklacht wegens desertie. Niet te vergeten voor een poging tot doodslag van je kameraden.'

'Dóódslag? Struyk, ik zweer je dat...'

'Laat dat zweren maar zitten. Verklaar je nader.'

'Wie heb ik dan geprobeerd te vermoorden?'

'Coilla en Reefdag.'

'Waar zie je me voor aan? Een... méns?' snauwde Haskier boos.

'We weten dat je het gedaan hebt, Haskier. Ik wil weten waarom.'

'Ik... Ik wéét het niet meer.' Hij keek om zich heen, nog steeds gedesoriënteerd. Jup en de knorren staarden hem aan. 'Waar zijn we?'

'Dat maakt niet uit. Wil je zeggen dat je niet weet wat er gebeurd is? Dat jij niet verantwoordelijk bent?'

Haskier schudde langzaam zijn hoofd.

'Oké, wat herinner je je nog wél?' drong Struyk aan. 'Wat is het laatste wat je nog weet?'

Haskier dacht na, en het kostte hem duidelijk moeite. Uiteindelijk zei hij: 'Het slagveld. We stormden erdoorheen. Toen... Draken. Draken achter ons aan. Vuur.'

'Is dat alles?'

'Het zingen...'

'Zingen? Wat bedoel je?'

'Ik hoorde... Zingen, maar niet precies. Een soort van muziek met woorden, maar geen gezang.'

Struyk en Jup keken elkaar aan. Jup trok zijn wenkbrauwen op.

'Dat geluid, wat het ook was...' Hij gaf het op. 'Ik weet het niet. Het enige andere wat ik nog weet is dat ik ziek was. Ik voelde me slecht.'

'Dat heb je nooit laten merken,' zei Jup beschuldigend.

Vroeger zou Haskier de dwerg meteen hebben afgesnauwd na zo'n opmerking, maar nu keek hij hem alleen maar aan.

'Alfré dacht dat je een mensenziekte had opgelopen bij dat

orc-kamp dat we in brand hebben gestoken,' zei Struyk. 'Maar ik geloof niet dat dat alleen voldoende was om je gedrag te verklaren.'

'Wélk gedrag, Struyk? Je hebt me nog steeds niet verteld wat ik volgens jou gedaan heb.'

'We waren bij Kras. Jij viel Reefdag en Coilla aan en ging er met de sterren vandoor.' Hij haalde de sterren uit de zak van Hobrauw tevoorschijn.

Haskier keek ernaar en fluisterde: 'Stop ze weg, Struyk.' Toen schreeuwde hij: 'Stop ze wég!'

Struyk stopte ze verbaasd in zijn riembuidel, waar de ster uit Kras nog in zat.

'Rustig maar,' zei Jup bijna vriendelijk tegen Haskier.

Er glom een laagje zweet op Haskiers voorhoofd. Hij ademde moeilijk.

'Coilla ging achter je aan,' vervolgde Struyk. 'We weten niet waar ze is. Weet jij wat er met haar gebeurd is?'

'Ik zei al, ik herinner me niks.' Hij sloeg zijn handen voor zijn gezicht.

Struyk dacht dat hij nog net een angstige blik in Haskiers ogen had opgevangen.

Hij en Jup liepen een eindje uit de buurt, en Struyk knikte naar een stel knorren zodat ze een oogje op Haskier zouden houden.

'Wat denk je ervan, commandant?'

'Ik weet het niet. Volgens mij beweert hij dat hij een soort black-out heeft gehad. Misschien is dat waar, misschien niet.'

'Ik denk van wel.'

'Hoezo?'

'Niemand weet beter dan ik wat een rotzak Haskier is. Maar hij is geen deserteur en... Ik weet het niet, ik voel het gewoon. Ik denk dat hij geen controle had over wat hij deed.'

'Het verbaast me dat je dat zegt, gezien de geschiedenis die jullie twee hebben.'

'Dat is wat ik denk. Als we hem niet het voordeel van de twijfel geven, zijn we onrechtvaardig bezig. Zo zie ik dat.'

'Zelfs als dat waar is, en hij wás onder invloed van die koorts of wat het dan ook was, hoe weten we dan dat het niet nog eens gebeurt? Hoe kunnen we hem vertrouwen?'

'Denk hier maar eens aan, Struyk. Als je besluit dat hij niet te vertrouwen is, waar blijven we dan? Wat doen we dan? Laten we hem achter? Snijden we hem de keel af? Is dat de manier waarop je deze troep wilt aanvoeren?'

'Ik moet erover nadenken. En ik moet ook beslissen wat we aan Coilla gaan doen.'

'Wacht niet te lang, kapitein. Je weet dat de tijd dringt.' Hij trok zijn wambuis wat dichter om zich heen, want de wind was kouder geworden. 'Het weer lijkt ons ook niet erg gunstig gezind.'

Terwijl hij dat zei, dwarrelden er wat sneeuwvlokjes mee in de wind.

'Sneeuw,' zei Struyk. 'In dit jaargetijde. De wereld is een zooitje, Jup.'

'Ja, en misschien is het wel te laat om de rotzooi nog op te ruimen, kapitein.'

12

Jennesta zei waar het op stond: 'Ik bied je een bondgenootschap aan, Adpar. Help me de artefacten te vinden, dan zal ik hun macht met je delen.'

Het gezicht op de laag geronnen bloed bleef onbewogen.

'Het is alleen maar een kwestie van tijd voordat Sanara zich er weer mee bemoeit,' voegde Jennesta er ongeduldig aan toe. 'Zeg ten minste íéts.'

Ze bemoeit zich er niet altijd mee. Hoe dan ook, Sanara kan naar de hel lopen. Ze mag dit best weten: néé.

'Waarom niet?'

Ik heb hier mijn handen al vol. En in tegenstelling tot jou, mijn lieve zuster, heb ik geen ambities om mijn rijk uit te breiden.

'Het gróótste rijk, Adpar! Groot genoeg voor ons allebei! Meer dan genoeg macht voor ons allebei!'

Ik heb zo'n idee dat delen, zelfs met je geliefde zuster, iets is wat jij niet lang zou kunnen volhouden.

'En de goden dan?'

Wat is daarmee?

'Wanneer we de mysteries van de instrumentaliteiten doorgronden, worden onze goden misschien hersteld, de échte goden, en ruimen we die absurde eenzame godheid van de mensen uit de weg.'

De goden zijn hier al echt genoeg, die hoeven niet hersteld te worden.

'Stommeling! De smet zal zelfs jou vroeg of laat bereiken, als dat al niet gebeurd is.'

Eerlijk gezegd, Jennesta, staat het idee me gewoon niet aan. Ik ver-

trouw je niet. En dan nog... Ben jij wel in staat om die mysteries te doorgronden? Ze bedoelde het als belediging.

'Dus je gaat er zelf achteraan, is dat het?'

Je moet niet iedereen beoordelen op basis van je eigen normen.

'Je weet niet waar je je verwaande neus voor optrekt!'

Het is tenminste míjn neus, en hij dient alleen mij.

Jennesta moest moeite doen haar kalmte te bewaren. 'Goed dan. Als je je niet bij me wilt aansluiten en zelf geen aanspraak maakt op de instrumentaliteiten, waarom geef je me dan niet het artefact dat je al hebt? Ik zal je er goed voor betalen.'

Ik héb hem niet meer! Hoeveel keer moet ik het je nog vertellen? Hij is weg!

'Je hebt je laten bestelen? Dat geloof ik niet.'

De dief is gestraft. Hij heeft geluk dat hij nog leeft.

'Je hebt hem niet eens vermoord?' spotte Jennesta. 'Je wordt zacht, zuster.'

Ik ben gewend aan je stommiteit, Jennesta, maar je kunt wel ontzettend vervelend zijn, en dat kan ik niet uitstaan.

'Als je mijn aanbod afslaat, krijg je daar spijt van.'

Is dat zo? En wie gaat daarvoor zorgen? Jij? Je kon me vroeger al niet aan, Jennesta, en nu ook nog niet.

Jennesta was woedend. 'Dit is je laatste kans, Adpar. Ik vraag het niet nog een keer.'

Als je mijn hulp zó graag wilt, heb je me vast nodig. Dat bevalt me wel. Maar ik houd niet van ultimatums, van wie dan ook. Ik zal niets doen om je in de weg te staan, maar ik help je ook niet. Laat me nu met rust.

Deze keer was Adpar degene die het gesprek beëindigde.

Jennesta dacht enkele minuten diep na en nam toen een beslissing.

Ze sleepte een zware, versierde stoel aan de kant en sloeg enkele tapijten opzij, zodat ze op de kale vloertegels stond. Uit een kast in een donkere hoek haalde ze een boek, en onderweg terug naar de vrijgemaakte ruimte griste ze een gekromde dolk van het altaar. Ze legde ze op de stoel.

Nadat ze nog een paar kaarsen had aangestoken, schepte ze

enkele handenvol bloed uit de ton. Op handen en knieën maakte ze met het bloed een grote vorm op de vloer. Ze zorgde ervoor dat er geen onderbrekingen zaten in de cirkelvorm met vijf punten die ze tekende. Vervolgens pakte ze het boek en het mes op en liep naar het midden van de cirkel.

Ze stroopte haar mouw op en sneed zichzelf snel en diep in haar arm. Haar lichter gekleurde bloed druppelde op de grond en vermengde zich met het donkere rood van het pentagram. Hierdoor werd de band met haar zuster versterkt.

Toen keek ze in het boek en deed iets wat ze al lang geleden had moeten doen.

Adpar genoot ervan haar zuster dwars te zitten. Het was een van de weinige pleziertjes in haar leven. Maar nu moest ze een routineklusje afhandelen, al was dat op zijn eigen manier ook bevredigend.

Ze verliet de slijmerige kijkvijver en waadde van haar vertrekken naar de grotere ruimte erachter. Ze werd opgewacht door een luitenant en een groep wachters, en twee onteerde leden van haar zwerm.

'De gevangenen, Majesteit,' siste de wachter op die typische manier van de nyaden.

Ze bekeek de beklaagden, die hun geschubde hoofden lieten hangen.

Adpar begon zonder omhalen met het uitspreken van de aanklacht. 'Jullie hebben de keizerlijke zwerm schande gebracht. Dat betekent dat jullie míj schande hebben gebracht. Jullie waren laks bij de uitvoering van jullie bevelen tijdens de recente aanval, en een superieur heeft gezien dat jullie meerdere meerz hebben laten ontkomen. Hebben jullie iets ter verdediging te zeggen?'

Dat hadden ze niet.

'Goed dan,' vervolgde ze. 'Ik zal jullie zwijgen als schuldbekentenis opvatten. Ik duld geen zwakkelingen in de rangen, dat is bekend. We moeten vechten voor onze positie in de wereld, en daarbij is geen plaats voor luilakken of lafaards. Daarom is de enige mogelijke uitspraak: schuldig.' Ze hechtte veel waarde aan theater en zweeg even nadrukkelijk. 'En de straf die daarop staat is de dood.'

Ze wenkte de luitenant. Hij schuifelde naar haar toe met een enorme bruinwitte schelp waarin twee koraaldolken lagen. Hij werd gevolgd door twee wachters met grote, klotsende potten van aardewerk.

'Volgens de traditie, en vanwege jullie status als gevechtslieden, mogen jullie kiezen,' vertelde Adpar de veroordeelden. Ze wees naar de dolken. 'Voltrek je eigen vonnis en sterf met enige mate van eer.' Ze wierp een blik op de potten. 'Maar jullie hebben ook het recht je lot in handen van de goden te leggen. Als zij het willen, blijven jullie leven.'

Ze keek de eerste gevangene aan en beval: 'Kies.'

De nyade woog zijn opties af. Uiteindelijk mompelde hij: 'De goden, Majesteit.'

'Zoals je wilt.'

Op haar teken naderden er nog enkele wachters, die hem stevig vasthielden. Een van de potten werd gehaald. Adpar staarde in de pot, met een hand doodstil boven de opening. Het leek wel een eeuwigheid te duren. Toen stak ze bliksemsnel haar hand in de pot en trok er iets uit.

Het was een vis. Ze hield hem met twee vingers en haar duim vast aan de staart terwijl de vis kronkelde en zich verzette. Hij was bijna zo lang als de hand van een nyade en ongeveer zo dik als drie samengebonden pijlen. De schubben en kleine vinnen van de vis waren zilverachtig blauw. Aan beide zijden van zijn bek had hij voelsprieten.

Heel voorzichtig klopte Adpar tegen de flank van de vis en trok toen snel haar vingers weg. Uit het lichaam van de vis schoten tientallen kleine stekeltjes te voorschijn.

'Ik ben jaloers op de wigvis,' zei ze. 'Hij heeft geen vijanden. Zijn stekels zijn niet alleen scherp, ze geven ook een gif af dat voor een zeer pijnlijke dood zorgt. De vis komt dan misschien om, maar zijn aanvaller ook.' Ze stopte de vis terug in de pot zodat hij onder water lag, maar hield hem vast. 'Bereid hem voor,' beval ze.

De wachters dwongen de gevangene op zijn knieën. Een van de wachters gaf Adpar een stuk draad aan, dat ze snel om de staartvin van de wigvis bond. Vervolgens trok ze het beest aan de draad voorzichtig weer uit de pot. De vis was in het water gekalmeerd en had zijn stekels weer ingetrokken.

'Geef je over aan de goden,' zei Adpar tegen de gevangene. 'Als ze je drie keer genadig zijn, wordt je leven gespaard.'

De wachters duwden onzachtzinnig het hoofd van de gevangene omhoog en sperden zijn kaken zo wijd mogelijk open. Hij werd in die positie gehouden. Adpar naderde hem met de vis aan de draad. Heel langzaam liet ze de vis in de open mond van de nyade zakken. De nyade hield zich volkomen stil. Het leek wel wat op een optreden van een degenslikker op de markten van Maras-Dantia, alleen was dát een truc.

Iedereen keek zwijgend toe hoe de vis uit het zicht verdween. Adpar wachtte even voordat ze de draad wat meer liet vieren, waardoor de vis verder in de keel van de nyade zakte. Uiteindelijk stopte ze. Toen begon ze de draad weer in te halen. De vis kwam zachtjes kronkelend uit de mond van de nyade tevoorschijn.

De gevangene ademde rillend uit.

'De goden zijn je deze keer gunstig gezind,' verklaarde Adpar.

Ze stopte de vis een tijdje terug in het water en haalde hem er vervolgens weer uit. Ze liet het beest voor de tweede keer langzaam in de keel van de gevangene zakken, wachtte weer even en trok de vis terug. De wigvis kwam weer tevoorschijn zonder de nyade schade te berokkenen.

De veroordeelde sidderde en hijgde en leek op het punt te staan om flauw te vallen.

'Onze goden zijn goedgeluimd vandaag,' zei Adpar. 'Tot nu toe.'

Na een laatste rustpauze in het water leek de vis klaar voor de derde poging. Adpar deed alles weer precies hetzelfde en liet de vis in de keel van de nyade zakken. Toen trilde de draad. De gevangene huiverde. Hij zette grote ogen op, begon te kokhalzen en zich tegen de wachters te verzetten. De draad brak. Adpar stapte achteruit en gebaarde naar de wachters dat ze hem los moesten laten. Zodra ze dat deden, klapten onwillekeurig zijn kaken op elkaar.

Toen begon hij te schreeuwen.

De veroordeelde klauwde naar zijn keel en borst en rolde over de vloer. Hij had stuiptrekkingen en er kwam groen slijm uit zijn mond. Zijn gegil ging door merg en been.

Zijn doodsstuipen duurden maar voort en waren verschrikkelijk om aan te zien.

Toen het stil werd en de gevangene niet meer bewoog, sprak Adpar. 'De wil van de goden is gedaan. Ze hebben hem tot zich geroepen. Het recht is geschied.'

Ze wendde zich tot de tweede gevangene, die stond te rillen van angst. Ze bood hem de andere pot of de dolken aan. Zwijgend pakte hij een dolk. Door de bepantsering van zijn keel moest hij het lemmet een aantal keren stevig langs zijn slagader halen voordat er uiteindelijk een rode straal bloed te voorschijn spoot.

Op een teken van Adpar begon een stel wachters de lijken op te ruimen.

'We mogen ons gelukkig prijzen dat onze samenleving met goddelijke gerechtigheid en mededogen wordt geregeerd,' verklaarde ze. 'Andere rijken worden minder vriendelijk bestuurd. Zelf heb ik bijvoorbeeld een zuster die van een dergelijke voorstelling zou hebben genóten.'

Het begon harder te sneeuwen en de hemel was zwart.

Struyk had graag door willen rijden, maar hij moest toegeven dat het onmogelijk was. Hij liet de troep halt houden. Aangezien er geen beschutting was, legden ze een vuur aan dat in de sneeuw en wind maar met moeite brandend kon worden gehouden. Ze sloegen paardendekens om zich heen en schaarden zich rillend om het vuur.

Jup had wat zalfjes van Alfré gebruikt om de verwondingen van Haskier te verzorgen. Nu zat Haskier zwijgend in de karige vlammetjes te staren. De anderen hadden ook weinig zin om te praten.

De storm hield urenlang aan. Ondanks het weer lukte het een aantal knorren om wat te doezelen.

Toen dook er iets in de sneeuw op.

Het was een lange gestalte op een mooi wit paard. Toen hij naderde, zagen ze dat hij een mens was.

De troep sprong op en greep de wapens.

De man droeg een donkerblauwe mantel. Hij had schouderlang haar en een baard. Zijn leeftijd was moeilijk te bepalen.

'Misschien zijn het er meer!' riep Struyk. 'Wees alert!'

'Ik ben alleen en ongewapend,' riep de man met kalme stem. 'Ik wil graag afstijgen als het mag.'

Struyk keek rond maar zag verder niets bewegen in de sneeuw. 'Akkoord,' stemde hij in. 'Langzaam.'

De vreemdeling steeg af. Hij hield zijn handen naar hen uit zodat ze konden zien dat hij geen wapen had. Struyk liet Talag en Finje hem fouilleren. Toen dat gedaan was, brachten ze hem richting het vuur. Reefdag nam zijn paard over en bond de leidsels aan een boomstronk vast. De soldaten keken beurtelings van het witte terrein om hen heen naar de lange, kalme man.

'Wie ben jij, mens?' vroeg Struyk. 'Wat wil je?'

'Ik ben Serapheim. Ik zag jullie vuur. Ik wil alleen wat warmte.'

'Het is tegenwoordig gevaarlijk om onaangekondigd een kamp binnen te rijden. Hoe weet je dat we je niet vermoorden?'

'Ik vertrouw op de ridderlijkheid van de orcs.' Hij keek naar Jup. 'En van hun bondgenoten.'

'Wat ben je, meni of eni?' vroeg de dwerg.

'Niet alle mensen zijn een van beide.'

'Huh!' zei Jup sceptisch.

'Het is waar. Ik draag geen bagage aan goden mee. Mag ik?' Hij stak zijn handen uit naar het vuur. Struyk zag echter dat de vreemdeling zich eigenlijk niet veel aantrok van de kou. Hij klappertandde niet en zijn walgelijk bleke huid was nergens blauwachtig.

'Hoe weten we dat dit geen val is?' vroeg Struyk.

'Ik neem het je niet kwalijk dat je dat denkt. Mijn ras is net zo argwanend ten opzichte van dat van jou. Maar veel mensen zijn dan ook als paddestoelen.'

Ze keken hem verwonderd aan. Struyk dacht dat hij misschien niet goed bij zijn hoofd was.

'Paddestoelen?' vroeg hij.

'Ja. Ze leven in duisternis en krijgen stront gevoerd.'

Veel van de soldaten lachten.

'Goed gezegd,' zei Jup op voorzichtig vriendelijke toon. 'Maar wie ben je, en waarom reis je alleen en onbewapend door een land dat wordt verscheurd door oorlogen?'

'Ik ben verhalenverteller.'

'Net wat we nodig hebben; een verhaal,' zei Struyk cynisch.

'Dan zal ik jullie er een vertellen. Al ben ik bang dat het nogal kort is en misschien tragisch eindigt.' Door de toon van zijn stem, spitsten de orcs hun oren. 'Zoeken jullie misschien iemand van jullie soort?' vroeg de man.

'En wat dan nog?'

'Een vrouwelijk lid van jullie troep?'

'Wat weet jij daarvan?' gromde Struyk dreigend.

'Wel iets. Misschien genoeg om jullie te helpen.'

'Ga door.'

'Jullie kameraad is gevangengenomen door premiejagers van mijn ras.'

'Hoe weet je dat? Ben jij een van hen?'

'Zie ik eruit als een huurling? Nee, vriend, ik ben niet een van hen. Ik heb haar echter wel bij hen gezien.'

'Waar? En hoeveel zijn het er?'

'Drie. Niet ver hiervandaan. Maar ze zijn inmiddels vast verder gereisd.'

'En wat hebben wij daaraan?'

'Ik weet waar ze naartoe zijn. Heldiep.'

Struyk keek hem argwanend aan. 'Waarom zouden we je geloven?'

'Dat moet je zelf weten. Maar waarom zou ik liegen?'

'Misschien heb je daar zo je redenen voor. We hebben door schade en schande geleerd dat je alles wat een mens zegt met een korreltje zout moet nemen.'

'Zoals ik al zei, daar kunnen jullie niets aan doen. Maar deze keer vertelt een mens jullie de waarheid.'

Struyk staarde hem aan maar kon niets van het gezicht van de man aflezen. 'Ik moet nadenken,' zei hij. Hij wees enkele knorren aan die de man in de gaten moesten houden en liep weg van het vuur.

Misschien sneeuwde het iets minder hard. Hij merkte het eigenlijk niet echt. Hij woog de woorden van de vreemdeling af.

'Stoor ik?'

Struyk draaide zich om. 'Nee, Jup. Ik dacht na over wat we net gehoord hebben. Waarom zouden we die Serapheim moeten geloven?'

'Omdat het wel logisch is wat hij zegt?'

'Misschien.'

'Omdat we wanhopig zijn?'

'Dat lijkt er meer op.'

'Laten we hier eens over nadenken, commandant. Áls die mens de waarheid spreekt, gaan we ervan uit dat de premiejagers Coilla hebben vanwege de prijs op haar hoofd, ja?'

'Anders zouden ze haar toch allang hebben omgebracht?'

'Dat dacht ik ook. Maar waarom zijn ze naar Heldiep onderweg?'

Struyk haalde zijn schouders op. 'Misschien is dat een van de plaatsen waar de beloning kan worden geïnd. Laten we ervan uitgaan dat hij de waarheid spreekt. Dan moeten we een beslissing nemen. Gaan we achter Coilla aan, of gaan we eerst naar Alfré en de rest van de troep?'

'We zijn dichter bij Heldiep dan bij Drogan.'

'Dat is waar. Maar als Coilla waardevol is, doen ze haar waarschijnlijk niets.'

'Je houdt geen rekening met haar karakter. Ze laat zich niet zomaar gijzelen.'

'Laten we vertrouwen op haar gezonde verstand. Dan heeft ze het moeilijk, maar loopt haar leven geen gevaar.'

'Dus gaan we eerst naar Alfré en daarna naar Heldiep met de hele troep?'

'Onze kansen zouden dan beter zijn. Het nadeel is echter dat Coilla intussen naar Jennesta kan worden gebracht. En dan zijn we haar wél kwijt.'

Ze keken naar de vreemdeling. Hij stond nog steeds bij het vuur. De knorren leken zich wat te hebben ontspannen en sommigen zaten te praten.

'Aan de andere kant,' vervolgde Jup, 'hebben we met Alfré afgesproken wannéér we hem zouden treffen. Wat als hij denkt dat we dood zijn en hij alléén op de centaurs in Drogan afgaat?'

'Daar zie ik hem wel voor aan,' zuchtte Struyk. 'Het is een lastige keus, Jup, en we moeten absoluut zeker zijn dat...'

Ze werden onderbroken door luid geschreeuw. Struyk en Jup draaiden zich razendsnel om.

De vreemdeling was verdwenen. Zijn paard ook. Ze renden naar het vuur.

In de wervelende sneeuw liepen knorren onrustig heen en weer.

Struyk greep Gant bij zijn kraag. 'Wat is hier gebeurd, soldaat?'

'De man, kapitein. Hij is weg.'

'Wég? Hoe bedoel je, wég?'

Talag mengde zich erin. 'Dat klopt, commandant. Ik keek één tel een andere kant op, en toen was hij verdwenen.'

'Wie heeft hem zien vertrekken?' riep Struyk.

Geen van de knorren had iets gezien.

'Dit is te gek voor woorden,' zei Jup terwijl hij door de sneeuw tuurde. 'Hij kan niet zomaar verdwenen zijn.'

Struyk staarde ook, zijn zwaard in de hand, en vroeg zich af of het misschien tóch mogelijk was.

13

Overal om hem heen klonken stemmen en gelach.

Hij liep mee met een groep orcs. Orcs van beide geslachten en alle leeftijden. Orcs die hij nog nooit had gezien.

Aan de versieringen op hun kleding kon hij zien dat ze van vele verschillende stammen waren. Maar er leek geen onenigheid te zijn. Ze leken blij en hij voelde zich totaal niet bedreigd. De stemming in de groep was feestelijk.

Hij was op een zandstrand. De zon stond op het hoogste punt en straalde. Hoog boven hun hoofd vlogen witte vogels krijsend rond. De groep orcs was op weg naar de oceaan.

Toen zag hij dat er een eindje voor de kust een schip voor anker lag. Het schip had drie zeilen, die gestreken waren, en aan de voorste mast wapperde een vlag met een rood embleem dat hij niet herkende. Het boegbeeld was een vrouwelijke orc met een geheven zwaard. De romp van het schip was bekleed met oorlogsschilden, elk met een andere versiering. Het was het grootste vaartuig dat Struyk ooit had gezien, en zeker het mooiste.

De leiders van de groep waadden er al naartoe. Ze hoefden niet te zwemmen, dus het schip had waarschijnlijk een platte bodem of lag in een geul parallel aan het strand. Struyk werd meegevoerd door de andere orcs. Geen van hen sprak tegen hem, maar op een vreemde manier voelde hij zich er daardoor juist bij horen.

Ergens in het geroezemoes hoorde hij zijn naam, dacht hij althans. Hij keek om zich heen naar de vele gezichten. Toen zag hij haar. Ze baande zich een weg door de groep naar hem toe.

'Daar ben je!' begroette ze hem.

Ondanks zijn verwarring over waar hij was of wat er gebeurde, glim-lachte hij naar haar.

Ze glimlachte terug en zei: 'Ik wist wel dat je zou komen.'

'Echt waar?'

'Nou ja, ik hoopte het,' gaf ze toe. Haar ogen glinsterden.

Hij had gevoelens die hij niet begreep en ook niet kon uitspreken. Dus probeerde hij dat ook niet. In plaats daarvan lachte hij weer.

'Ben je gekomen om te helpen?' vroeg ze.

Hij keek haar vragend aan.

Ze trok weer dat goedgehumeurde en tegelijkertijd gepikeerde gezicht dat hij van haar kende. 'Kom mee,' zei ze.

Struyk liep met haar mee het water in. Ze waadden door de zachte golven naar het schip. Het water kwam tot hun bovenbenen. Orcs klom-men via touwen en ladders aan boord. Hij keek bewonderend toe terwijl de orcvrouw soepel tegen de romp van het schip klom. Toen klom hij zelf ook aan boord van het licht schommelende vaartuig.

Midden op het dek stond een luik open. Er werden kratten, vaten en kisten vanuit het luik doorgegeven. De orcs droegen ze naar de reling en gaven ze over aan een rij orcs die doorliep tot aan het strand. Struyk en de orcvrouw namen hun plaats in de rij in en gaven de lading door. Hij keek bewonderend naar de spieren van haar armen en benen die zich spanden terwijl ze kisten optilde en aan hem doorgaf.

'Wat is dit allemaal?' vroeg hij.

Ze lachte. 'Hoe ga je door het leven met zo weinig kennis?'

Hij haalde beschaamd zijn schouders op.

'Voeren ze geen spullen in, waar jij vandaan komt?' vroeg ze.

'Orcs niet.'

'O, ja. Er wonen in jouw land ook andere rassen dan orcs. Die dwer-gen en gremlins en... Wat zei je ook alweer? Mensen.'

Hij fronste zijn voorhoofd. 'De mensen horen eigenlijk niet in mijn land. Maar ze pikken het wel in.'

Ze gaf hem nog een vat aan. 'Maar zelfs daar moeten ze toch din-gen binnenhalen die ze nodig hebben?'

'Waar komt dit allemaal vandaan?'

'Van andere orcs, op plaatsen waar ze dingen hebben die wij hier niet hebben.'

'Ik heb nog nooit van die andere plaatsen gehoord.'

'Je plaagt me.' Ze gebaarde glimlachend naar de oceaan. 'Ik bedoel die landen aan de andere kant van het water.'

'Ik wist niet dat er iets wás aan de andere kant van het water. Is het water niet alles wat er is?'

'Blijkbaar niet. Waar denk je anders dat dit vandaan komt?'

Hij voelde zich terechtgewezen en ving de volgende kist op die ze naar hem toe gooide. Iets krachtiger dan eerst, dacht hij. Hij gooide de kist naar de volgende orc in de rij en zei: 'Zijn dit schatten, dan?'

'Dat zou je kunnen zeggen.' Ze stapte uit de rij en nam de kist mee die ze zojuist had opgevangen. 'Hier, ik laat het je zien.' Struyk stapte ook uit de rij. De andere orcs schoven door en dichtten de opening. Er waren meer dan genoeg orcs aan het werk.

Ze zette de kist op het dek en hij knielde naast haar neer. Ze haalde een mes van achter haar riem vandaan en wrikte de kist ermee open. Hij zat vol rood poederachtig spul dat leek op gedroogde bladeren. Hij had geen idee wat het was.

'Turm,' legde ze uit. 'Het is een specerij, waardoor je eten beter smaakt.'

'En dit is waardevol?'

'Als we lekker willen eten wel, ja! Dat is de waarde ervan. Niet alle schatten bestaan uit munten of edelstenen. Jouw zwaard, bijvoorbeeld.'

'Mijn zwaard?' Hij legde zijn hand erop. 'Het is een goed wapen, maar niets bijzonders.'

'Op zich misschien niet. Maar in vaardige handen, in de handen van een geboren strijder, wordt het zoveel meer.'

'Ik snap het. Echt.'

'En zo is het ook met orcs. Met alle levende dingen.'

Hij fronste zijn verweerde voorhoofd. 'Nu weet ik het niet meer zo...'

'Ze zijn als zwaarden. Net zo scherp of stomp.'

Nu lachte hij.

'Maar ze hebben allemaal waarde,' benadrukte ze.

'Zelfs mijn vijanden?'

'Orcs horen vijanden te hebben. Zelfs als dat morgen weer vrienden zijn.'

'Dat is bij mij niet het geval,' antwoordde hij koel. 'Dat gebeurt niet.'

'Of het gebeurt of niet, zelfs vijanden hebben hun waarde.'

'Hoe kan dat nou?'

'Omdat je hun vaardigheden en vastberadenheid kunt respecteren, dus waarderen. Hun moed, als ze die bezitten. Bovendien hebben ze waarde omdat een orc een vijand nódig heeft. Dat is wat we doen. Het zit in ons bloed.'

'Zo had ik het nooit bekeken.'

'Maar dat we graag vechten, betekent niet meteen dat we ook haten.'

Struyk kon daar niet direct iets mee, maar het zette hem wel aan het denken.

'Maar wat we het meest van alles moeten waarderen,' vervolgde ze, 'zijn degenen die ons het meest na staan.'

'Als jij het zegt, klinken de dingen zo... eenvoudig.'

'Dat komt doordat ze dat ook zijn, mijn vriend.'

'Hier, misschien. Waar ik vandaan kom, is iedereen tégen ons en moeten we veel obstakels overwinnen.'

Ze keek somber. 'Wees dan een zwaard, Struyk. Wees een zwaard.'

Hij werd met bonzend hart wakker. Hij ademde zo snel, dat hij bijna hijgde.

Er viel een lichte, stinkende regen uit de grijze lucht en de meeste sneeuw was weggesmolten. Het was ellendig en koud. Hij voelde zich helemaal niet verfrist door die paar uur slaap. Hij had een nare smaak in zijn mond en zijn hoofd bonsde.

Struyk ging op zijn rug liggen en liet de regen in zijn gezicht vallen. Hij dacht na over wat hij, bij gebrek aan beter, zijn droom noemde. Zijn dromen, visioenen, boodschappen van de goden; wat ze ook waren, ze waren levendiger en intenser geworden. De geur van ozon, de sterretjes in zijn ogen van de felle zon, de warme bries die zijn huid had gestreeld; het vervaagde allemaal maar langzaam.

De gedachte dat hij door zijn eigen geest voor de gek werd gehouden, dat hij langzaam waanzinnig werd, had zijn hart in een ijzige klauw vastgegrepen. Maar hij had ook een andere gedachte, en die was van heel andere aard: hij was de dromen gaan verwachten en keek er zelfs naar uit.

Daar wilde hij nu niet over nadenken.

Hij ging rechtop zitten en keek om zich heen. Alle knorren waren wakker en bezig met hun taken. De paarden werden verzorgd, dekens werden uitgeschud en wapens geslepen.

Hij herinnerde zich de gebeurtenissen van de afgelopen nacht. Ze waren lange tijd blijven uitkijken naar de man en waren zelfs een paar keer in de sneeuw naar hem gaan zoeken. Maar ze hadden taal noch teken van hem gezien en hadden het uiteindelijk opgegeven. Op een zeker moment moest Struyk in slaap zijn gevallen, maar dat stond hem niet meer bij.

Serapheim, als de vreemdeling echt zo heette, was nóg een mysterie dat ze aan hun lijst konden toevoegen. Maar Struyk wilde er niet te veel over nadenken, vooral niet omdat het best mogelijk was dat de man gek was. Hij was echter ook de enige die hun een aanwijzing had gegeven over waar Coilla kon zijn. En op dit moment hadden ze hoop nodig. Hard nodig.

Struyk zette dit alles uit zijn hoofd. Hij moest zich met iets belangrijkers bezighouden.

Jup stond bij de paarden met een paar knorren te praten. Struyk beende naar hem toe.

Zonder omhalen vertelde hij de dwerg: 'Ik heb een besluit genomen.'

'We gaan naar Heldiep, op zoek naar Coilla, zeker?'

'Precies.'

'Je hebt vast overwogen dat die Serapheim misschien loog. Of gewoon gek was.'

'Daar heb ik aan gedacht. Waarom zou hij liegen?'

'Om ons in de val te lokken?'

'Veel te ingewikkeld.'

'Niet als het werkt.'

'Misschien. Maar het lijkt me niet waarschijnlijk.'

'En als hij gek is?'

'Dat geloof ik eerder. Misschien is hij dat. Maar... Ik weet het niet. Dat gevoel kreeg ik niet. Al heb ik niet veel ervaring met mensen die gek zijn.'

'O, nee? Kijk maar eens om je heen.'

Struyk lachte dunnetjes. 'Je weet wel wat ik bedoel. Maar al-

146

leen Serapheim heeft ons een aanwijzing over Coilla gegeven.'
Hij zag Jups gezicht betrekken en zei: 'Oké, mógelijke aanwijzing. Maar ik vind dat we wel een poging kunnen wagen in Heldiep.'

'En onze ontmoeting met Alfré dan?'

'We moeten hem een bericht sturen.'

'En wat heb je besloten over hém?' Jup knikte naar Haskier die in zijn eentje op de grond zat.

'Hij is nog steeds een lid van de troep, maar dan wel voorwaardelijk. Bezwaren?'

'Nee. Alleen een beetje achterdochtig.'

'Ik ook. Maar we houden hem wel in de gaten.'

'Hebben we daar tijd voor?'

'Geloof me, Jup. Als hij nog meer problemen veroorzaakt, ligt hij eruit. Of is hij dood.'

De dwerg twijfelde niet aan de woorden van zijn kapitein. 'We moeten hem laten weten wat er aan de hand is. Hij is tenslotte een officier, toch?'

'Voorlopig. Ik degradeer hem pas als het weer uit de hand loopt. Kom mee.'

Ze liepen naar Haskier toe, die naar hen opkeek en knikte.

'Hoe gaat het?' vroeg Struyk.

'Beter.' Aan zijn stem te horen, was dat waar. 'Ik wil alleen maar de kans krijgen om te bewijzen dat ik de naam Veelvraat waard ben.'

'Dat wilde ik horen, sergeant. Maar na wat jij gedaan hebt, moeten we je wel een tijdje voorwaardelijk geven.'

'Maar ik wéét niet wat ik gedaan heb!' protesteerde Haskier. 'Tenminste, ik weet wat je me verteld hebt, maar ik herinner me er niets van.'

'Daarom houden we je in de gaten tot we weten hoe het kwam, of tot je je lang genoeg goed genoeg gedraagt.'

Jup zei het wat minder diplomatiek. 'We willen niet dat je weer gestoord gaat doen.'

Haskier was boos. 'Waarom ga jij niet...' Toen zweeg hij.

Struyk dacht dat het misschien een goed teken was dat ze weer iets van de oude Haskier zagen. 'Het punt is dat we geen passagiers kunnen gebruiken, en ook geen blok aan ons been, begrepen?'

'Begrepen,' bevestigde Haskier, die weer was gekalmeerd.

'Denk daaraan. Luister. Die man die hier gisteren was, Serapheim, zei dat Coilla onderweg is naar Heldiep. Daar gaan we naartoe. Wat ik van jou wil, is dat je bevelen gehoorzaamt en je weer opstelt als een lid van deze troep.'

'Dat is goed. Kom op.'

Struyk was redelijk tevreden, verzamelde de anderen en vertelde hun het nieuwe plan. Hij gaf hun de mogelijkheid commentaar te leveren of te protesteren. Enkele knorren stelden vragen, maar er waren geen bezwaren. Ze waren schijnbaar opgelucht dat ze weer een duidelijk doel hadden.

Hij sloot af door te zeggen: 'Ik zoek twee vrijwilligers die Alfré de boodschap gaan brengen. Maar pas op, het kan gevaarlijk zijn.'

Alle knorren boden zich aan. Hij koos Jad en Hystykk, en was er zich van bewust dat hij de groep nu nóg kleiner maakte.

'De boodschap is simpel,' zei hij. 'Laat Alfré weten waar we naartoe zijn en dat we zo snel mogelijk naar Drogan komen.' Hij dacht even na en zei toen: 'Als hij een week later nog niet van ons heeft gehoord, moet hij ervan uitgaan dat we niet meer komen. Dan staat het Alfré en zijn groep vrij om te doen wat ze denken dat het beste is.'

Hij doorbrak de sombere stemming die zijn woorden hadden opgeroepen door iedereen de opdracht te geven zich voor te bereiden op het vertrek.

Toen de knorren zich haastten om zijn bevelen uit te voeren, haalde Struyk de drie sterren uit zijn riembuidel. Hij bekeek ze aandachtig. Toen hij opkeek, zag hij dat Haskier naar hem staarde.

'Jij ook, Veelvraat,' zei Struyk.

Haskier stak zijn hand op en draafde naar zijn paard. Struyk stopte de sterren terug in zijn buidel en klom in het zadel.

Toen vertrok de stoet weer.

Heldiep werd ook wel 'De stad die nooit slaapt' genoemd.

Het normale ritme van de dag en nacht betekende hier inderdaad niet veel, maar Heldiep was niet echt een stad. Niet zoals de grote vestigingen in het noorden, zoals Urrarbiton of Wre-
vel. Of zelfs de vestigingen van de mensen in het zuiden, zoals
Barsbrug of Golfslag, die nog steeds indrukwekkend snel groei-
den. Maar Heldiep was groot genoeg voor een constant veran-
derende bevolking van alle oude rassen in Maras-Dantia.

Sommigen woonden hier permanent. Dat waren hoofdzake-
lijk degenen die de kost verdienden met seks, luxeartikelen en
schemerige handeltjes, zoals de slavenhandelaars en hun agenten,
die hier prima zaken deden. Hoewel schermutselingen verboden
waren, waren alle andere misdaden in Heldiep de gewoonste zaak
van de wereld. Veel lieden waren van mening dat ook dat een effect was van de invloed van de inkomers, en daar zat wel een
kern van waarheid in.

Dit waren de gedachten die door Coilla's hoofd spookten terwijl ze bij zonsopgang door de drie premiejagers de herberg uit
werd geleid. De straten waren nog even vol als toen ze de vorige avond aankwamen.

Toen Lekman haar nogmaals waarschuwde dat ze niet moest
proberen te ontsnappen, stelde Aulay hem een vraag.

'Weet je zeker dat een slavenhandelaar ons meer voor haar
geeft dan Jennesta?'

'Natuurlijk. Ze betalen goed voor orcse lijfwachten en zo.'

'Het is geen goed idee om Jennesta te dwarsbomen,' zei Coilla.

'Hou jij nu maar je kop en laat het denken aan ons over. Wij
zijn slimmer.'

Coilla keek naar Blaan die met lege ogen en open mond voor
zich uit stond te staren. Toen keek ze naar Aulay met zijn ooglap, het verband over zijn oor en zijn gespalkte vinger. 'Natuurlijk,' zei ze.

'Misschien heeft ze gelogen en zijn de Veelvraten hier helemaal niet,' zei Aulay.

'Hou daar toch eens over op,' zei Lekman. 'Het is logisch dat ze hier zijn. Als dat niet zo is, maken we toch wel winst als we die teef verkopen, en daarna kunnen we ergens anders verder zoeken.'

'Waar dan, Mica?' vroeg Blaan.

'Begin jij nu niet ook, Jabez!' snauwde Lekman. 'Ik bedenk wel wat als het zover is.'

Ze zwegen toen er een stel Wakers voorbijkwam.

'Kom op, Mica,' zei Aulay ongeduldig.

'Oké. Jij gaat, zoals afgesproken, op zoek naar orcs. Denk er-aan dat ze iets willen verkopen. Dus zoek op de markt, in de ju-welenhandelaarswijk, de straten waar informatie wordt verhan-deld – overal waar ze misschien een koper voor dat relikwie kunnen vinden.'

Aulay knikte.

'Intussen gaan Jabez en ik op zoek naar een nieuwe eigenaar voor háár,' vervolgde Lekman terwijl hij met een duim naar Coil-la wees. 'We ontmoeten je hier om het middaguur weer.'

'Waar gaan jullie naartoe?'

'Naar de oostkant. Ik zoek iemand. Ga aan het werk, we heb-ben haast.'

Ze gingen ieder huns weegs.

'Wat wil je dat ik doe, Mica?' vroeg Blaan.

'Hou die orc in de gaten. Als ze wat probeert, sla je haar op haar kop.'

Ze hielden Coilla tussen hen in, ook al was dat in de smalle-re straten erg irritant voor de andere voetgangers. Voorbijgangers keken naar Coilla, veel van hen argwanend. Ze was tenslotte een orc, en iedereen wist dat je maar beter voorzichtig met orcs kon omspringen.

'Vraagje,' zei ze.

'Als het maar de moeite waard is,' antwoordde Lekman.

'Wie is die slavenhandelaar die we gaan opzoeken?'

'Hij heet Razatt-Kheage.'

'Dat is een goblinnaam.'

'Ja, dat is hij ook.'

Ze zuchtte. 'Een smerige goblin...'

'Orcs en goblins zijn niet zo gek op elkaar, hè?'

'Orcs zijn gek op zo ongeveer niemand, lelijkerd.'

Blaan grinnikte. Lekman keek hem kwaad aan en loerde vervolgens weer naar Coilla. 'Als je nog meer vragen hebt, stel ze dan vooral niet.'

Ze gingen een hoek om. Er had zich daar een kleine menigte verzameld rondom een stel luidkeels ruziënde half-elfen.

Men zei dat half-elfen een kruising waren tussen elfen en feetjes, en dat ze als een soort neef van die rassen werden gezien, al vroeg Coilla zich af hoe dit fysiek in zijn werk zou moeten gaan. Ze waren klein van stuk met puntige wipneuzen en zwarte kraaloogjes. Ze hadden kleine, delicate mondjes met ronde tandjes. Ze waren niet erg opvliegend en er zeker niet op gebouwd om te vechten.

Deze twee waren ladderzat. Ze stonden tegen elkaar te schreeuwen en maaiden slapjes naar elkaar. Het zag er niet naar uit dat een van tweeën gewond zou raken, behalve misschien als ze omvielen.

De premiejagers lachten. 'Kunnen niet tegen drank,' grapte Lekman.

'Jóúw soort heeft zulk gedrag naar Maras-Dantia gebracht,' zei Coilla hem ijzig. 'Jullie vernietigen mijn wereld.'

'Het is jouw wereld niet meer, wilde. En het heet nu Centrazië.'

'Dat dacht je maar.'

'Je zou dankbaar moeten zijn. We brengen je de voordelen van de beschaving.'

'Zoals slavernij? Dat was hier bijna onbekend voordat jouw ras kwam. Maras-Dantianen bezáten elkaar niet.'

'En jullie orcs dan? Jullie worden toch in dienst van iemand geboren? Dat is toch ook een vorm van slavernij? Dáár hebben wij niks mee te maken gehad.'

'Het is slavernij gewórden. Jullie hebben het met jullie ideeën besmet. Vroeger was het een goede regeling, die orcs in staat stelde te doen waarvoor ze geboren waren. Vechten.'

'Over vechten gesproken...' Hij knikte naar de overkant van

de straat. De half-elfen hingen tegen elkaar aan en sloegen elkaar in het gezicht, al waren de meeste klappen mis.

Blaan lachte bulderend.

'Zie je wel?' tartte Lekman. 'Jullie barbaren hebben geen lessen over geweld van ons nodig. Het zit al in jullie.'

Coilla had nog nooit zo naar een zwaard verlangd.

Een van de half-elfen trok een mes en begon ermee te zwaaien, al waren ze beiden veel te dronken om echt gevaarlijk te zijn.

Plotseling verschenen er twee Wakers; misschien dezelfde die ze eerder hadden gezien, ze leken allemaal op elkaar. Coilla verbaasde zich erover hoe snel die dingen bewogen. Ze léken zo log. Er kwamen er nog drie of vier aan, die allemaal richting de vechtende half-elfen beenden. De twee waren zo dronken en werden zo door elkaar in beslag genomen, dat ze werden verrast door de Wakers en geen tijd hadden ervandoor te gaan.

De breekbare wezens werden overrompeld en door sterke armen opgetild. Ze trappelden weerloos met hun beentjes. Er was niet veel voor nodig om de half-elf met het mes te ontwapenen.

Terwijl de menigte zwijgend toekeek, stapten er twee Wakers naar voren die de gezichten van de twee kronkelende half-elfen tussen hun handen pakten. Toen braken de Wakers achteloos de slanke nekjes van beide half-elfen. Zelfs vanaf de overkant van de straat hoorden de premiejagers en Coilla het gekraak van de botjes.

De Wakers beenden weg en sleepten de lijkjes van hun slachtoffers als lappenpoppen achter zich aan. De menigte was weer eens gewezen op het gebrek aan tolerantie in Heldiep, en verspreidde zich snel.

Lekman floot tussen zijn tanden door. 'Ze nemen de wet hier wel serieus, hè?'

'Het staat me niet aan,' klaagde Blaan. 'Ik heb ook een wapen, net als die dooie half-elf.'

'Hou het dan uit het zicht.'

Blaan bleef klagen en Lekman zei hem zijn kop te houden. Daardoor was hun aandacht van Coilla afgeleid. Ze greep haar kans.

Lekman stond voor haar. Ze schopte hem in zijn kruis. Hij gaf een kreet en sloeg dubbel. Coilla begon te rennen.

Blaan sloeg een arm om haar nek, nam haar in een ijzeren greep en sleurde haar mee naar de ingang van een steeg. Lekman strompelde met een bleek gezicht en waterige ogen achter hen aan.

'Smerige teef,' fluisterde hij.

Hij keek achterom naar de straat. Niemand scheen te hebben opgemerkt wat er gaande was. Hij sloeg Coilla hard in het gezicht. En toen nog een keer.

Ze proefde de zilte smaak van bloed.

'Flik zoiets nog een keer, dan kan me dat geld niet meer schelen,' snauwde hij. 'Dan maak ik je af.'

Toen hij zag dat ze weer gekalmeerd was, zei hij Blaan dat hij haar los moest laten. Coilla veegde het bloed van haar mond en neus. Ze zei niets.

'Lópen,' beval hij.

Ze liepen weer verder, met hun drieën op een rij.

Een paar straten verderop kwamen ze aan de oostkant van de stad. De straten waren hier zo mogelijk nóg smaller en drukker. Het was een doolhof waarin buitenstaanders maar moeilijk de weg konden vinden.

Toen ze op een hoek stonden te wachten tot Lekman zich georiënteerd had, zag Coilla twee of drie straten verderop een lange figuur door de menigte lopen. Net als de vorige dag, toen ze dacht dat ze orcs had gezien, zag ze deze figuur maar even. Hij leek echter op Serapheim, de woordsmid die ze op de vlakte waren tegengekomen. Hij zei dat hij net uit Heldiep vandaan kwam, dus waarom zou hij er dan nu weer zijn? Ze vergiste zich vast. Dat was ook best mogelijk, want voor haar leken alle mensen toch op elkaar.

Lekman nam hen mee naar het hart van de wijk, waar ze door kronkelende ommuurde stegen liepen. Na een vermoeiende wandeling door donkere straatjes, waar het veel minder druk was, bereikten ze een steeg. Aan het eind van de steeg stond een gebouw dat ooit mooi wit was geweest. Nu was het grijs en vervallen. De vensters waren dichtgetimmerd met luiken en de deur was gebarricadeerd.

Lekman liet Blaan aankloppen en duwde hem toen aan de kant. Er gebeurde een hele tijd niets. Juist toen ze op het punt stonden nogmaals te kloppen, werd er een klein luikje in de deur opengeschoven. Ze werden zwijgend aangekeken door twee gelige ogen.

'We willen Razatt-Kheage spreken,' zei Lekman.

Er kwam geen antwoord.

'Mijn naam is Mica Lekman,' voegde hij eraan toe.

De ogen bleven hen aanstaren.

'Een gemeenschappelijke vriend heeft me doorverwezen,' vervolgde Lekman, al iets minder geduldig. 'Hij zei dat ik welkom zou zijn.'

De zwijgende inspectie duurde nog een paar tellen, en toen werd het luikje dichtgesmeten.

'Hij lijkt niet al te vriendelijk,' zei Blaan.

'Het is geen vriendelijk soort werk,' zei Lekman.

Ze hoorden het geluid van schrapende grendels en de deur ging krakend open. Lekman en Blaan duwden Coilla voor zich uit naar binnen.

Er stond een goblin tegenover hen. Een andere sloot de deur en schoof de grendel er weer voor.

De goblins waren broodmager en hun bultige groene huid stond zo strak dat hij wel van perkament leek. Door hun uitstekende schouderbladen leek het alsof ze gebocheld waren. Maar hun gebrek aan vet maakten ze goed met spieren; dit waren sterke en lenige wezens.

Hun hoofd was ovaal en haarloos, hun oren waren klein en slap, en hun mond was een streep met dikke lippen. Ze hadden een platte neus en grote druppelvormige ogen met zwarte pupillen en gelig oogwit. Beide goblins waren bewapend met dikke knuppels met punten.

In de grote ruimte stonden nog zeven of acht van hun kameraden, allen met uitgestreken gezichten.

Er liep een houten platform op borsthoogte langs de achterwand van de ruimte. Er lagen tapijten en kussens op. Midden op het platform stond een stoel met ingewikkelde versieringen, die leek op een troon. Aan weerszijden ervan stond een wachter.

Op de troon zat nog een goblin. De anderen droegen zwart leer en maliënkolders, maar deze goblin droeg zijde en juwelen. In een van zijn handen had hij het mondstuk van een waterpijp waaruit dunne sliertjes witte rook kringelden.

'Ik ben Razatt-Kheage,' zei de slavenhandelaar sissend. 'Ik heb je naam gehoord.' Hij keek schattend naar Coilla. 'Ik hoor dat je me iets komt aanbieden.'

'Inderdaad,' antwoordde Lekman geveinsd joviaal. 'Dít hier.'

Razatt-Kheage maakte een keizerlijk handgebaar. 'Kom.'

Lekman gaf Coilla een zet en ze liepen samen naar een trapje aan een kant van het platform. Ze werden begeleid door twee goblins. Toen ze de troon naderden, knikte Lekman naar Blaan, die Coilla bij haar armen greep. Ze werd op veilige afstand van de slavenhandelaar gehouden.

Razatt-Kheage bood Lekman de waterpijp aan.

'Wat is dat? Kristal?'

'Nee, mijn vriend. Ik geef de voorkeur aan wat intensere genoegens. Dit is pure lassh.'

Lekman stak zijn handen op. 'Eh, nee, dank je. Ik laat me niet in met dat sterke spul. Vooral omdat het eh, verslavend is en zo.'

'Natuurlijk. Maar het is een pleziertje dat ik me wel kan veroorloven.' De slavenhandelaar inhaleerde diep. Zijn ogen werden glazig toen hij een dikke rookwolk uitademde. 'Over naar de zaken. Laat me de goederen eens bekijken.' Hij wuifde traag naar een van zijn lakeien.

De goblin liep van de troon weg en schuifelde naar Coilla toe. Terwijl Blaan haar stevig vasthield, begon de goblin haar te bepotelen. Hij kneep in haar armen, klopte op haar benen en staarde in haar ogen.

'Ze is zo fit als een vlo,' zei Lekman, nog wat jovialer.

De goblin trok Coilla's mond open en inspecteerde haar tanden.

'Ik ben geen paard, verdomme!' snauwde ze.

'Het is een pittig ding,' zei Lekman.

'We breken haar wel,' antwoordde Razatt-Kheage. 'Dat doen we wel vaker.'

Zijn lakei was klaar met Coilla en knikte naar hem.

'Het schijnt dat je waren acceptabel zijn, Mica Lekman,' siste de slavenhandelaar. 'Laten we het over de vergoeding hebben.'

Terwijl de twee onderhandelden, keek Coilla eens goed rond in de kamer. Er was maar één deur, er zaten tralies voor de dichtgetimmerde vensters en overal stonden wachters. Bovendien hield Blaan haar nog steeds vast, dus had ze geen andere keus dan haar kans af te wachten.

Lekman en de slavenhandelaar werden het eens over een prijs. Het was een behoorlijk bedrag. Coilla wist niet of ze zich gevleid moest voelen.

'We zijn het dus eens,' zei Razatt-Kheage. 'Wanneer kunnen jullie terugkomen om jullie geld te halen?'

Lekman was verrast. 'Terugkomen? Hoe bedoel je, terugkomen?'

'Je denkt toch niet dat ik dergelijke bedragen hier heb rondslingeren?'

'Hoe snel kun je het hebben?'

'Zullen we zeggen over vier uur?'

'Vier uur? Dat is wel heel...'

'Misschien doe je liever zaken met iemand anders?'

De premiejager zuchtte. 'Goed dan, Razatt-Kheage, over vier uur. Maar niet langer.'

'Jullie hebben mijn woord. Willen jullie hier wachten, of komen jullie straks terug?'

'Ik moet nog iemand spreken. We komen straks wel terug.'

'Misschien kun je de orc intussen beter hier laten. Dan hoeven jullie haar niet steeds te bewaken.'

Lekman keek hem argwanend aan. 'En hoe weet ik dat ze hier nog is als we terugkomen?'

'Weet je, Mica Lekman, wanneer een goblin zijn woord geeft, vatten wij het als een zware belediging op als iemand daaraan twijfelt.'

'Ja, jullie slavenhandelaars zijn zo'n eerzaam stel,' zei Coilla sarcastisch.

Blaan kneep haar hard in haar arm. Ze klemde haar kaken op elkaar en zweeg. Ze gunde hem het plezier niet.

'Zoals je zegt... Pittig ding,' mompelde Razatt-Kheage vals. 'Wat denk je ervan, mens?'

'Goed dan, ze blijft hier. Maar mijn compagnon Blaan blijft ook. Als het geen belediging voor jou en je ras is, heeft hij hierbij de opdracht haar te vermoorden zodra er... problemen zijn. Begrepen, Jabez?'

'Begrepen, Mica.' Hij greep Coilla nog wat steviger vast.

'Prima,' zei Razatt-Kheage. 'Tot over vier uur, dan.'

'Goed.' Lekman liep naar de deur, gevolgd door een van de goblins.

'Haast je vooral niet,' riep Coilla hem na.

14

'Het is gewoon niet natúúrlijk, Struyk. Je moet een orc niet vragen zijn wapens in te leveren.'

Het was de eerste samenhangende opmerking die Haskier had geuit sinds hij weer terug was bij de troep. Hij klonk bijna weer als normaal.

'Anders komen we Heldiep niet binnen,' legde Struyk nog maar eens uit. 'Doe toch niet zo moeilijk.'

'Waarom verstoppen we niet een paar messen?' stelde Jup voor.

'Ik wed dat iederéén dat doet,' zei Haskier.

Struyk merkte dat Haskier moeite deed om zelfs tegenover Jup redelijk te blijven. Misschien was hij echt veranderd. 'Waarschijnlijk wel. Ze weten wel dat ze onmogelijk kunnen voorkomen dat er wapens binnenkomen. Maar zodra je ze daar gebruikt, krijg je de doodstraf. De Raad weet dat, en iedereen die erheen gaat, weet dat. Zelf de eni's en de meni's weten het, alle goden nog aan toe. Ze fouilleren niet iedereen grondig, anders zou het snel afgelopen zijn met Heldiep.'

Jup zei: 'Maar als ze je snappen terwijl je met wapens vecht...'

'Dan ga je eraan, ja.'

'Dus we gaan géén wapens binnensmokkelen?'

'Ben je gek? Een orc zonder mes? Natuurlijk smokkelen we een paar wapens mee. Maar wat we níét doen, níémand van ons...' Hij keek nadrukkelijk naar Haskier, '... is ze gebruiken zonder dat ik daar uitdrukkelijk bevel toe geef. We zijn orcs en kunnen best improviseren. We hebben vuisten, laarzen en koppen. Begrepen?'

De andere orcs knikten en stopten messen in hun laarzen en mouwen en onder hun helmen. Struyk koos zijn favoriete twee-snijdende mes uit. Jup deed hetzelfde. Haskier ging nog een stap-je verder. Nadat hij een mes in zijn laars had gestopt, wikkelde hij ook nog een ijzeren ketting om zijn middel en trok zijn wam-buis eroverheen.

Heldiep bij dag was even indrukwekkend en vreemd als Hel-diep bij nacht. Vandaag had de gevarieerde verzameling gebou-wen door de regen een olieachtige glans. De toppen van torens, de daken van gebouwen en de hellingen van minipiramides glin-sterden nattig in een regenboog van kleuren.

De groep liep naar de hoofdingang van de vrijhaven. Zoals al-tijd had er zich een menigte van verschillende rassen voor de poorten verzameld. Ze stegen af en gingen in de rij staan, met hun paarden aan de hand.

Ze moesten eindeloos lang wachten. Al die tijd loerde Has-kier dreigend naar kobolden, dwergen, elfen en andere rassen waar hij een hekel aan had. Maar uiteindelijk bereikten ze het inleverpunt voor wapens en stonden ze tegenover de zwijgende Wakers.

Jup ging eerst. Een homunculus stond met uitgestoken armen klaar om zijn wapens in ontvangst te nemen. De dwerg gaf hem zijn zwaard, een bijl, twee dolken, een mes, een katapult met mu-nitie, een vuistriem met punten en vier werpsterren.

'Ik reis bij voorkeur licht,' zei hij tegen de uitdrukkingsloze Waker.

Tegen de tijd dat de rest van de troep gelijke hoeveelheden wapens had ingeleverd, was de rij achter hen veel langer en een behoorlijk stuk ongeduldiger geworden.

Uiteindelijk konden de orcs de ontvangstbewijzen in hun zak stoppen en naar binnen lopen.

'Die Wakers lijken veel slomer dan toen ik hier de vorige keer was,' merkte Struyk op.

Jup knikte. 'De afname van de magie heeft overal invloed op. Al is het hier waarschijnlijk nog niet zo erg als verder landin-waarts. Ik heb gemerkt dat de kracht altijd sterker is in de buurt van water. Maar als de mensen zo doorgaan, krijgen ze zelfs hier op den duur problemen.'

'Je hebt gelijk. Maar toch zou ik liever niet met een van die Wakers in gevecht gaan. Ze zijn misschien minder sterk dan voorheen, maar het blijven moordmachines.'

'Volgens mij zijn ze niet zo stoer,' schepte Haskier op.

'Haskier, alsjeblíéft. Ga niet lopen vechten als het niet echt hoeft.'

'Reken maar op mij, commandant.'

Struyk wenste dat hij dat kon geloven. 'Kom mee,' zei hij. 'We gaan de paarden onderbrengen.'

Dat kostte gelukkig niet al te veel moeite, en Struyk controleerde of iedereen de pellucide uit de zadeltassen had meegenomen. Elke orc droeg zijn aandeel bij zich.

Toen liepen ze de drukke straten in. Ze trokken behoorlijk wat aandacht, en dat was een hele prestatie in een stad als Heldiep. Ze merkten dat niemand hen voor de voeten liep. Uiteindelijk kwamen ze op een klein plein waar ze gemakkelijker konden lopen. Er stonden zelfs een paar bomen, maar zelfs hier, waar de magie nog vrij sterk was, zagen die er ziekelijk uit.

Struyks soldaten verzamelden zich om hem heen. 'Het is niet tactisch om met tien orcs en een dwerg door Heldiep te zwerven,' zei hij. 'We kunnen ons maar beter opsplitsen in twee groepen.'

'Goed idee,' zei Jup.

'Mijn groep bestaat uit Haskier, Toche, Reefdag en Sief. Jup, jij neemt Talag, Gant, Calthmon, Breggin en Finje mee.'

'Waarom krijg ík niet de leiding over een groep?' klaagde Haskier.

'Jup heeft zes soldaten, ik maar vijf,' legde Struyk uit. 'Dus zal ik jou natuurlijk zelf hard nodig hebben.'

Het werkte. Haskiers borst zwol van trots. Jup ving Struyks blik, grijnsde, en knipoogde overdreven naar hem. Struyk lachte dunnetjes terug.

'We ontmoeten elkaar hier weer over... Laten we zeggen drie uur,' besloot hij. 'Als een van beide groepen Coilla vindt en de situatie aankan, ga dan je gang. Als dat betekent dat we elkaar hier mislopen, dan spreken we een mijl ten westen van de poorten van Heldiep af. Als je Coilla vindt en je kansen zijn te klein, laat er dan iemand op de uitkijk staan zodat we later met de hele groep kunnen gaan.'

'Waar moeten we zoeken?' vroeg Jup.

'Overal waar gehandeld wordt.'

'Dat gebeurt in heel Heldiep, toch?'

'Ja.'

'Dat wordt dus een makkie.'

'Luister, jullie zoeken in noord en west, wij in zuid en oost.' Hij sprak de troep aan. 'We weten, of denken te weten, dat Coilla bij drie mensen is, waarschijnlijk premiejagers. Onderschat ze niet. Neem geen risico. En pas op met die wapens. We zitten niet te wachten op die Wakers. Kom op, we gaan.'

Jup stak een duim op en leidde zijn groep weg.

Haskier keek hen na en zei: 'De troep wordt kleiner en kleiner.'

Struyk en zijn groep zochten twee uur lang tevergeefs naar Coilla.

Terwijl ze van de zuid- naar de oostkant van de stad liepen, zei Struyk: 'Het probleem is dat we niet weten hóé we moeten zoeken.'

'Huh?' zei Haskier.

'We kennen niemand in Heldiep, we hebben geen contacten die ons kunnen helpen, en slavenhandelaars doen hun zaken niet op straat. De goden mogen weten wat er in die gebouwen gebeurt.'

'Dus wat gaan we doen?'

'Hou je ogen open en hoop dat we een glimp van Coilla opvangen. We kunnen moeilijk aan de Wakers vragen waar de plaatselijke slavenhandelaars zich ophouden.'

'Ja, wat doen we hier dan? Als we haar toch nooit kunnen vinden?'

'Wacht eens éven,' brieste Struyk, die zijn woede nauwelijks onder controle had. 'We zijn hier vanwege jóú! Als jij er niet met de sterren vandoor was gegaan, zouden we hier nu niet zijn. En zou Coilla niet in de problemen zitten.'

'Dat is niet éérlijk!' protesteerde Haskier. 'Ik wist niet wat ik deed. Je kunt mij de schuld niet geven...'

'Kapitein!'

'Wat is er, Toche,' antwoordde Struyk geërgerd.

De knor wees naar een kruising verderop. 'Daar, commandant!'

Ze keken allemaal in de richting waarin hij wees. Op de plaats waar vier straten elkaar kruisten, was het een drukte van belang.

'Wat?' vroeg Struyk. 'Wat moet ik zien?'

'Die man!' riep Toche. 'Die vent die we in de sneeuw zagen. Dáár!'

Deze keer zag Struyk hem. Serapheim, de woordsmid die hen naar Heldiep had gestuurd en toen van de aardbodem verdwenen was. Hij was langer dan de meeste anderen en viel op door zijn lange haren en zijn blauwe mantel. Hij liep van hen weg.

'Denk je dat hij een van de premiejagers is?' vroeg Haskier. Hij was hun ruzie alweer vergeten.

'Niet echt,' zei Struyk. 'Waarom zou hij hier dan zijn? Trouwens, wat doet hij hier eigenlijk?'

'Hij loopt de andere kant op.'

'Het is geen toeval dat hij hier is. Kom mee, we volgen hem. Maar voorzichtig, ik wil niet dat hij ons ziet.'

Ze baanden zich op veilige afstand een weg door de menigte. Serapheim leek niet in de gaten te hebben dat hij werd gevolgd en gedroeg zich normaal, maar hij stapte stevig door. De orcs volgden hem naar het midden van de oostkant van de stad, waar de straten overgingen in kronkelende stegen en waar iedereen een mes onder zijn mantel droeg.

Uiteindelijk sloeg hij een hoek om. Toen ze de hoek bereikten en voorzichtig keken, zagen ze een lege doodlopende steeg. Aan het eind van de steeg stond een vervallen gebouw dat ooit wit was geweest. Er zat maar één deur in, dat was tevens de enige deur in de steeg.

Ze namen aan dat hij daardoor moest zijn gegaan en slopen

eropaf. De deur stond op een kier en de orcs drukten zich aan weerszijden tegen de muur.

'Gaan we naar binnen?' fluisterde Haskier.

'Wat anders?' zei Struyk.

'Denk eraan wat je tegen Jup zei. Haal bij twijfel hulp.'

Struyk vond dat opvallend verstandig van Haskier. 'Ik weet niet of het nodig is.' Hij keek naar de lucht. 'Maar we hebben toch over niet al te lange tijd afgesproken met de anderen. Sief, ga terug naar dat plein en haal Jups groep hierheen. Als we niet bij de ingang van de steeg staan, zijn we binnen. Opschieten.'

De knor draafde weg.

Nu waren alleen Haskier, Toche, Reefdag en Struyk zelf nog over. Maar hij dacht dat ze met hun vieren die gekke verhalenverteller wel aankonden.

'We gaan naar binnen,' besloot hij terwijl hij steels zijn mes uit zijn laars haalde. 'Pak je wapens.'

Hij duwde de deur open en stapte naar binnen, met de anderen op zijn hielen.

Ze bevonden zich in een ruime kamer met een lang platform aan het eind. Er stond een grote stoel op, en hier en daar stonden nog wat andere meubelstukken. Er was niemand.

'Waar is die Serapheim gebleven?' vroeg Haskier.

'Er zijn vast nog andere kamers, of een uitgang,' zei Struyk. 'Kom, we...'

Hij werd onderbroken door plotselinge geluiden en beweging. Er werden wandkleden opzij getrokken. Achter op het platform vloog een geheime deur open. Vervolgens sprongen er tien of meer goblins met knuppels, zwaarden en korte speren te voorschijn, die hen snel omsingelden. De wapens van de goblins waren langer dan de messen van de Veelvraten. Een van de goblins sloeg de deur naar de straat dicht en schoof de grendel ervoor.

De goblins hielden hun speren en zwaarden op de keel van de orcs gericht, pakten hun messen af en doorzochten hun kleding. Maar ze leken enkel in wapens geïnteresseerd; ze negeerden de pellucide en de sterren. De messen en de ketting van Haskier werden op een stapel op de grond gesmeten.

Toen verscheen er nog een goblin op de verhoging. Hij droeg dure kleren en juwelen. 'Ik ben Razatt-Kheage,' kondigde hij meer dan een beetje theatraal aan.

'Vuile slavenhandelaar,' gromde Haskier.

Een van de goblins gaf hem een stevige por in zijn maag met een knuppel. Haskier sloeg dubbel en hijgde.

'Wees voorzichtig met onze nieuwe waren,' waarschuwde Razatt-Kheage.

'Rotzak,' sneerde Struyk. 'Stuur je lakeien weg, dan vechten we het uit, orc tegen goblin.'

Razatt-Kheage lachte snuivend. 'Wat heerlijk primitief. Zet gedachten aan geweld maar van je af, mijn vriend. Ik heb hier iemand die je wilt ontmoeten. Kom!' riep hij.

In de opening van de geheime deur verscheen Coilla. Haar armen werden achter haar rug vastgehouden door Blaan. Ze was verrast toen ze Struyk, Haskier en de anderen zag.

'Korporaal,' zei Struyk.

'Kapitein,' antwoordde ze bewonderenswaardig koel. 'Het spijt me dat je hierbij betrokken bent geraakt.'

'We zijn een troep, we blijven bij elkaar.'

Ze keek naar Haskier. 'Wij hebben het een en ander te bespreken, sergeant.'

'Hoe roerend is dit alles,' onderbrak Razatt-Kheage hen. 'Maak er maar gebruik van, want jullie zullen al snel weer afscheid van elkaar moeten nemen.'

'Zijn kornuiten komen straks terug!' riep Coilla, met een hoofdknik naar Blaan.

'Is Serapheim een van hen?' vroeg Struyk.

'Serapheim? De verhalenverteller?'

'Zwijg!' siste de slavenhandelaar. 'Rustig,' zei hij met kalmere stem. 'We wachten samen op hen.' Toen zei hij iets in zijn eigen taal tegen zijn wachters.

De lakeien omringden Struyk, Haskier en de knorren en dreven ze in een hoek. Bijna direct daarna werd er aan de deur geklopt. Er liep een goblin naar de deur, keek door het luikje en deed open.

Lekman en Aulay beenden naar binnen.

'De rest van de ratten,' zei Coilla.

Blaan gaf een ruk aan haar arm. Hard. 'Bek dicht!' gromde hij. Ze kromp ineen. Lekman keek rond. 'Wat hebben we hier? Ik had gehoord dat je een regelaar bent, Razatt-Kheage, maar dit is me wat. De rest van de troep van die teef, ja? Of een deel ervan, in ieder geval.'

'Ja,' bevestigde de slavenhandelaar. 'En ze zijn me heel wat waard.'

'Jóú heel wat waard?' zei Aulay. 'Wat is dit, Mica?'

'Handel, neem ik aan.'

'Ik hoop dat jullie mijn eigendom niet claimen,' zei Razatt-Kheage. 'Dat zou spijtig zijn.'

Lekman trok een kwaad gezicht. 'Luister, mijn partners en ik hebben beloofd dat we die orcs naar Jennesta zouden terugbrengen.'

'Nou, en? Dat is jullie afspraak, niet de mijne. Bovendien zijn ze hier zelf binnengelopen.'

'Ik heb háár hierheen gebracht. Telt dat niet?'

'Hé!' brulde Haskier. 'Jullie praten over ons alsof we er niet zijn! We zijn geen stukken vlees!'

De goblin die hem eerder had geslagen, deed het nog eens. Haskier klapte weer dubbel.

'Vlees is precies wat je bent, orc,' sneerde Lekman.

Toen Haskier weer rechtop ging staan keek hij koel naar de goblin die hem had geslagen. 'Dat is twee keer, smeerlap. Dat betaal ik je terug, met rente.'

Het wezen keek hem onbewogen aan en haalde zijn knuppel naar achteren om nog eens te slaan. Razatt-Kheage blafte een bevel en de lakei hield zijn hand stil. In woorden die iedereen begreep, zei hij: 'Ik weet zeker dat we een regeling kunnen treffen die in ons beider voordeel is, mens.'

'Dat lijkt er meer op,' antwoordde Lekman iets vrolijker. 'Maar gezien de verhalen die ik over deze voortvluchtigen heb gehoord, zal het niet meevallen ze te verkopen als lijfwachten of zoiets deftigs.'

De slavenhandelaar bekeek de orcs; hun gespierde lijven vol littekens en hun moorddadige, harde ogen.

'Misschien bieden ze me wat meer uitdaging dan dat vrouwtje,' gaf hij toe.

Struyk keek naar Coilla. Die slavenhandelaar wist niet waar hij het over had.

'We zouden goud krijgen voor hun koppen,' zei Aulay. 'Van koningin Jennesta.'

Razatt-Kheage dacht erover na. 'Dat is al minder moeilijk.'

Jup en zijn groep hadden tevergeefs gezocht. Toen de drie uur bijna om waren, nam hij de knorren weer mee terug naar het plein.

Sief zat op hen te wachten. Hij bracht Struyks boodschap over.

'Laten we hopen dat het wat oplevert,' zei de dwerg. 'Kom mee.'

Als de voorbijgangers het al vreemd vonden een dwerg voor een groep orcs uit te zien lopen, wisten ze wel beter dan dat te laten blijken. Gelukkig kwamen ze geen Wakers tegen.

Even ging het bijna mis toen ze de oostkant van de stad bereikten en Sief niet meer zeker wist welke straat hij moest hebben. Gelukkig koos hij de juiste, en vijf minuten later bereikten ze de steeg met het witte huis. Er was niemand in zicht.

Het stond Jup niet aan. 'Struyk zou hier toch op ons wachten?'

'Ja,' zei Sief. 'Als er geen problemen waren.'

'Dan moeten we ervan uitgaan dat die er geweest zijn. We moeten rekenen op weerstand. Ik denk dat we de wapens moeten pakken en ons niks moeten aantrekken van de wetten in Heldiep.'

Ze keken achterom, de straat in, en trokken hun messen.

Jup duwde tegen de deur, maar er zat geen beweging in. Hij gebaarde naar de anderen dat ze hem moesten helpen. Op zijn teken stortten ze zich allemaal tegelijk met hun schouders tegen de deur. De deur kraakte, versplinterde en brak open. Ze tuimelden naar binnen.

En bleven stokstijf staan.

Voor hen stonden twee mensen met messen. Rechts stonden Struyk, Haskier en de andere orcs tegen de muur. Ze werden bewaakt door zeven of acht goblins met wapens. Op een verhoogd platform aan het eind van de kamer stond een goblin in zijden kleren. Links van hem stond een beer van een man, met zijn arm om de nek van Coilla.

Vanuit een hoek achter hen stapte een goblin met een speer te voorschijn. Hij ging tussen de restanten van de deur staan en richtte de glanzende weerhaak van de speer op hen.

'Ah,' zei Jup.

Lekman grijnsde. 'Het wordt steeds beter.'

Aulay was het met hem eens. 'Het lijkt wel een reünie.'

'Laat jullie wapens vallen,' siste Razatt-Kheage.

Niemand bewoog.

'Geef je maar over,' zei Lekman. 'Jullie zijn in de minderheid en hebben niet genoeg wapens.'

'Ik neem geen bevelen aan van goblins, en al helemaal niet van stinkende mensen.'

'Doe wat je gezegd wordt, lelijkerd!' snauwde Lekman.

Jup keek Struyk aan. 'Kapitein?'

'Doe wat je doen moet, sergeant.'

Struyks bedoeling was zo klaar als een klontje.

Jup slikte. Zo achteloos als hij kon, zei hij: 'Wat kan het schelen? Wat is het leven zonder een beetje opwinding?'

15

Jup smeet zijn mes in de richting van de dichtstbijzijnde wachter en raakte hem net boven het sleutelbeen. Dit verbrak de patstelling, en brak ook de nek van de goblin.

Toen barstte de hel los.

Een van de knorren greep snel de speer van de gevallen wachter en richtte die op een andere goblin. Tegelijkertijd sprongen Struyk en Haskier vooruit en worstelden met hun bewakers. Er begon een wanhopig getouwtrek om de wapens.

Jups groep stormde op Lekman en Aulay af. De premiejagers trokken hun messen.

De dwerg zelf kon zich er niet in mengen, want een lakei met een zwaard versperde hem de weg. Jup bukte om het zwaaiende wapen te ontwijken, dook tegen de benen van het wezen aan en gooide hem omver. Ze rolden over de grond en vochten om het zwaard.

Jup greep de pols van de goblin en ramde die een paar keer tegen de vloer, maar hij liet niet los. Toen stortte er met een kreet een wachter naast hen neer, zijn gezicht aan repen gesneden door de dolk van een orc. Jup greep het zwaard van de gevallen wachter. Hij liet de pols van zijn tegenstander niet los en stak het zwaard in de borst van de goblin.

Hij sprong overeind, gooide een van de zwaarden naar een andere Veelvraat en stortte zich met het andere tussen de gevechten.

Op het platform vocht Coilla als een kat om zich uit Blaans greep te bevrijden. Vlakbij stond Razatt-Kheage bevelen te krijsen en te vloeken.

Struyk had een tegenstander in de greep en had de armen van de goblin langs zijn lichaam gepind. De goblin kon enkel kronkelen, maar kreeg het toch voor elkaar zijn zwaard langs een van Struyks benen te halen. Struyk bracht hem tot bedaren met een paar orczoenen. De goblin ging met rollende ogen tegen de vlakte. Struyk sprong over hem heen en bracht hem in het voorbijgaan nog een wond in zijn flank toe, waardoor de bewaker op de grond zou blijven liggen. Toen rende hij tussen de gevechten door op de premiejagers af.

Haskier maakte snel gebruik van de situatie. Hij rukte de speer uit de handen van zijn bewaker, en na een kleine worsteling had hij de punt met weerhaken onder de kin van de goblin gemanoeuvreerd. Toen duwde hij met al zijn kracht omhoog. Het schreeuwende wezen werd aan het spit geregen. Haskier trok de speer los in een regen van bloed en draaide zich om, op zoek naar een volgend slachtoffer.

Coilla worstelde nog steeds in de armen van Blaan en riep iets. Ze was niet te verstaan, maar haar blikken waren gericht op een grote kist die op het platform stond.

Lekman en Aulay zwaaiden wild met hun messen om de orcs op afstand te houden. Toen Jup en Breggin met hun zwaarden aankwamen, liepen ze achteruit.

Coilla bleef proberen zich van Blaan los te rukken. Ze riep weer. Blaan begon druk op haar keel uit te oefenen en leek van plan haar nek te breken.

Haskier rende op het platform af. Een lakei versperde hem de weg. De orc stak zijn speer vooruit en doorboorde de goblin, die door de kracht van de inslag achterover werd geworpen. Haskier liet de speer achter en sprong op het platform. Hij landde een stukje van Coilla en Blaan vandaan. Razatt-Kheage stond aan het andere uiteinde van de verhoging tegen zijn lijfwachten te krijsen. Haskier negeerde hem.

Hij rende op Blaan af en gaf hem een poeier tegen zijn vlezige hoofd. De grote vent schreeuwde van woede. Haskier sloeg hem nog eens op dezelfde plek. Brullend liet Blaan Coilla los en wendde zich naar de orc. Ze begonnen te vechten.

Coilla dook over het platform en landde tegen de houten kist aan. Ze trok het deksel open. De kist zat vol zwaarden, degens en kromzwaarden. Ze greep een breedzwaard en schopte de kist omver zodat die van het platform viel. De kist kraakte open en de wapens vielen eruit.

In haar haast had ze niet gezien dat de kist achter Aulay en Lekman zou landen. Ze draaiden zich om en grepen de wapens. Ze waren niet de enigen. Vier of vijf orcs sprongen er ook bovenop in hun haast hun dolken om te ruilen voor langere wapens. Na wat geschop en geworstel, hadden ze allemaal een nieuw wapen.

De handgevechten veranderden in zwaardgevechten.

'Premiejager!' riep Struyk, die glijdend voor Lekman tot stilstand kwam. 'Verdedig jezelf!'

'Kom me maar halen, bultenkop!'

Jup en de knorren trokken zich terug en gingen op zoek naar andere vijanden. Struyk en Lekman stonden tegenover elkaar.

De man dacht het snel af te maken. Zijn zwaard was bijna onzichtbaar toen hij het verrassend snel door de lucht liet zwaaien. Struyk was niet van zijn stuk gebracht en pareerde alle slagen. Na een tiental slagen, kon hij een stap of twee vooruit zetten. Hij ging in de aanval. Lekman weerde zijn slagen soepel af en drong Struyk weer achteruit.

Ze concentreerden zich op hun gevecht en waren zich van niets anders bewust terwijl ze met hun zwaarden een stalen ritme sloegen.

Jup had Aulay voor zichzelf. De man was minder behendig met het zwaard dan zijn partner, maar hij was nog steeds goed. Hij was echter kwaad en wanhopig, en zijn woede vertroebelde zijn zwaardkunsten.

De dwerg sprong omhoog en haalde stevig uit, met de bedoeling de man te onthoofden. Aulay bukte en liet zijn zwaard laag aankomen om de dwerg doormidden te hakken. Jup maakte een sprong achteruit om het te ontwijken en sprong toen snel weer vooruit.

Overal in de kamer waren orcs en goblins aan het moorden

geslagen. Zwaarden hakten in op speren, messen sneden langs maliën, wapens kletterden. Een knor tilde een tafel op en sloeg die kapot op de rug van een goblin, zodat een andere soldaat de kans kreeg hem met een mes te steken. Een van de knorren werd tegen de muur gesmeten nadat hij een vleeswond in zijn arm had opgelopen. Hij ontdook de vijand en verweerde zich met zijn zwaard.

Op het platform waren Haskier en Blaan nog steeds verwikkeld in hun vuistgevecht. Ze incasseerden klappen en deelden die zelf ook uit. Het ging aardig gelijk op.

Blaan gaf Haskier een enorme stoot op zijn kin. 'Ga dan neer!' brulde hij.

Haskier wankelde, maar viel niet. Hij reageerde met een woeste kreet en een vuistslag in de maag van de man. Blaan struikelde achteruit, maar leek verder niet aangedaan. Ze waren het geen van beiden gewend dat iemand bleef staan als ze hen geslagen hadden. Dit maakte beiden nog kwader.

Met uitgestoken armen en een verrassende snelheid stormde Blaan vooruit en greep Haskier in zijn sterke armen. Het werd een worstelpartij. Zowel de orc als de man vertrok zijn gezicht van woede en spande zijn spieren.

Coilla overwoog zich op de slavenhandelaar te werpen, maar er was iemand anders met wie ze liever vocht. Ze sprong van het platform af. Een goblin maakte zich los uit het strijdgewoel en kwam op haar af. Ze kruisten de zwaarden. De goblin was niet subtiel, maar wel sterk. Ze pareerde al zijn slagen en weerde zijn zwaard met gemak af. Toen haalde ze een truc uit, zette haar gewicht op de andere voet en stak hem met de zwaardpunt in zijn oog. De lakei ging gillend neer.

Ze stormde op de mensen af.

Lekman en Struyk waren nog steeds aan elkaar gewaagd. Dat interesseerde Coilla niet. Zij wilde Aulay.

Aulay en Jup vochten door, teen aan teen, met bezwete voorhoofden.

'Van míj!' schreeuwde ze.

Jup begreep het. Hij trok zich terug, draaide zich om en stond meteen tegenover het zwaard van een goblin. Hij stortte zich weer in zijn eigen duel.

Coilla nam zijn plaats in en loerde naar Aulay. 'Hier heb ik van gedroomd, smeerlap!' spoog ze.

'En ik ben jou ook nog wat schuldig, teef!' Hij raakte met zijn gespalkte vinger onbewust zijn verbonden oor aan.

Het gekletter van hun zwaarden begon. Coilla sprong en draaide en zocht naar een kans om het staal in zijn vlees te planten. Aulay vocht terug met een bravoure die grensde aan paniek. Haar moorddadige uitdrukking zorgde ervoor dat hij zich energiek verdedigde. Maar daardoor waren ook zijn bewegingen wild en nogal ongericht, zodat hij onvoorspelbaar was.

Coilla stopte al haar afkeer en haat voor de premiejagers in haar aanvallen. Alleen bloed zou kunnen goedmaken wat ze haar hadden geflikt. Ze sloeg zo hard op het zwaard van de man dat het een wonder was dat het niet brak. Hij had moeite haar aanvallen af te slaan. Zijn aanval maakte plaats voor verdediging.

Struyk had gemerkt dat Lekman kon schermen als een duivel. Hij had voor hun duel al zijn aandacht en kracht nodig.

Er was een oud orcgezegde: zoals een vijand vecht, zo werkt zijn geest. Het paste dan ook bij de premiejager dat hij vooral veel schijnbewegingen gebruikte. Struyk was daar echter ook bedreven in, en paste ze eveneens toe. Al gaf hij de voorkeur aan een ongecompliceerde moord.

Ze draaiden om elkaar heen en zochten naar zwakke plekken in elkaars verdediging, klaar om te doden. Lekman sprong naar voren en haalde met zijn zwaard uit naar Struyks hoofd. Struyk mepte het zwaard opzij en stak naar Lekmans borst. Hij stond te ver weg. Ze zetten hun dodelijke dans voort.

Razatt-Kheage bleef zijn woede, frustratie en bevelen uiten in zowel zijn eigen taal als de universele. Hij hield ermee op toen een knor op de grond uithaalde naar zijn benen. De slavenhandelaar sprong achteruit. In plaats van een wapen, greep hij een zware jutezak en zwaaide daarmee naar het hoofd van de orc. Hij miste en verloor bijna zijn evenwicht. De knor sloeg de zak kapot. Een regen van zilverstukken, de betaling voor de premiejagers, stroomde uit de zak en stuiterde alle kanten op. Orcs en goblins gleden erover uit.

Tientallen munten rolden op Struyk en Lekman af. Ze onderbraken hun gevecht niet. Ze begonnen allebei moe te worden, en het gevecht was bijna op het punt aanbeland dat degene met het grootste uithoudingsvermogen het zou winnen. Maar ze bleven met evenveel kracht op elkaar inslaan.

Ondanks hun enorme spiermassa hadden Haskier en Blaan hetzelfde probleem. Haskier wist dat hij het snel moest afmaken, nu hij nog voldoende kracht overhad. Hij en de man hielden elkaar in een greep. Blaan had zijn armen om Haskiers middel geslagen en had daarbij een van Haskiers armen in een ijzeren greep. De orc putte diep uit zijn geslonken energie, hief zijn vrije arm en sloeg een paar keer met zijn vuist op het hoofd van de premiejager. Tegelijkertijd drukte hij zijn vastgepinde arm naar buiten.

De inspanning was van Blaans verwrongen gezicht af te lezen. Hij had moeite zijn vijand in bedwang te houden. Haskier hoefde hem nog maar een klein zetje te geven. Hij stampte uit alle macht met de hiel van zijn laars op Blaans voet. De man schreeuwde. Haskier stampte nog een paar keer. Met een grote ademtocht verloor Blaan de controle en liet Haskier los.

Half struikelend en half hinkend, ging hij achteruit. Haskier overbrugde de afstand tussen hen met een grote sprong en schopte Blaan hard in het kruis. De man gaf een gil van pijn. Zonder te wachten en met al zijn kracht stortte Haskier zich op hem en stompte hem op de kin, in de maag en toen weer op de kin. Blaan ging neer als een gevelde eik. Het houten platform schudde ervan.

Haskier bleef hem schoppen waar hij hem kon raken. Toen schoot Blaans hand uit, greep hij Haskiers been en trok hem omver. Ze vochten om als eerste overeind te komen, en stonden allebei tegelijk weer. Blaan liep op Haskier af, zijn enorme gezicht verwrongen van woede, en hief zijn vuisten. Het gevecht tussen de bloedende man en de gebutste orc ging verder.

Coilla maakte vooruitgang bij Aulay. Ze sloeg hoog en laag toe en dwong hem te springen en te draaien om haar slagen te ontwijken. Maar hij bewoog zich traag. Ze had het gevoel dat hij niet meer lang zou standhouden.

Jup en de knorren stonden schouder aan schouder en hadden de rangen van de goblins al behoorlijk uitgedund. Er waren er nog maar drie of vier over, en die trokken zich terug in de richting van het platform. Toen ze met hun rug tegen de verhoging stonden, putten ze extra energie voor hun laatste verdediging. Er probeerden er twee door de halve cirkel van naderende orcs te breken. De een kwam zwaaiend met een hellebaard aanrennen. Twee orcs bukten onder het wapen door en staken hem tegelijkertijd in zijn borst. Jup rekende af met de andere. Hij griste het zwaard uit de hand van de vijand en hakte daarmee in zijn nek.

Dit had echter de twee overgebleven goblins een kans gegeven. Ze sprongen op het platform en sloegen vanboven op de hoofden van de Veelvraten zodat die hen niet konden volgen. Razatt-Kheage schuilde achter hen en schreeuwde aanmoedigingen.

Lekman en Aulay wisten, door de overmacht van hun hardnekkige orcse tegenstanders, dat het afgelopen was.

'Wegwezen!' blafte Lekman.

Zijn compagnon had geen verdere aanmoediging nodig. Hij liep snel een paar stappen van Coilla vandaan, draaide zich om en zette het op een lopen. Met een laatste haal van zijn zwaard richting Struyk, deed Lekman hetzelfde. De kapitein en zijn korporaal gingen achter hen aan.

Aulay struikelde en viel. Terwijl hij probeerde op te staan, rende Lekman langs hem heen. Hij bereikte het platform ergens tussen Haskier en Blaan die links aan het vechten waren, en de vechtende orcs en goblins rechts. Hij klauterde het platform op.

Aulay ontweek een enkele orc die hem in de weg stond en beklom het platform. Lekman stak een hand uit en trok hem omhoog. Ze draaiden zich om om Struyk en Coilla af te weren, die hen vlak op de hielen zaten. Nu stonden alle mensen en goblins op de verhoging. De Veelvraten begonnen het platform ook te beklimmen.

Iedereen, behalve Haskier. Hij was zich nergens van bewust, behalve zijn gevecht met Blaan. De man had echter in de gaten dat hij zich terug moest trekken. Hij begon in de richting van zijn compagnons te schuifelen.

Coilla klom het platform op. Ze was dicht bij Aulay en viel hem aan.

'Wanneer hou je eens op, teef?' snauwde hij.

'Als je dood bent,' zei ze.

Hij viel aan. Coilla weerde zijn slagen af. Aulay draaide zijn zwaard om en kwam weer op haar af.

Ze hield stand. Hij gaf zich over aan zijn woede en kwam roekeloos op haar af met wilde, slecht gemikte slagen. Zijn verdediging was een rommeltje. Hij haalde uit naar haar hoofd, maar miste volledig. Coilla zag haar kans schoon, draaide zich naar een kant en sloeg met al haar kracht haar zwaard omlaag.

Ze hakte dwars door zijn linkerpols heen. Zijn hand viel met een vochtige plof op de planken, en uit de stomp van zijn arm spoot bloed. Zijn gezicht was een masker van pijn en ongeloof en hij begon te schreeuwen.

Coilla haalde haar zwaard achteruit om hem af te maken.

Toen werd ze van achteren door een paar sterke armen om haar middel gegrepen. Blaan gooide haar van de verhoging alsof ze niets woog. Ze smakte op de vloer.

Lekman trok Aulay weg. Hij jammerde. Zijn bloed doordrenkte het platform.

Haskier haalde Blaan in. De man gaf hem een elleboogstoot in de maag. Hijgend sloeg Haskier dubbel. Blaan rende op zijn compagnons en de goblins af. Hij stopte voor hen en greep de zware houten troon van Razatt-Kheage. Haskier stond inmiddels weer overeind en ging in de aanval. Blaan tilde de troon op alsof het een speelgoedje was, draaide zich om en sloeg Haskier ermee. Door de kracht van de klap vloog de orc over het platform en knalde tegen een muur.

Toen gooide Blaan de zware stoel over de rand naar de orcs.

Ze schoten alle kanten op toen de troon op de grond uit elkaar spatte.

De slavenhandelaar maakte gebruik van de chaos en rende met zijn lakeien en de premiejagers naar de deur achter het platform. Ze waren er al door voor Struyk kon roepen en iedereen op het platform afrende.

Te laat. De deur sloeg voor hen dicht. Ze hoorden dat hij aan de andere kant vergrendeld werd. Struyk en een stel knorren ramden de deur een paar keer en Haskier deed mee, maar het had geen zin.

'Laat maar,' hijgde Struyk.

Haskier bonsde gefrustreerd met zijn vuist op de deur. 'Verdómme!'

Coilla had zich hersteld van haar val en strekte haar pijnlijke ledematen. Ze kwam over het platform naar hen toe lopen. 'Ik ga die rotzakken vermoorden, ook al is het het laatste wat ik doe,' zwoor ze.

'Kijk uit!' riep Jup en duwde haar aan de kant.

Er vloog een speer langs haar hoofd, die in de muur landde.

Hij was gegooid door een goblin midden in de ruimte. Hij was gewond en bloedde als een rund, maar hij stond overeind. Nu had hij een zwaard gegrepen.

Dat was te veel voor Haskier. Hij sprong van het platform en rende op het wezen af. De goblin haalde een paar keer naar hem uit. Toen trok Haskier hem het zwaard uit de handen en sloeg de lakei bewusteloos. Daar was hij niet tevreden mee, dus greep hij de goblin bij zijn kraag en ramde hem met zijn kop tegen de muur. Toen nog eens, en voor de zekerheid nog een paar keer.

De anderen kwamen bij hem staan en keken toe hoe hij het levenloze lichaam in een hoopje pulp veranderde.

Jup zei: 'Volgens mij is-ie dood.'

'Dat wéét ik, onderkruipsel!' snauwde Haskier. Hij liet het onherkenbare lijk van de goblin vallen.

Struyk glimlachte. 'Blij dat je weer terug bent, sergeant.'

Van achter hen klonk het gekraak van hout. Ze draaiden zich om.

Er kwam een Waker, met een stalen gezicht en onstuitbaar, door de restanten van de deur naar de straat binnen. Achter hem waren er nog meer.

Coilla zuchtte. 'Alle goden, wát een dag.'

16

'Probeer niet tegen die dingen te vechten,' waarschuwde Struyk. 'Laten we er gewoon vandoor gaan.'

'Makkelijker gezegd dan gedaan,' zei Jup die naar een van de enorme Wakers keek.

Ze liepen achteruit terwijl de Wakers de ruimte binnenkwamen. Het grote hoofd van de homunculus draaide langzaam terwijl de stenen ogen, fonkelend van synthetisch leven, het tafereel bezagen. Achter het ding kwamen nog twee andere Wakers naar binnen.

De voorste Waker stak zijn handen omhoog, met de handpalmen naar boven. Er klonk een harde klik. Vanuit de polsen van de machine sprongen glanzende metalen messen te voorschijn. Ze waren een halve voet lang en zagen er scherp uit. De andere Wakers deden hetzelfde.

'O, o,' zei Jup.

'Een béétje vechten, dan,' zei Struyk. 'Net genoeg om hier weg te komen.'

'Dat kan wel eens tegenvallen,' zei Coilla met één oog op de Wakers. 'Ik heb ze al eerder in actie gezien. Ze zijn sneller dan ze eruitzien, en mededogen is niet hun sterkste punt.'

'Weet je wel dat ze de wapens hebben gezien en dat ze dus nu onhoudbaar op moord belust zijn?' vroeg Jup.

'Ja,' antwoordde Struyk. 'Maar ze zijn minder effectief door de afgenomen magie.'

'Dat is een troost.'

De Wakers kwamen weer in beweging. Hun kant op.

'Kunnen we iets dóén?' gromde Haskier ongeduldig.

'Oké,' zei Struyk. 'Simpele missie. Allemaal door die deur.'

'Nu?' vroeg Coilla.

Hij tuurde naar de naderende Wakers. 'Nu.'

De troep stormde vooruit, langs weerskanten van de eerste Waker, met de bedoeling eromheen te gaan. Duizelingwekkend snel stak de machine beide armen uit en versperde de weg. De andere twee deden hem na. Het licht weerkaatste op hun uitgeschoven messen. De troep hield halt.

'Heb je nog meer slimme ideeën?' vroeg Haskier brutaal.

De Wakers bleven komen, met uitgestoken armen alsof ze vee bijeendreven. De troep liep achteruit.

'Misschien moeten we dit niet als groep aanpakken,' stelde Struyk voor. 'Misschien hebben ze het moeilijker met individuele acties.'

'Als je bedoelt dat het iedere Veelvraat voor zich is,' gromde Haskier, 'dan moet je dat zeggen.'

'Jij en ik moeten weer eens babbelen, sergeant.'

'Laten we eerst zorgen dat we hier levend wegkomen,' zei Coilla.

Jup had een idee. 'Waarom vallen we deze hier niet allemaal tegelijk aan? Ik bedoel maar, hoe onkwetsbaar kunnen ze nou helemaal zijn?'

'Goed plan,' gromde Haskier, en pakte een goblinbijl op.

'Dat gaan we proberen,' besloot Struyk. 'Maar maak je uit de voeten als het niet werkt. Klaar? Nú!'

Ze stormden weer vooruit en vielen de eerste Waker aan. Ze sloegen ernaar met hun zwaarden, staken erop in met hun dolken, sloegen met knuppels en probeerden de machine met hun speren te doorboren. Haskier begon ertegenaan te schoppen.

De Waker stond onbeweeglijk stil en was volkomen onaangedaan.

De troep trok zich terug en hergroepeerde. De Wakers kwamen weer op hen af.

'We houden niet veel ruimte over,' zei Jup terwijl hij over zijn schouder keek. 'Nog een keer?'

Struyk knikte. 'Geef alles wat je hebt.'

Ze vielen het wezen nu zonder pardon aan. Hun speren braken, hun zwaarden versplinterden en hun messen werden bot. Niets van dat alles had meer effect dan de vorige keer.

'Terugtrekken!' riep Struyk.

Coilla gaf een ruk met haar hoofd richting het platform. 'Daarboven, Struyk, iets anders rest ons niet.'

Haskier grijnsde. 'Ja, ik wed dat ze niet kunnen klimmen!'

Ze stormden naar het platform en beklommen het. De Wakers volgden.

'En nu?' wilde Coilla weten.

'Probeer die deur nog eens.'

Ze sloegen op de deur met bijlen, maar het maakte niets uit.

'Volgens mij zit er een stalen kern in,' zei Struyk.

'We moeten hier snel weg,' zei Coilla, 'voordat er nog meer van die verdomde dingen komen.'

De drie Wakers in de kamer bereikten het platform en bleven stilstaan.

'Zie je?' zei Haskier zelfingenomen. 'Ze kunnen niet klimmen.'

Het trio Wakers trok tegelijkertijd de messen weer terug in hun polsen. Ze balden hun vuisten. Tilden die boven hun hoofd. Toen brachten de drie hun vuisten neer op het platform met de kracht van een kleine aardbeving. Het platform schudde. Ze deden het nog een keer. Het hout kraakte en versplinterde. Het platform ging scheefhangen. De Veelvraten vochten om zich staande te houden. Met nog een klap van zes vuisten was het gedaan.

De verhoging stortte met donderend geraas in.

Planken, steunbalken en Veelvraten sloegen in een wolk van stof en chaos tegen de grond.

'Ze hóéven niet te klimmen, stomkop!' schreeuwde Jup.

'Volgens mij is het weer ieder voor zich,' zei Coilla, terwijl ze zich los wurmde uit een kluwen van haar kameraden.

'Ik heb genoeg van die rotzakken!' bulderde Haskier. Hij pakte een stuk hout en ging op de Waker af.

'Néé! Kom terug!' beval Struyk.

Haskier negeerde hem. Mompelend beende hij naar de dichtst-bijzijnde Waker en sloeg hem met de balk tegen de borst. Het hout brak in tweeën. De Waker was ongedeerd.

Plotseling stak de Waker een arm op en sloeg Haskier met een harde klap de lucht in. Hij kwam tegen de restanten van het plat-form tot stilstand. Een stel knorren rende naar hem toe om hem overeind te helpen. Haskier vloekte en wimpelde hen af.

Struyk zag iets en kreeg een idee. 'Calthmon, Breggin, Finje, met mij mee. Ik wil iets proberen.'

Terwijl de rest van de troep kat en muis speelde met de Wa-kers, leidde hij de soldaten naar de andere kant van de ruimte. De ketting van Haskier lag nog op de grond. Struyk legde zijn plan uit.

'Die ketting is een beetje kort,' voegde hij eraan toe, 'maar la-ten we het maar proberen.'

Finje en Calthmon pakten één uiteinde van de ketting, en Breggin en Struyk het andere. Hij besloot dat hij meer soldaten nodig had en wenkte Toche en Gant.

Met drie orcs aan beide uiteinden van de ketting gingen ze achter een Waker staan. De anderen hielden hem bezig door stuk-ken hout naar hem te gooien. De projectielen deden hem niets. Op Struyks teken pakten de orcs de ketting stevig vast en zet-ten het op een lopen.

Met de gespannen ketting raakten ze de achterkant van de be-nen van de Waker. De orcs liepen verder, trekkend aan de ket-ting als bij een touwtrekwedstrijd. Eerst gebeurde er niets. Ze trokken uit alle macht aan de ketting. De Waker wankelde licht-jes. Hij zette een stap vooruit. Ze bleven trekken, hun spieren gespannen en hun ademhaling moeizaam. Nu begon de ho-munculus weer te wankelen, dit keer duidelijker. Ze trokken nog wat harder.

Plotseling viel de Waker om. Hij sloeg met een harde klap te-gen de grond.

Bijna onmiddellijk begon hij wild met zijn armen en benen te zwaaien. Hij waggelde stijfjes in een poging zich weer overeind te werken en schraapte metalig over de vloertegels.

'Dat geeft die rotzak wat te doen,' zei Struyk. Ze gingen op een andere Waker af, toen ze werden afgeleid door een joelende Haskier.

Hij sprong van het ingestorte platform boven op de rug van een Waker. Het wezen draaide zich om en schudde zich houterig om te proberen Haskier los te krijgen. Zijn armen waren te stijf om bij de orc te kunnen, dus schoof de machine zijn messen te voorschijn en porde daarmee naar zijn onzichtbare aanvaller. Dat maakt het nog gevaarlijker voor Haskier, die moest duiken om het staal te ontwijken.

Hij sloeg zijn armen om de nek en zette zijn voeten in de onderrug van de Waker. Door te trekken met zijn armen en te duwen met zijn voeten, schommelde hij heen en weer. Het duurde niet lang of de Waker schommelde met hem mee. De Waker begon fanatieker met zijn messen over zijn schouders te prikken. Haskier had moeite ze te ontwijken, maar hij bleef met al zijn kracht duwen en trekken. De Waker bewoog al en had zijn armen omhoog, en dat hielp. Hij wankelde als een dronkelap. Toen verloor de machine zijn evenwicht.

Terwijl de Waker achteroverviel, liet Haskier snel los en sprong aan de kant. De machine smakte kletterend op de grond.

Struyk en de anderen renden op hem af en begonnen met hun wapens op de gevallen Waker in te slaan. Ze moesten behoorlijk lichtvoetig zijn, want hij bleef met zijn messen zwaaien, maar richten deed hij niet meer echt. Haskier sloot zich bij hen aan, greep een knuppel uit de hand van een knor en begon daarmee op het gezicht van de Waker te slaan. Hij raakte een van de edelstenen ogen en er verscheen een barst in. Aangemoedigd door zijn succes haalde hij nog eens uit en sloeg het oog kapot.

Er kwam onder hoge druk een pluim groene rook uit het hoofd van de Waker. De rook spoot bijna tot aan het plafond en vormde daar een wolkje waar felgekleurde druppeltjes uit vielen. Er kwam een smerige geur vanaf en enkele orcs sloegen een hand over hun neus en mond.

Struyk deed Haskier na en hakte met zijn zwaard in het andere oog van de Waker. Toen dat ook barstte, kwam er nog een wolk groene rook tevoorschijn. Er ging een siddering door de Waker en hij sloeg met armen en benen tegen de grond. De troep kokhalsde van de smerige lucht en liep achteruit.

'Vroeger hadden we dat nooit gered,' zei Struyk.

De overgebleven Waker was niet in de buurt van de deur, maar bezig met de rest van de troep.

'Wegwezen!' schreeuwde Struyk tegen hen.

'Orcs trekken zich niet terug!' riep Haskier.

Jup en Coilla kwamen net op tijd aan om hem te horen.

'Deze keer wel, stommerd!' zei Jup.

'Zoals jouw soort, hè?'

'Verdomme, jullie twee, lópen!' zei Coilla. 'Maak straks maar ruzie.'

Iedereen rende naar de deur.

Er kwamen nog vier Wakers aan door het steegje, waardoor ze daar niet uit konden. De Waker binnen kwam richting de deur.

'Ze geven niet snel op, hè?' zei Jup.

Struyk besefte dat ze alleen nog maar weg konden komen over de muur aan het andere eind van de steeg. De muur was hoog en glad. Twee van de sterkere soldaten, Haskier en Breggin, vormden een opstapje voor de anderen.

Twee knorren waren gauw boven en bleven op de smalle muur staan. Ze meldden dat er aan de andere kant nog een steeg was, en hielpen de anderen de muur beklimmen. Door zijn kleine postuur had Jup nog een extra zetje nodig van een grommende Haskier, en moesten de knorren op de muur zich verder uitrekken om zijn hand te pakken.

Alleen Coilla, Struyk, Breggin en Haskier stonden nog onder aan de muur toen de Waker naar buiten kwam. Struyk en Coilla beklommen de muur.

'Schiet op!' riep Haskier.

Hij en Breggin gingen staan met hun handen omhoog. Ze werden gegrepen en opgetild. De Waker greep naar Haskiers voet, maar die trok zich vrij en krabbelde als een dolle tegen de muur op. De andere vier Wakers kwamen nu ook naderbij.

Haskier en Breggin bereikten de bovenkant van de muur en iedereen sprong de volgende steeg in.

Jup trok een gezicht. 'Dát scheelde niet veel!'

Toen stortte een deel van de muur achter hen plotseling in. De bakstenen spatten alle kanten op en er volgde een wolk van stof. Een Waker trok de muur aan de kant alsof hij van papier was. Zijn metalen lichaam zat onder het witte stof. Een eindje verderop brak een andere Wakervuist door de muur.

'Weg hier!' beval Struyk. 'En verberg je wapens! We willen niet nog meer aandacht trekken!'

De zwaarden werden onhandig weggestopt. Grotere wapens zoals speren en hellebaarden werden met tegenzin aan de kant gegooid. De Veelvraten zetten het op een lopen.

Ze kwamen terecht in de grotere straten van de wijk en vertraagden hun pas een beetje. Struyk splitste hen op in drie groepen zodat ze minder zouden opvallen. Hij ging vooruit met Coilla, Jup, Haskier en een paar knorren.

'Ik weet niet of de Wakers met elkaar kunnen communiceren,' zei hij zachtjes. 'Maar vroeg of laat weten ze het allemaal en komen ze achter ons aan.'

'Dus we halen de paarden en de wapens en gaan ervandoor?' vroeg Jup.

'Ja, maar vergeet die wapens. We hebben geen tijd om bij het inleverpunt rond te hangen. Hoe dan ook, we hébben wapens.'

'Het is ook een risico om de paarden te halen,' zei Coilla.

'Dat moeten we maar nemen.'

'Ik heb ook een paard nodig,' besefte ze. 'We hebben er te weinig.'

'We kopen er nog wel een.'

'Waarmee?'

'We hebben alleen pellucide. Gelukkig is dat bijna net zo goed als geld. Ik haal wel wat tevoorschijn voor we bij de stallen zijn. Ik laat liever niet zien hoeveel we hebben.'

'Jammer van de wapens,' klaagde Haskier. 'Er waren een paar heel goeie bij.'

'Bij mij ook,' zei Jup. 'Maar het is het waard, nu we jou en Coilla terug hebben.'

Haskier kon niet achterhalen of de dwerg dat sarcastisch bedoelde, dus gaf hij maar geen antwoord.

De hele weg naar de stallen bij de hoofdingang maakten ze zich zorgen. Op een bepaald moment verschenen er voor hen twee Wakers. Struyk gebaarde iedereen rustig te blijven en ze liepen er zonder problemen langs. Het leek erop dat de machines niet over een afstand met elkaar konden communiceren. Struyk dacht dat dat misschien ook een gevolg van de afnemende magie was.

Ze bereikten de stallen, haalden hun paarden en kochten er een bij zonder al te veel vertraging en zonder zich verdacht te maken.

Buiten op straat vroeg Jup: 'Waarom verlaten we de stad niet in drie groepen? Minder opvallend.'

'Wacht,' zei Coilla. 'Het is toch verdacht wanneer de eerste groep vertrekt zonder hun wapens op te halen? Dat kan slecht uitpakken voor groep twee en drie.'

'Misschien nemen ze aan dat we geen wapens hadden meegebracht.'

'Orcs zonder wapens? Dat gelooft toch niemand?'

'Coilla heeft gelijk,' besloot Struyk. 'We blijven bij elkaar. We lopen zo dicht mogelijk naar de hoofdingang, stijgen op en gaan er als een speer vandoor.'

'Jij bent de baas,' zei Jup.

Ze waren in het zicht van de hoofdpoort van Heldiep toen er achter hen een stel Wakers, misschien een dozijn of meer, opdoken. Ze liepen doelgericht hun kant op. Om hen heen verzamelde zich een kleine menigte, volk dat in de gaten had dat er wat gaande moest zijn en het niet wilde missen.

'Voor ons, denk je?' vroeg Jup.

'Ik denk niet dat ze een wandelingetje aan het maken zijn, sergeant.' Ze waren nog verder verwijderd van de ingang dan hem aanstond, maar nu was er geen keus meer. 'Oké, gaan! Opstijgen!'

Ze haastten zich in het zadel terwijl voorbijgangers naar hen staarden en wezen.

'Wegwezen nu!'

Ze spoorden hun paarden aan en galoppeerden naar de openstaande poorten. Elfen, gremlins en dwergen sprongen aan de kant, schudden met hun vuisten en schreeuwden hun beledigingen na.

Ze denderden op de poorten af. Voor zich zag Struyk dat een Waker begon de poort dicht te duwen. Het was zwaar werk, zelfs voor zo'n sterk wezen, en het ging langzaam.

Jup en Struyk waren er het eerst. Struyk nam een risico en hield zijn paard in. Hij kwam zo dicht bij de Waker als hij durfde en schopte hem tegen zijn hoofd. Het wezen viel om doordat de schop van zo hoog kwam en Struyks paard nog niet stilstond. De Wakers die bezig waren met de rij binnenkomers, draaiden zich om en kwamen op Struyk af. Er kwam er ook een uit het wachthuis, en allemaal schoven ze hun messen uit.

Jup was ook gestopt. 'Gáán!' zei Struyk tegen hem.

De dwerg reed verder, dwars door de wachtende rij wezens die naar hem vloekten.

Toen kwam de rest van de troep door de poorten naar buiten. Struyk spoorde zijn rijdier aan en volgde.

Ze lieten Heldiep achter zich.

Ze vertraagden hun gang pas toen ze zeker vijf mijl van de vrijhaven vandaan waren. Ze bepaalden welke kant Drogan op was, en begonnen toen verhalen uit te wisselen over wat er gebeurd was sinds ze elkaar voor het laatst hadden gezien. Alleen Haskier had niets te vertellen.

Coilla vertelde over haar ervaringen met de premiejagers en was nog steeds verontwaardigd over hoe ze behandeld was.

'Ik zal het niet vergeten, Struyk. Ik zweer dat ik het ze betaald zet, die ratten. Het ergste was nog wel het gevoel van... Nou ja, hulpeloosheid. Ik ga nog liever dood dan dat ik dát nog een keer meemaak. En weet je waar ik steeds aan dacht?'

'Nee?'

'Dat het net zo was als ons leven. Net als het leven van alle orcs. Geboren in dienst van iemand anders, loyaal moeten zijn aan een zaak die je niet zelf hebt gekozen, je leven riskeren.'

Ze begrepen haar allemaal.

'Dat gaan we veranderen,' zei Struyk. 'Dat proberen we tenminste.'

'Zelfs als ik het met de dood moet bekopen, ga ik niet terug,' beloofde ze.

Struyk was niet de enige die instemmend knikte.

Coilla wendde zich tot Haskier. 'Je hebt je gedrag nog niet verklaard,' zei ze kortaf.

'Het is niet makkelijk...' begon hij.

Struyk sprak voor hem. 'Haskier is niet helemaal zeker van wat er gebeurd is. Dat zijn we geen van allen. Ik vertel het je onderweg.'

'Het is waar,' zei Haskier. 'En... Het spijt me.'

Dat waren geen woorden die je van Haskier zou verwachten, en Coilla wist even niet wat ze zeggen moest. Maar ze kon zijn excuus niet aanvaarden tot ze meer wist, en gaf geen antwoord.

Struyk veranderde van onderwerp. Hij vertelde haar over de ontmoeting met Serapheim, en zij vertelde over haar eigen ervaringen met de verhalenverteller.

'Er klopte iets niet aan die man,' vond ze.

'Ik weet wat je bedoelt.'

'Beschouwen we hem als vijand of als vriend? Niet dat ik gewend ben om mensen als vrienden te zien.'

'We kunnen niet ontkennen dat hij ons geholpen heeft door ons naar Heldiep te sturen.'

'Maar die val in dat huis dan?'

'Misschien was dat zijn schuld niet. Hij heeft ons tenslotte wel naar de juiste plek gebracht.'

'Het grootste mysterie,' zei Jup, 'is dat hij elke keer zomaar verdwijnt. Vooral daar in dat huis van die slavenhandelaar. Ik begrijp het niet.'

'Hij is er nooit binnengekomen,' zei Coilla.

'Het is duidelijk,' zei Struyk. 'Hij is over de muur geklommen,

net als wij.' Hij was er zelf niet helemaal van overtuigd en overtuigde ook de anderen niet.

'En hoe blijft hij in léven?' zei Coilla. 'Als hij echt ongewapend door het land zwerft. In deze tijden loopt zelfs een gewa-
pende orc gevaar.'

'Misschien is hij echt gek,' zei Jup. 'Veel waanzinnigen hebben
het geluk van de goden.'

Struyk zuchtte. 'Het heeft waarschijnlijk geen zin erover te
speculeren. Wie hij ook is, we zullen hem wel nooit meer zien.'

De strategische bespreking werd in de gebruikelijke enorme
ruimte gehouden. De kamer zag er eerder organisch dan als een
bouwwerk uit, en er stroomde vrijelijk water doorheen.

Adpars commandanten en Raad van Oudsten waren aanwezig. Ze minachtte beide groepen, vooral de laatsten, die ze be-
schouwde als een stel seniele oude idioten. Maar ze troostte zichzelf ermee dat zelfs een alleenheerser hulp nodig had bij het
regeren van haar onderdanen. Ze vond dat echter geen reden om
haar minachting te verbergen.

Ze zwegen toen ze hen aansprak. 'We staan op het punt de
meerz geheel uit te roeien,' kondigde ze aan. 'Er zijn nog maar
twee of drie nesten van die ondieren over. Ik beveel...' Ze aarzelde en corrigeerde zichzelf om tegemoet te komen aan die vermoeiende nyadepolitiek. 'Ik wens dat ook die worden ontruimd
voordat de zomer eindigt. Of wat tegenwoordig voor de zomer
doorgaat. Ik hoef jullie niet te vertellen dat we weer een jaar
moeten wachten als de echte winter invalt. Dat is niet aanvaard-
baar. Het geeft de vijand de kans om te hergroeperen, om zich...
voort te planten.' Ze kreeg een blik vol walging op haar gezicht.
'Voorzien jullie problemen?' Haar toon nodigde niet echt uit tot
commentaar.

Ze keek rond langs de sombere en, in de meeste gevallen, mee-
gaande gezichten. Toen stak een van de brutalere zwermcom-
mandanten een zwemvlieshand op.

'Ja?' vroeg ze op keizerlijke toon.

'Als het uwe Majesteit behaagt,' antwoordde de officier met

trillende stem. 'Er zijn logistieke problemen. De overgebleven meerzkolonies zijn het moeilijkst te bereiken, en ze worden vast beter verdedigd nu onze bedoelingen duidelijk zijn.'

'En daar wil je mee zeggen?'

'Er zullen ongetwijfeld doden vallen, Majesteit.'

'Ik herhaal: en daar wil je mee zeggen?'

'Majesteit, we...'

'Denk je dat ik me druk maak over een paar verloren levens? Het rijk is belangrijker dan welk individu dan ook. Commandant, je zou je beter...'

Adpar zweeg abrupt. Ze bracht een hand naar haar voorhoofd en wankelde.

'Majesteit?' vroeg een van haar onderdanen.

Ze voelde scherpe pijnscheuten. Het was alsof haar hart vuur rondpompte en haar aderen verbrandden.

'Majesteit, gaat het?' vroeg de officier nogmaals.

Adpar had steken in haar borst. Ze dacht dat ze zou flauwvallen. De gedachte aan zo'n vertoon van zwakte gaf haar een beetje kracht.

Ze had haar ogen dichtgedaan. Dat had ze niet eens gemerkt. Verschillende officieren en een stel commandanten stonden om haar heen.

'Wilt u dat we de helers roepen, Majesteit?' vroeg een van hen bezorgd.

'Helers? Helers? Wat heb ik daar nou aan? Denk je soms dat ik hun kwakzalverij nodig heb?'

'Eh, nee, Majesteit,' zei de spreker angstig. 'Niet als u dat niet wenst, Majesteit.'

'Ik wens het niet! Nu je zo brutaal bent geweest ze ter sprake te brengen, is de vergadering afgelopen.' Ze moest bij hen uit de buurt komen, en ze hoopte maar dat ze haar slappe smoes niet doorzagen en zouden opschieten. 'Ik trek me terug in mijn vertrekken. We praten later wel verder over militaire zaken.'

Al haar onderdanen vertrokken buigend. Niemand durfde aan te bieden haar te helpen. Ze keken elkaar gealarmeerd aan terwijl Adpar door de tunnel naar haar vertrekken kronkelde.

Zodra ze uit het zicht was, begon Adpar diep adem te halen. Ze leunde voorover, schepte water in haar handen en gooide het in haar gezicht.

De pijn was erger geworden. Hij trok van haar maag omhoog naar haar keel. Ze hoestte bloed op.

Voor het eerst in haar leven was ze bang.

17

Alfré en zijn groep waren Drogan dicht genoeg genaderd om de bomen rondom de Calyparmonding te kunnen zien. Ze waren er nog maar een paar uur vandaan.

Het weer werd steeds onvoorspelbaarder. In tegenstelling tot gisteren, bijvoorbeeld, was het vandaag zonnig en veel warmer geweest. Velen hadden het vermoeden dat de variërende kracht van de magie zorgde voor zeer plaatselijk goed of slecht weer. Alfré was daarvan overtuigd. Maar een nadeel van het betere weer was dat de feetjes tevoorschijn kwamen. Ze waren voornamelijk irritant en er werd links en rechts gemept, al gaven sommige orcs er de voorkeur aan ze op te eten.

Alfré en Kestix bespraken de sterke punten van andere troepen en hun plaats in de troepenranglijst, die iedere orc in zijn hoofd had. Hun gesprek werd onderbroken doordat er vanuit het oosten twee ruiters verschenen. Ze waren aanvankelijk nog stipjes, maar kwamen in volle galop aan. Al snel waren ze dicht genoeg genaderd om hen te kunnen zien.

'Het zijn orcs, korporaal,' zei Kestix.

Het bleken Jad en Hystykk te zijn.

Tegen de tijd dat ze de anderen bereikten, was Alfré gealarmeerd. 'Wat is er gebeurd?' vroeg hij. 'Waar zijn de anderen?'

'Rustig, korporaal, alles is in orde,' verzekerde Hystykk hem. 'De anderen komen eraan. We hebben nieuws.'

Aangezien het een aangename dag was, besloot Jennesta haar generaal in de buitenlucht te intimideren.

Ze stonden in een paleistuin nabij een van de hoge muren van de citadel. Er was in de paleistuin niets aanwezig wat op een stoel leek. Het enige voorwerp dat er stond, was een grote open waterton; de aanvoer voor de paardentroggen.

Mersadion stond in de schaduw van de muur. De koningin stond tien passen van hem vandaan. Als je erover nadacht, was het vreemd dat juist zij in de zon stond.

Jennesta was al van wal gestoken en las hem de les over zijn vermeende tekortkomingen.

'... En nog steeds geen woord over die verrekte premiejagers of een van de vele anderen die je op mijn kosten hebt uitgezonden.'

'Nee, Vrouwe. Het spijt me, Vrouwe.'

'En nu, als ik je vertel dat ik er zelf met een groep op uit wil gaan en je vraag een bescheiden leger te verzamelen, kom je met smoezen.'

'Het zijn niet zozeer smoezen, Vrouwe, met alle respect. Maar tienduizend is nauwelijks een bescheiden aantal, en...'

'Wil je me zeggen dat je nog niet eens dat miezerige aantal volgelingen en geallieerde orcs bij elkaar hebt?' Ze keek hem vernietigend aan. 'Wil je zeggen dat ik niet populair genoeg ben onder de lagere rangen om een bescheiden tienduizend orcs te verzamelen die bereid zijn te sterven voor mijn zaak?'

'Natúúrlijk niet, Majesteit! Het is geen kwestie van loyaliteit, maar van logistiek. We kunnen wel een leger samenstellen, maar niet zo snel als u wilt. We zijn immers momenteel verdeeld over meerdere fronten en...'

Hij hield zijn mond toen hij zag wat ze aan het doen was.

Jennesta stond iets te mompelen en met haar handen een ingewikkelde beweging te maken. Uiteindelijk maakte ze een kom van haar handpalmen, zo'n twintig centimeter uit elkaar. Terwijl hij gefascineerd toekeek, vormde er zich een kleine, rollende wolk. Er schoten kleine gele en witte bliksems door de donkere mist. Het wolkje draaide en knetterde en trok al snel samen tot een perfecte bol, ongeveer zo groot als een appel.

De bol begon te gloeien. Even later was hij helderder dan een lamp en deed het pijn aan zijn ogen als hij ernaar keek. Toch was de bol zo mooi dat Mersadion zijn ogen er niet van af kon houden. Toen dacht hij weer aan de bezwering die ze op het slagveld had gebruikt en die had geleid tot talloze blinde vijanden. Er liep een koude rilling over zijn rug. Hij bad stilzwijgend tot de goden en smeekte om hun genade.

Ze haalde een hand weg en hield de andere vlak, zodat de lichtgevende bol net boven haar handpalm zweefde. Mersadion werd niet minder bang, maar hij bleef als aan de grond genageld staan.

Jennesta tilde langzaam haar hand op tot de lichtgevende bol op gelijke hoogte was met haar gezicht. Toen, met een bijna kokette blik, bolde ze haar wangen en blies ertegen. Heel zachtjes, alsof ze de pluisjes van een paardebloem blies.

De kleine bol, helder als een piepklein zonnetje, zweefde weg van haar hand naar Mersadion toe. Hij spande zijn spieren. Toen de bol hem bijna had bereikt en schijnbaar de handbewegingen van de koningin volgde, ging de bol opzij en zweefde naar de muur. Mersadion keek hem na.

Er volgden een verblindende lichtflits en een knal als een donderklap. De kracht van de luchtverplaatsing raakte Mersadion en zorgde er zelfs voor dat het gewaad van Jennesta opwapperde.

Hij gaf een kreet.

Op de muur zat een zwarte schroeiplek. Hij rook de geur van zwavel.

Mersadion keek haar met open mond aan. Ze had nog zo'n gloeiende bol gemaakt.

'Wat zei je ook alweer?' vroeg ze, alsof ze echt verwachtte dat hij het zou herhalen. 'Iets over dat je niet bereid was mijn eenvoudige bevel uit te voeren, geloof ik?'

'Ik ben meer dan bereid uw bevel uit te voeren, Vrouwe,' babbelde hij. 'Het is enkel een kwestie van aantallen, van...'

Deze keer gaf ze de bol een zetje en ging hij sneller.

Hij raakte de muur een paar voet boven zijn hoofd, met een even luide knal. Mersadion kromp ineen. Stukjes steen en metselwerk vielen op zijn hoofd.

'Je komt weer met smoesjes, generaal,' zei ze zangerig, 'En het enige wat ik wil, zijn oplossingen.'

Het leek wel alsof het haar steeds gemakkelijker afging, want er was weer een bol in haar hand verschenen, volledig gevormd en pulserend. Ze giechelde toen ze het ding als een speelbal weggooide.

De bol kwam zijn kant uit en het leek erop alsof Mersadion deze keer getroffen zou worden. Maar ze had het traject van de bol goed uitgekiend, en toen hij zijn rug tegen de muur drukte, zeilde de bol voorbij.

De bol raakte het watervat, al was het niet echt een botsing. Toen de bol het hout van de ton raakte, werd hij er meteen in geabsorbeerd. Het water begon te borrelen en te koken. Er rees stoom uit de ton op en tussen de duigen vandaan.

Mersadion keek Jennesta ernstig verontrust aan. Ze had nog geen nieuwe bol gemaakt, dus begon hij snel te praten. 'Natuurlijk, Majesteit, alles wat u wenst is mogelijk en kan onmiddellijk worden uitgevoerd. Ik weet zeker dat we de kleine obstakels bij het samenstellen van een leger snel uit de weg kunnen ruimen.'

'Goed zo, generaal. Ik wist wel dat je voor rede vatbaar was.' Nu ze zich duidelijk had gemaakt, sloeg ze zachtjes het stof van haar handen, alsof ze voor hem klapte. 'Nog één ding,' voegde ze eraan toe.

Alle spanning kwam weer terug. 'Vrouwe?'

'Een kwestie van discipline. Je bent je er vast van bewust dat die Struyk en zijn troep voor bepaalde lieden in het leger een soort van helden aan het worden zijn.'

'Dat is helaas waar, Majesteit. Al is het natuurlijk geenszins algemeen.'

'Zorg ervoor dat dat ook niet gebeurt. Als je zoiets de kans geeft, kan het gaan etteren. Wat doe je eraan?'

'We verspreiden uw versie... eh, de wáárheid, bedoel ik, over wat de Veelvraten hebben gedaan. We hebben de lagere rangen laten weten dat ze afgeranseld worden als ze de acties van de voortvluchtigen goedpraten.'

'Breid dat uit naar alle rangen, en straf ze télkens wanneer ze over Struyk en zijn troep praten. Ik wil niet dat hun namen nog genoemd worden. En een afranseling is een veel te lichte straf. De prijs die erop staat, is de dood. Verbrand een paar onruststokers als voorbeeld voor de anderen, dan is het snel afgelopen.'

'Ja, Vrouwe.' Hij hield zijn twijfels over het nut van een dergelijke strategie voor zich.

'Aandacht voor details, Mersadion. Dat houdt het rijk gaande.'

In een poging weer een wit voetje te halen, zei Mersadion: 'Ach, het geheim van uw succes, Vrouwe.'

'Nee, generaal. Het geheim van mijn succes is geweld.'

Bijna twee dagen lang reden Struyk, Coilla, Haskier, Jup en de knorren zonder incident door. Ze stopten zo weinig mogelijk en reden zo snel ze konden.

In de middag van de tweede dag waren ze hondsmoe. Maar ze zagen de bomen rond de Calyparmonding, en helemaal rechts de rand van het Droganwoud.

Terwijl de schaduwen langer werden, zagen de achterste verkenners vier ruiters vanuit het westen aankomen. Er was in een omtrek van vele mijlen geen beschutting te vinden, dus konden ze ervan uitgaan dat ze geen deel uitmaakten van een grotere groep.

'Problemen, denk je?' vroeg Jup.

'Vier tegenstanders zullen we wel aankunnen, denk je niet?' zei Struyk. Ze vertraagden hun gang tot een draf.

Na een paar minuten zei Haskier: 'Het zijn orcs.'

'Je hebt gelijk,' zei Struyk.

'Dat betekent nog niet dat ze geen vijanden zijn,' bracht Coilla hun in herinnering.

'Nee. Maar zoals ik al zei, het zijn er maar vier.'

Even later arriveerden de vier ruiters. De voorste stak zijn hand naar hen op. 'Gegroet!'

'Gegroet,' antwoordde Struyk argwanend. 'Wat willen jullie?'

De leider staarde hem aan. 'Jij bent hem, of niet?'

'Wat?'

'Struyk. We hebben elkaar nooit ontmoet, kapitein, maar ik heb je een paar keer gezien.' Hij keek naar de anderen. 'En dit zijn Veelvraten?'

'Ja, ik ben Struyk. Wie ben je en wat wil je?'

'Korporaal Trispeer, commandant.' Hij keek naar zijn kameraden. 'Soldaten Pravod, Kaed en Rellep.'

'Maken jullie deel uit van een troep?'

'Nee. We waren infanteristen in de horde van koningin Jennesta.'

'Wáren?' vroeg Jup.

'We zijn... vertrokken.'

'Niemand vertrekt uit Jennesta's dienst, behalve liggend op een baar,' zei Coilla. 'Of heeft ze een soldatenpensioen ingesteld?'

'We zijn ervandoor gegaan, korporaal. Net als jullie troep.'

'Waarom?' wilde Struyk weten.

'Het verbaast me dat je dat vraagt, kapitein. We hebben genoeg van Jennesta, zo eenvoudig is het. Haar onrechtvaardigheid, haar wreedheid. Orcs willen best vechten, dat weet je, en dat doen we zonder klagen. Maar zij gaat te ver.'

Soldaat Kaed voegde eraan toe: 'Veel van ons staat het niet meer aan om voor mensen te vechten, als ik het zo mag zeggen, commandant.'

'En we zijn niet de enigen die met onze voeten hebben gestemd,' vervolgde Trispeer. 'Toegegeven, tot nu toe zijn het er nog niet veel, maar we denken dat het er steeds meer worden.'

'Zochten jullie ons?' vroeg Jup.

'Nee, sergeant. Nou ja, niet precies. Zodra we gedeserteerd waren, hoopten we jullie te vinden, maar we wisten niet waar we moesten zoeken. We komen net uit Heldiep. We hoorden over de toestanden daar en dachten dat jullie dat misschien waren. Iemand zei ons dat jullie in westelijke richting waren vertrokken, dus...'

'Waarom hoopten jullie ons te vinden?' vroeg Struyk.

'Jullie troep staat nu officieel bekend als voortvluchtig. Er staat een prijs op jullie hoofd. Een behoorlijke.'

'Dat weten we.'

'Iedereen haalt jullie door het slijk, te beginnen bij Jennesta. Ze zeggen dat jullie misdadigers zijn, dat jullie je eigen soort vermoorden en dat jullie een schat hebben gestolen van de koningin.'

Struyk fronste zijn voorhoofd. 'Dat verrast me niet. Waar doel je op?'

'Sommigen van ons hebben het idee dat ze ons iets op de mouw spelden. Je hebt altijd een goede naam gehad, kapitein, en we weten hoe de koningin en haar marionetten liegen over degenen die ze niet meer mogen.'

'Voor wat het waard is,' zei Coilla, 'ze liegen ook over ons.'

'Ik wist het wel.' Hij draaide zich om en knikte naar zijn kameraden. Ze knikten terug en glimlachten. Hij sprak verder. 'Dus dachten we dat jullie ons wel konden gebruiken.'

Struyk begreep het niet. 'Wat bedoel je? Gebruiken? Waarvoor?'

'We dachten dat je een leger aan het verzamelen was, een leger van ontevreden orcs zoals wij. Misschien om tegen Jennesta te vechten. Misschien om een eigen land te zoeken. We willen ons bij jullie aansluiten.'

Struyk keek even in hun hoopvolle gezichten. Hij zuchtte. 'Ik ben niet op kruistocht, korporaal, en ik zoek ook geen rekruten. We waren niet van plan om de weg te volgen waarop we beland zijn, maar nu moeten we er het beste van maken.'

Trispeer keek sip. 'Maar kapitein...'

'Het is al moeilijk genoeg om verantwoordelijk te zijn voor de levens en het lot van mijn eigen kameraden. Ik wil er niet nog meer. Jullie zullen je eigen weg moeten zoeken.'

De korporaal keek teleurgesteld. Dat deden ze allemaal. 'Bedoel je dat je geen plan hebt? Je hebt geen plan om alle orcs te helpen?'

'We hebben wel een soort plan, maar op onze eigen manier. Iemand anders zal die slag moeten uitvechten. Je bent verkeerd, het spijt me.'

Trispeer besloot het filosofisch te bekijken. 'Nou ja, misschien was het ook te mooi om waar te zijn. Maar jij en je troep zijn intussen beroemdheden aan het worden. Er zullen anderen zijn die er net zo over denken en die zich ook bij jullie willen aansluiten.'

'Ik zal hun hetzelfde zeggen als wat ik jou net vertel.'

'Dan zullen we iets anders moeten doen, neem ik aan.'

Haskier bemoeide zich ermee. 'Zoals?'

'Misschien gaan we naar het Zwartrotswoud.'

'En daar als rovers leven?' vroeg Coilla.

'Wat kunnen we anders?' antwoordde Trispeer beschaamd. 'Behalve als huurling gaan werken, en niemand van ons ziet dat zitten.'

'Dat het toch zover moest komen voor ons ras,' gromde Coilla. 'Die verdomde mensen.'

De korporaal glimlachte. 'Daar richten we ons op. We moeten toch ook eten.'

'Als je dat besluit te doen, waag je dan niet te dicht in de buurt van Zwartrots zelf,' adviseerde Struyk. 'Er zijn daar kobolden die niet zo gek zijn op orcs, vooral niet na onze confrontatie met hen, pasgeleden.'

'We zullen eraan denken. Hoe dan ook, misschien gaan we niet naar Zwartrots, misschien worden we vrije soldaten en vechten we tegen mensen voor de lol. We zien wel.'

'Hebben jullie iets nodig?' vroeg Haskier. 'Niet dat we veel voedsel of water hebben, maar...'

'Nee, dank je, sergeant. We hebben voorlopig voldoende.'

'Misschien kun je hier iets van gebruiken,' zei Struyk. Hij haalde zijn zakje pellucide tevoorschijn. Met zijn andere hand klopte hij op zijn wambuis, en trok er vervolgens de afkondiging van Jennesta uit. Hij had niets anders wat hij kon gebruiken. Toch was het ergens wel toepasselijk. Hij vouwde het perkament op tot een soort zakje en goot er een behoorlijke hoeveelheid pellucide in. Struyk gaf het zakje aan de korporaal.

'Dank je, kapitein, dat is gul. We stellen het op prijs.' Hij straalde. Je kent het oude gezegde: "Kristal helpt je beter door tijden zonder geld dan geld je door tijden zonder kristal helpt.'"

'Veel plezier ermee. Maar gebruik het verstandig. Het heeft ons ook problemen gebracht.'

Trispeer keek verwonderd, maar zei niets.

Struyk reikte uit het zadel en gaf de korporaal een soldatenhand. 'We moeten verder naar Drogan. Veel geluk.'

'Jullie ook. De goden zij met jullie bij wat jullie willen doen. Wees voorzichtig.'

Hij en zijn soldaten brachten hun een saluut, draaiden hun paarden om en galoppeerden weg, ongeveer in de richting van waaruit ze gekomen waren.

Terwijl ze hen nakeken, zei Coilla: 'Dat leken me goede orcs.'

'Dat leek mij ook,' zei Jup. 'Jammer dat we ze niet konden opnemen. Weet je, misschien kunnen we er best een paar zwaarden bij gebruiken.'

Struyk smoorde dit in de kiem. 'Nee. Zoals ik al zei, ik heb al genoeg kopzorgen.'

'Als wat hij over je zei waar was, Struyk,' zei Coilla, 'dan word je een verzamelpunt voor...'

'Ik wil geen verzamelpunt zijn!'

Jup grijnsde en kondigde melodramatisch aan: 'Struyk de Messias!'

Zijn commandant loerde vals naar hem.

Het was donker toen ze bij de afgesproken plek aankwamen.

Struyk wilde dat hij duidelijker was geweest over de precieze plaats. Maar dat kon niet, want niemand van hen kende het gebied goed genoeg. Dus reden ze in het donker langs de bomen die de riviermonding omzoomden en zochten naar hun kameraden.

Haskier was zoals gebruikelijk de eerste die begon te klagen. 'Volgens mij verknoeien we onze tijd. Waarom wachten we niet tot het licht wordt?'

Deze keer was Coilla het met hem eens. 'Hij heeft misschien gelijk. We zien geen moer.'

'We zijn al laat,' zei Struyk. 'We kunnen toch ten minste even zoeken. We geven het nog een uurtje. Maar ik denk dat we beter kunnen afstijgen.'

Dit gaf Haskier de gelegenheid nog wat meer te zeuren.

Ze leidden hun paarden mee door het kreupelhout onder de bomen. Ze hoorden water stromen, een paar meter verderop.

'Misschien zijn ze hier nooit aangekomen,' zei Haskier.

'Hoe bedoel je?' vroeg Jup.

'Ze waren maar met een halve troep. Er kan wel van alles gebeurd zijn.'

'Wij zijn maar met een halve troep,' bracht Struyk hem in herinnering, 'en wij zijn er ook.'

'Misschien zijn ze naar Drogan gegaan om met de centaurs te onderhandelen,' opperde Coilla.

'We zien wel. Nu rustig, allemaal. Er kunnen ook vijanden in de buurt zijn.'

Ze liepen nog een minuut of tien zwijgend verder toen ze iets hoorden ritselen in het kreupelhout. De orcs trokken snel hun zwaarden toen er een stel duistere figuren opdoken.

'Eldo! Noska!' riep Coilla.

Er werden begroetingen uitgewisseld en de wapens werden weer weggestopt. Toen leidden de knorren hen door het kreupelhout naar hun kamp.

Alfré kwam stralend op hen af en greep Coilla's arm. 'Ik ben blij je te zien, korporaal. En Struyk! Jup!'

'Ik ben er ook, hoor,' gromde Haskier.

Alfré keek hem met gefronste wenkbrauwen aan. 'Ja, nou, jij hebt wat uit te leggen.'

'En dat gebeurt ook,' beloofde Struyk. 'Pak hem niet te hard aan. Hoe was de reis hiernaartoe? Wat is er loos? Zijn er ontwikkelingen?'

'Ho!' grijnsde Alfré. 'Reis min of meer zonder problemen. Niet veel loos. Geen ontwikkelingen.'

'Nou, we hebben júllie wel een hoop te vertellen,' zei Jup.

'Kom eten en uitrusten. Jullie zien eruit alsof jullie het kunnen gebruiken.'

De troep kwam weer samen. Knorren begroetten elkaar. Er

werd op schouders geklopt, soldaten grepen elkaar bij de armen, er werd gelachen en gepraat. Er was voldoende te eten en te drinken, en ze maakten een vuurtje tegen de kou. Rond het vuur brachten ze elkaar op de hoogte.

Uiteindelijk bespraken ze de centaurs.

'We hebben ze niet gezien,' zei Alfré. 'Maar we zijn dan ook nog niet ver het bos ingegaan. Het leek me het beste maar gewoon af te wachten en te observeren.'

'Dat was een goede beslissing,' zei Struyk.

'Dus hoe gaan we het aanpakken?'

'Vreedzaam. We hebben geen onenigheid met de centaurs. Hoe dan ook, ze zijn met veel meer dan wij en bovendien is dit hun thuis.'

'Klinkt zinnig. Maar denk eraan: je krijgt ze niet gauw kwaad, maar als ze het eenmaal zijn, heb je er een stel haatdragende vijanden bij.'

'Daarom gaan we ook onder een witte vlag en bieden we ze een ruil aan.'

'En als ze niet willen onderhandelen? Wat dan?' vroeg Haskier.

'Dan verzinnen we een andere manier. Als dat een aanval is, nou ja, daar zijn we voor opgeleid. Maar we proberen het eerst met diplomatie.' Hij keek zijn sergeant nadrukkelijk aan. 'En ik pik het niet als iemand zich daar niet aan houdt. We vechten alleen als ik het zeg, anders worden we meteen aangevallen.'

Met uitzondering van Haskier, die zweeg, klonken er instemmende geluiden van de hele troep.

Alfré stak zijn handen uit naar het bescheiden vuurtje. De hele troep ademde witte wolkjes uit. 'Die rotkou wordt maar niet minder,' klaagde hij.

Struyk trok zijn wambuis dichter om zich heen en knikte. 'We kunnen wel wat extra kleren gebruiken.'

'Vanmorgen zagen we een kleine kudde lembars. Misschien kunnen we er een paar vangen en het bont gebruiken. Er komen er hier nog voldoende voor, dus volgens mij kan het geen kwaad.'

'Goed idee. Bovendien hebben we dan wat vers vlees. Maar ik denk dat we maar beter niet nu het bos in kunnen gaan, dat zou te veel op een overval lijken. Laten we vroeg opstaan, een beetje jagen, en dan naar Drogan gaan.'

Toen het licht werd, was iedereen wakker.

Struyk besloot de jachtpartij zelf aan te voeren en Jup en Haskier boden vrijwillig aan om mee te gaan. Ze kozen Zoda, Hystykk, Gleadeg, Vobe, Bhose en Orbon uit om hen te begeleiden. Het was een goed aantal; als ze zich opsplitsten in twee groepen, zouden ze de prooi niet verjagen, maar hadden ze wel voldoende handen om de buit mee terug te nemen.

Ze konden de paarden niet meenemen. Lembars hadden een hekel aan paarden en zouden die al van verre zien aankomen. Als je te paard op een lembar afging, ging hij er meteen vandoor. Je moest er te voet op jagen.

Toen ze op het punt stonden te vertrekken, nam Alfré Struyk even apart. 'Ik denk dat je de sterren beter bij mij kunt achterlaten,' zei hij.

Struyk keek hem verwonderd aan. 'Waarom?'

'Hoe meer we er verzamelen, hoe kostbaarder ze worden. Wat als jou iets overkomt tijdens de jacht en we ze kwijtraken? Misschien moeten we trouwens met het kristal hetzelfde doen en het onder de officieren verdelen. Behalve Haskier, natuurlijk.'

'Nou...'

'Denk je dat ik net zo gek ben als Haskier, dat ik ermee vandoor ga? Met twee derde van de troep hier?'

'Het punt is niet dat ik je niet vertrouw, oude vriend, dat weet je. Maar ik heb nagedacht over wat er met Haskier gebeurd is. Ik heb er lang over nagedacht. Wat als hij zich door een betovering zo gedroeg?'

'Een betovering van Jennesta, bedoel je?'

'Dat zou voor de hand liggen.'

'Waarom zou ze dan niet hetzelfde met jou kunnen doen? Als het inderdaad een van haar bezweringen was, is het toch juist verstandig om de sterren hier te laten? Het eerste wat ik zou doen als ik jou was, is de anderen vertellen dat ze me in de gaten moeten houden, en dat ze me moeten knevelen zodra ik gekke dingen ga doen. Of me doden.'

Struyk wist dat hij het meende. 'Goed dan,' zei hij met tegenzin. Hij maakte zijn buidel los en gaf hem aan Alfré. 'Maar we zullen onze beveiligingsmaatregelen later nog nader moeten bespreken.'

'Oké. Vertrouw op mij. Ga nu wat winterkleren voor ons halen.'

18

In minder dan een uur waren ze op de vlakte en kregen ze de eerste kudde lembars in het oog. Ze leken op kleine herten en de mannelijke lembars hadden een gewei, maar ze waren veel steviger gebouwd. Hun ruige, dikke vachten waren bruin met grijze en witte strepen. De pels deed denken aan die van een beer en was bijna even gewild.

Terwijl de dieren rustig graasden, splitsten de jagers zich op in twee groepen. Haskier leidde vier knorren. Zij moesten de dieren opjagen en in de richting van de tweede groep drijven. Deze tweede groep bestond uit Struyk, Jup en de twee andere soldaten.

De jacht begon goed. Ze kwamen onverwachts en hadden al snel drie lembars te pakken. Daarna werd hun prooi voorzichtiger en moesten ze die achtervolgen. Het waren geen uitzonderlijk snelle beesten, en op vlak terrein kon een rennende orc hen bijhouden. Op ongelijkmatiger terrein waren de lembars door hun lenigheid in het voordeel.

Struyk bevond zich achter aan de groep terwijl Haskier en zijn knorren een stuk of zes lembars in hun richting joegen. Drie ervan schoten een andere kant op en gingen ervandoor. Twee lembars liepen tegen Jup en de knorren op, die de dieren met hun speren en zwaarden te lijf gingen. De laatste glipte tussen hen door en kwam in volle galop op Struyk af.

Hij hief zijn zwaard om het dier de weg te versperren, maar de lembar liet zich niet zo gemakkelijk vangen. Toen hij nog maar een paar passen van Struyk verwijderd was, veranderde hij van richting en schoot langs hem heen. Struyks zwaard raakte niets dan lucht.

'Voor mij!' riep hij en spurtte achter de lembar aan.

Hij wist niet zeker of de anderen hem wel gehoord hadden, want ze waren druk bezig.

Het vluchtende dier rende een bosje in. Hij stormde erachteraan, laag bij de grond, en ontweek de takken die opzwiepten. Even later was hij door het bosje heen en stond hij op vlak terrein. Struyk haalde de lembar bijna in.

Het dier maakte een bocht, galoppeerde naar een stel heuveltjes verderop en beklom de eerste als een geit. Struyk volgde hem op twintig passen afstand. Toen stormden ze beide de volgende heuvel op. Het was zwaar werk, maar Struyk genoot ervan.

Hij bereikte de volgende heuveltop een paar passen achter zijn prooi. Het dier rende de steile heuvel half galopperend, half glijdend af en bereikte een greppel die erachter lag. Struyk gleed erachteraan. De lembar keerde naar rechts en schoot tussen de bomen door. Struyk volgde hijgend. Hij zag een speerworp verderop een glimp van de wit gestreepte vacht. Hij spoorde zichzelf nog wat meer aan en rende erop af.

Toen werd de wereld zwart.

Hij ging neer met een stekende pijn in zijn slaap en rolde over het zachte bladertapijt. Duizelig lag hij op zijn rug en ontworstelde zich aan de duisternis die hem wilde opslokken.

Er stond iemand over hem heen gebogen. Toen zijn zicht weer wat helderder werd, zag hij dat het er meer waren. Een van hen greep het zwaard uit zijn hand. De aanvallers praatten met elkaar in korte woorden met veel keelklanken, en hij herkende die taal.

De goblins trokken hem ruw overeind. Hij kreunde. Ze rukten aan zijn kleren en zochten naar andere wapens. Toen ze zich ervan overtuigd hadden dat hij die niet had, staken ze hun hellebaarden naar hem uit, en een van hen zwaaide met de knuppel waarmee Struyk ongetwijfeld zojuist was onderuitgehaald. Ze hadden ook zwaarden, waarmee ze naar hem porden en hem in beweging kregen. Hij voelde aan zijn hoofd. Een van de goblins trok ruw zijn hand weg en bazelde iets wat hij niet verstond, maar de dreigende toon van het wezen was onmiskenbaar.

Ze namen hem mee naar het eind van de greppel en de volgende heuvel op. Alles deed hem pijn en hij hinkte een beetje, maar ze gunden hem geen rust. Boven aan de heuvel keek hij omlaag en zag een vrij groot, langgerekt huis staan. Toen ze hem de heuvel af dwongen, besefte hij dat ze niet te ver van de rest van de jachtgroep af konden zijn. Maar hij was in zijn achtervolging een paar keer afgeslagen, dus misschien waren ze ook wel mijlen verderop. Hij hoefde niet op hulp van zijn kameraden te rekenen.

Hij kwam hijgend bij het gebouw aan, omringd door vijandige goblins.

Het huis kon er zijn neergezet door meerdere rassen; het zag eruit zoals veel andere gebouwen in Maras-Dantia. Eenvoudig maar stevig, van hout met een rieten dak en één deur aan het uiteinde. De vensters waren dichtgetimmerd en het gebouw was duidelijk verlaten. Het stortte bijna in. Het rieten dak was verweerd en hier en daar was het hout aan de buitenkant verrot.

Ze duwden hem door de deur naar binnen.

Razatt-Kheage stond hem op te wachten.

De slavenhandelaar grijnsde, iets wat bij goblins voor een glimlach moest doorgaan. Hij keek triomfantelijk en haatdragend. 'Gegroet, orc,' siste hij.

'Jij ook gegroet.' Struyk probeerde zijn gedachten op een rijtje te krijgen en het waas voor zijn ogen weg te knipperen. Hij negeerde zijn pijn. 'Je moest en zou fatsoenlijk afscheid nemen, hè?'

'We zijn jullie achtervolgd.'

'Het is niet waar. Niet om me te bedanken, neem ik aan.'

'O, we wilden jullie hele troep persoonlijk... bedanken. Bijkomend voordeel is de prijs die Jennesta op jullie koppen heeft gezet. Ik heb inmiddels een document gezien waarin staat dat jullie een relikwie van haar hebben. Daar zal ook wel een beloning voor staan.'

Struyk was blij dat hij de sterren niet bij zich had. Hij keek naar de zeven of acht goblins in het huis. 'Wil je met zo'n klein groepje achter mijn strijdtroep aan gaan? Ben je levensmoe?'

'Nee, dat ben ik niet van plan. Ik stuur wel een bericht naar Jennesta.'

Struyks gedachten klaarden wat verder op.'En jij denkt dat de troep hier blijft rondhangen tot haar leger komt?'

'Toevallig dacht ik eraan jou in gijzeling te houden om daarvoor te zorgen.'

'Dat doen ze niet, slavenhandelaar. Niet míjn troep. Je weet niet veel over orcs, hè?'

'Misschien zou het amusant zijn om van de gelegenheid gebruik te maken en iets te leren,' antwoordde Razatt-Kheage spottend. 'Vertel eens.'

Het kwam Struyk wel uit om wat tijd te winnen en een strategie te bedenken. 'Alle orcs weten dat er in een oorlog doden vallen. We groeien op met het motto dat je je best doet om een kameraad te redden die in gevaar is, maar als dat niet lukt, stel je niet het leven van alle anderen in de waagschaal voor één individu. Daarom kun je me niet als gijzelaar gebruiken. Dan gaan ze gewoon weg.'

'Toch deed jij precies het tegenovergestelde toen je die orcvrouw kwam redden.' Hij grijnsde onplezierig. 'Misschien zijn sommige individuen meer waard dan andere. In dat geval zou de commandant het meeste waard moeten zijn. We zullen het zien.'

Struyk veranderde van onderwerp om de goblin aan de praat te houden. 'Ik zie je mensenvrienden nergens.'

'Het zijn mijn vrienden niet. Het zijn zakenrelaties. Ze zijn hun eigen weg gegaan. Het was geen prettig afscheid. Ze leken te denken dat het mijn schuld was dat jullie waren ontsnapt. Ik denk dat het nog veel onplezieriger was geworden als een van hen geen hulp van een heler nodig had gehad. Gelukkig kon ik hun een naam verkopen.'

'Ze waren vast erg dankbaar.' Hij keek door de lange kamer. 'Dus wat nu?'

'Jij bent onze gast terwijl ik een boodschap opstel voor de koningin.' De slavenhandelaar knikte naar zijn lakeien.

Ze dreven Struyk naar de achterzijde van de kamer. Net als in de rest van het gebouw, stond ook hier niet veel, op een pot gloeiende kolen na die iets van de kilte uit de lucht verdreef. Hij werd in de buurt van de pot gezet, terwijl de wachters in hun eigen taal met elkaar spraken. Razatt-Kheage bleef in de buurt van de deur en ging achter een gammele tafel staan. Hij had een stuk perkament en een schrijfveer gepakt.

Struyk keek naar de pot met kolen. Hij kreeg een waanzinnig idee. Iets wat hem net zozeer zou raken als de goblins, maar hij zag het tenminste aankomen. Hij keek snel of niemand hem in de gaten hield, liet zijn hand in zijn riembuidel glijden en schepte er een handjevol pellucide uit. Hij gooide het op het vuur. Toen pakte hij nog wat kristallen en deed het nog een keer. De grote hoeveelheid roze kristallen begon dikke pluimen witte rook af te geven.

Een tijd lang merkte niemand iets, terwijl de rook steeds dikker werd. Struyk hield zijn adem in. Toen liep een van de goblins bij zijn kameraden weg en naar Struyk toe. Hij gaapte met open mond naar de rokende pot. Struyk keek snel naar de anderen. Ze hadden nog niet in de gaten dat er iets aan de hand was. Tijd om te handelen.

Hij wist niet veel over de lichaamsbouw van goblins, maar hij nam aan dat ze één ding gemeen hadden met de meeste andere oude rassen. Toen hij een harde trap in het kruis van de goblin gaf, bleek hij gelijk te hebben. De lakei gilde van pijn en klapte dubbel. Dus deed Struyk het nog maar een keer.

De anderen kwamen eraan. Struyk greep de zwaardarm van de naar adem happende goblin en sloeg ermee op zijn geheven knie. De goblin liet het wapen los. Hij greep het wapen, draaide het bliksemsnel om en zette het in de rug van de lakei.

Hij wendde zich naar de anderen. Ze kwamen voorzichtig op hem af, een halve cirkel bestaande uit vijf zwaarbewapende, vastberaden moordenaars.

'Dit is een gewoonte van je, hè?' sneerde Razatt-Kheage achter hem. 'Elke keer dat je een bediende van me vermoordt, kost je me geld! Volgens mij ben ik beter af als je dood bent!'

De lakeien hielden hun wapens op hem gericht en bleven komen. Struyk hield nog steeds zijn adem in.

Er kwam steeds meer rook uit de pot. De dampen verspreidden zich door het afgesloten gebouw. Er kropen melkachtige rookslierten over de vloer. Bij de plafondbalken begon zich een steeds dikker wordende wolk te vormen.

Eén van de goblins kwam met zijn hellebaard naderbij.

Struyk kon zijn adem niet langer inhouden en liet hem ontsnappen. Instinctief haalde hij weer adem. Hij voelde de bekende lichtheid in zijn hoofd en vocht om zijn concentratie te behouden.

De goblin viel aan.

Struyk stapte opzij en haalde naar hem uit. *De donderende golven van een oceaan.* Hij schudde zijn hoofd om de gedachte te verjagen. Hij had gemist. Hij probeerde het nog eens. De goblin ontweek hem. Toen sloeg de goblin toe en miste Struyks schouder op een haar na. *Een prachtige blauwe lucht.* Struyk liep achteruit en probeerde wanhopig de werkelijkheid voor ogen te houden.

Wat hem dwarszat, was dat de goblin schijnbaar geen last had van de werking van het kristal. Hij kon niet zien of de anderen er iets van merkten.

Struyk ging in de aanval.

Toen hij met zijn zwaard zwaaide, zag hij een hele rij van zwaarden, de een net een stapje verder dan de ander; er hing een waaier van zwaarden in de lucht. De goblin sloeg toe met zijn hellebaard en de illusie verdween als een stuk geprikte zeepbel.

Struyk werd woest. Hij stormde vooruit en haalde uit naar de lakei, die zich achteruit liet dringen onder de woeste aanval. Toen dacht Struyk te zien, door de veelheid aan kleuren voor zijn geestesoog, dat de goblin stond te wankelen en glazig uit zijn ogen keek.

Struyk pakte zijn zwaard met beide handen vast, meer om steun te zoeken dan om een andere reden, en sloeg de hellebaard uit de handen van zijn tegenstander. Toen sprong hij vooruit en doorstak de borst van de goblin.

Hij had nog nooit eerder opgemerkt wat een prachtige kleur bloed had.

Hij vermande zich en haalde diep adem. Toen besefte hij dat dat een vergissing was.

Een stel goblins slaapwandelde in slowmotion op hem af.

Kristalheldere regendruppeltjes op de blaadjes van een gele bloem. Hij begon met de dichtstbijzijnde goblin te vechten. Ze schermden, al voelde het meer alsof hij tot aan zijn knieën door een moeras liep. Struyk haalde de arm van zijn vijand open en er verscheen meer van dat fascinerende, lichtgevende rood. Vervolgens raakte hij de goblin in zijn maag, waarbij er weer zo'n prachtig kleurenpalet verscheen. Toen de stervende lakei omviel, draaide Struyk zich om naar de volgende.

De tweede goblin had een speer die hij beter als wandelstok had kunnen gebruiken. Zijn beentjes klapten bijna dubbel toen hij zwakjes naar Struyk porde met het wapen. Struyk haalde uit naar de speer als *een zinderende bliksemflits tegen een fluwelig zwarte hemel* en sloeg hem doormidden. De goblin stond duf te kijken naar de halve speer in zijn handen. Hij knipperde met zijn kleine oogjes.

Struyk stak hem in het hart en genoot van de prachtige rode fontein.

Op een paard te midden van een woud van hoge bomen. Nee, dat was niet waar hij was. Hij richtte met dikke ogen zijn aandacht op de twee overgebleven wachters. Ze wilden een of ander vreemd spel spelen, met hun levens als inzet. Hij was de helft van de spelregels vergeten. Wat hij nog wel wist, was dat het de bedoeling was om te zorgen dat ze niet meer bewogen. Dus dat probeerde hij dan maar.

De voorste had enorme pupillen en struikelde vooruit. Hij had een zwaard waar hij meerdere keren mee zwaaide, maar meestal niet in de richting van Struyk. Struyk pareerde het zwaard wel, al moest hij daarvoor een paar stappen vooruit zetten. *Maanlicht op een rivier omzoomd door treurwilgen.* Dat was het ook niet. Hij moest zijn gedachten bij het spel houden.

Er zwiepte iets voor zijn gezicht langs. Toen hij zich omdraaide, zag hij dat de tweede goblin met zijn zwaard naar hem uithaalde. Dat vond Struyk niet aardig. Om hem terug te betalen, zwaaide Struyk zijn eigen zwaard richting het gezicht van de goblin. Het was raak en het gezicht van de goblin was behoorlijk gehavend. Het gegil van het wezen klonk verrassend muzikaal, en vervaagde toen de lakei langzaam tegen de vlakte ging.

Er was nog één lakei over, en Razatt-Kheage zelf. De slavenhandelaar hield nog steeds afstand en stond geluidloos dingen te roepen. *Een ingestort fort op een klif, wit in de zon.* Struyk schudde de gedachte van zich af en ging op de wachter af. Hij moest naar de goblin zoeken in de pellucidemist.

Zodra ze elkaar hadden gevonden, wisselden ze bijna beleefd slagen uit. Struyk probeerde iets meer kracht achter zijn zwaard te zetten en de verdediging van de ander te doorbreken. Al was het eigenlijk de wachter zelf die niet erg stevig in zijn schoenen stond. *Een waterval, donderend over een granieten rotspunt.* Ook die gedachte liet hij varen. Hij sprong vooruit, zwevend als een veertje, en probeerde zijn initiaal in de borst van de goblin te krassen. Hij had pas een halve S gemaakt voor zijn kunstwerk omviel. *Grazige weiden met kudden wild.*

Struyk had moeite om overeind te blijven staan. Maar hij moest wel, want het spel was nog niet voorbij. Er was nog één speler over. Struyk zocht naar hem. Razatt-Kheage stond bij de deur, maar deed geen pogingen om te vertrekken. Struyk zwom naar hem toe door een lange, lange tunnel gevuld met honing.

Toen hij uiteindelijk bij de goblin aankwam, stond die nog steeds op dezelfde plek. Hij kon zich niet bewegen, hij was als aan de grond genageld. Toen Struyk hem aankeek zakte de slavenhandelaar op zijn knieën. Zijn mond bewoog nog steeds maar Struyk kon hem niet verstaan. Eigenlijk hoorde hij helemaal geen woorden, maar meer een soort gejammer. Hij nam aan dat de goblin smeekte voor zijn leven. Dat deden spelers soms. *De zon straalde neer op een eindeloos strand.* Maar dit wezen speelde niet mee. Hij wílde niet spelen, en dat was vast tegen de regels. Struyk vond dat niet leuk.

Hij hief zijn zwaard. De mond van de slavenhandelaar bleef in een stille schreeuw openstaan. *Het lachende gezicht van de orcvrouw uit zijn dromen.*

Het zwaard kliefde door Razatt-Kheages nek. Zijn hoofd sprong van zijn schouders, omhoog en naar achteren. Er kwam bloed uit de stomp van zijn nek en het lichaam viel om. Struyk volgde het hoofd met zijn ogen, een plompe vogel zonder vleugels, en dacht dat hij het zag lachen.

Toen landde het hoofd een paar passen verderop op de vloer met het geluid van een rijpe meloen, stuiterde twee keer en lag stil.

Struyk leunde tegen de muur. Hij was uitgeput, maar ook uitgelaten. Hij had het spel gewonnen. Hij zette zich in beweging. Hoestend en hijgend, zijn gedachten vol beelden, geluiden, geuren en muziek, wankelde hij naar de deur. Hij prutste met de grendels en deed de deur open.

Toen struikelde hij naar buiten, omgeven door een dikke rookwolk, en liep onzeker door het verblindend heldere landschap.

19

'Hier, drink dit op,' zei Alfré. Hij gaf Struyk een kom aan met een stomend groen goedje erin.

Met zijn hoofd in zijn handen kreunde Struyk: 'Alle goden, niet nog meer.'

'Je hebt een enorme dosis kristal binnengekregen. Als je het uit je lijf wilt hebben, moet je dit opdrinken, goed eten en veel water drinken. Dan pis je het er wel uit.'

Struyk keek op en zuchtte. Zijn ogen waren dik en rood. 'Goed dan, geef maar hier.' Hij pakte de kom aan, leegde die in één teug en trok een vies gezicht.

'Goed zo.' Alfré nam de kom weer van hem aan. Hij boog zich over de ketel boven het vuur en vulde hem nog een keer. 'Van deze mag je nippen tot het eten klaar is.' Hij duwde Struyk de kom in zijn handen. 'Ik ga kijken hoe het ermee staat.' Hij liep weg om te kijken bij de knorren die de paarden aan het beladen waren.

Toen hij zeker wist dat Alfré niet keek, draaide Struyk zich om en goot de kom leeg in het gras.

Hij was een paar uur geleden uit het huis gekomen. Hij had een tijdje rondgezworven, niet zeker waar hij was, voordat hij de jachttroep was tegengekomen. Ze hadden een stuk of zes lembars gevangen. Struyk kon nauwelijks op zijn benen staan en sloeg wartaal uit, dus hadden ze hem min of meer naar het kamp teruggedragen, waar ze stomverbaasd zijn hakkelende relaas hadden aangehoord.

De lembars waren aan het spit geregen en hingen te roosteren, en de geur was heerlijk. Struyk had extra veel honger door de pellucide, en het water liep hem in de mond.

Coilla kwam aanlopen met twee borden vol vlees en ging naast hem zitten. Hij schrokte het vlees naar binnen alsof hij een week niet had gegeten.

'Ik ben je dankbaar, weet je,' zei ze. 'Dat je Razatt-Kheage hebt vermoord, bedoel ik. Al had ik het liever zelf gedaan.'

'Graag gedaan,' antwoordde hij met volle mond.

Ze staarde hem doordringend aan. 'Weet je zéker dat hij niet wist waar Lekman en de anderen naartoe zijn?'

Struyk was nog herstellende van het kristal. Hij had geen zin in gezeur aan zijn hoofd. 'Ik heb je alles verteld. Ze zijn weg.' Hij klonk een beetje geërgerd.

Coilla was niet tevreden en fronste haar voorhoofd.

'Ik denk dat we die premiejagers niet meer zien,' zei hij verzoenend. 'Die lafaards durven het niet tegen een strijdtroep op te nemen.'

'Ze zijn me wat schuldig, Struyk,' zei ze. 'Ik wil die schuld hoe dan ook innen.'

'Weet ik, en we helpen je waar we kunnen. Maar we kunnen niet naar ze op zoek, niet nu. Als we ze ooit weer tegenkomen...'

'De pot op. Het is tijd dat iemand hén eens najaagt.'

'Denk je niet dat je een beetje geobsedeerd raakt?' Hij at door terwijl hij praatte.

'Ik wíl dat het een obsessie is! Jij zou precies hetzelfde doen als je was vernederd en als een stuk vee te koop was aangeboden.'

'Dat klopt. We kunnen er alleen nu niets aan doen. We hebben het er nog over, goed? Mijn hoofd, weet je.'

Ze knikte, gooide haar bord bij het vuur neer en liep weg.

Een eindje verderop waren knorren bezig bonten wambuizen te maken. Ze hadden net genoeg vachten bemachtigd.

Struyk werkte net de laatste happen vlees naar binnen toen Alfré terugkwam.

'Nou, we zijn klaar voor Drogan. Het wachten is op jou.'

'Ik voel me goed. Tenminste, dat duurt niet meer lang. Mijn

hoofd is nog niet helemaal helder, maar dat komt tijdens de rit wel goed.'

Haskier kwam aan met een stapel bonten wambuizen. Jup liep achter hem.

'Ze zijn niet echt fraai,' zei Haskier terwijl hij de verschillende maten uitzocht.

'Ik had niet van jou verwacht dat zoiets je zou opvallen,' zei de dwerg.

Haskier negeerde hem en deelde de kledingstukken uit. 'Eens kijken. Kapitein.' Hij gooide een bonten wambuis naar Struyk. 'Alfré. En deze is voor jou, Jup.' Hij hield het kledingstuk omhoog. 'Kijk dan. Maatje "ik kom net uit het ei". Niet eens groot genoeg om mijn reet mee te bedekken!'

Jup griste het ding uit zijn handen. 'Daar kun je je kop wel voor gebruiken. Dat zou een hele verbetering zijn.'

Haskier beende ziedend weg.

Struyk stond op. Hij wankelde nog een heel klein beetje, maar trok de bonten wambuis aan en liep naar Alfré toe.

'Hoe voel je je?' vroeg de korporaal.

'Niet slecht. Maar ik hoef een tijdje geen kristal meer te zien.'

Alfré lachte.

'Je had gelijk over de sterren,' vervolgde Struyk. 'Als ik ze bij me had gehad...'

'Ik weet het. Dat was mazzel.'

'Ik wil ze nu graag terug.'

'Heb je er nog over nagedacht om ze te verdelen?'

'Ik weet dat het een goede gedachte is, maar ik hou ze wel bij me. Als ik nog een keer weg moet van de troep, kun jij ze weer bij je houden.'

'Jij weet het het best, Struyk.' Aan zijn toon te horen was Alfré het er niet mee eens, maar wellicht vond hij dit niet het juiste moment om te protesteren. Hij graaide in zijn zak en haalde de drie sterren eruit, maar gaf ze niet meteen aan Struyk. Hij hield ze in zijn handen en bekeek ze. 'Weet je, ondanks wat ik eerder zei, ben ik blij dat ik ze weer kan afgeven. Het voelt als een enorme verantwoordelijkheid om ze bij me te hebben.'

Struyk pakte de sterren aan en stopte ze weer in zijn riem-buidel. 'Ik weet wat je bedoelt.'

'Vreemd, hè? Dat we dat gevoel erbij hebben, terwijl we geen idee hebben waar ze voor dienen? Wat gaan we doen, Struyk? Ik bedoel: of we nu een ster van de centaurs krijgen of niet?'

'Ik had altijd het idee dat we ze zouden gebruiken om met Jennesta te onderhandelen. Maar hoe meer ik erover nadenk, hoe meer ik denk dat we dat níét moeten doen.'

'Waarom niet?'

'Om te beginnen denk ik niet dat ze haar kant van de afspraak nakomt, wat jij? Maar belangrijker nog vind ik de macht die die dingen schijnen te hebben.'

'Maar we weten niet wat voor soort macht. Dat is het punt juist.'

'Nee. Maar we hebben genoeg aanwijzingen gekregen. Zoals wat Tannar zei. En het feit dat Jennesta, een tovenares, ze heb-ben wil.'

'Dus wat doen we er dán mee?'

'Ik dacht eigenlijk dat we iemand moeten zoeken die ons kan helpen ze te gebruiken. Voor goede doeleinden, geen kwade. Om de orcs en de andere oude rassen te helpen. Misschien om iets aan de mensen te doen, en aan onze eigen tirannen.'

'Waar zouden we zo iemand moeten vinden?'

'We hebben Mobs ook gevonden, en hij vertelde ons als eer-ste over de instrumentaliteiten.'

'Denk je ook wel eens dat je hem liever niet was tegengeko-men?'

'Er moest iets veranderen. Er wás al iets aan het veranderen. Mobs heeft ons nergens toe gedwongen. Hij gaf ons enkel een reden, al was die dan vaag. Ik bedoel alleen dat we misschien ie-mand kunnen vinden die ons nog meer kan vertellen. Een ma-giër, een alchemist, zo iemand.'

'Dus dat vind je dat we moeten doen? En ze niet aan Jennes-ta geven in ruil voor ons leven?'

'Het is maar een idee. Denk hier eens over na, Alfré. Zelfs als we Jennesta zover krijgen dat ze met ons onderhandelt, en zich aan de afspraak houdt, wat voor leven hebben we dan? Denk je echt dat we terug kunnen naar hoe het vroeger was? Alsof er niets gebeurd is? Nee, dat is voorbij. Dat ligt achter ons. Hoe dan ook, het hele land gaat in vlammen op. Er is iets groters nodig.' Hij klopte op de buidel. 'Misschien zijn deze dingen de sleutel.'

'Misschien.'

'Kom, we gaan naar Drogan.'

Hij gaf het bevel om het kamp op te breken.

Het woud was maar twee of drie uur rijden verderop, en de route kon niet makkelijker. Ze hoefden alleen maar de rivier te volgen.

Zoals hij had gehoopt, voelde Struyks kloppende hoofd naarmate de rit vorderde beter aan. Maar hij had constant een droge mond en bleef de hele weg water drinken.

Hij stak de veldfles uit naar Coïlla, die voor aan de rij naast hem reed. Ze schudde haar hoofd. 'Ik heb met Haskier gepraat,' zei ze. 'Of dat heb ik althans geprobeerd. Over wat er gebeurde toen hij er met de sterren vandoor ging.'

'En?'

'Hij lijkt grotendeels weer zichzelf te zijn. Behalve wanneer hij moet uitleggen wat er gebeurd is.'

'Ik geloof hem als hij zegt dat hij het echt niet meer weet.'

'Ik ook, denk ik. Ondanks de tik die hij me op mijn hoofd gaf. Maar ik weet niet of ik hem ooit weer ga vertrouwen, Struyk. Zelfs al heeft hij geholpen me te redden.'

'Dat kan ik je niet kwalijk nemen. Maar ik denk toch dat hij geen controle had over wat er met hem gebeurde. Hij is een strijdmakker; we moeten dat van hem aannemen. En wat je ook over Haskier kunt zeggen, hij is geen verrader.'

'Het enige wat hij eigenlijk zei, is dat de sterren voor hem zongen. Toen wilde hij daar verder niets meer over zeggen, alsof hij zich schaamde. Het klonk ook gek.'

'Ik denk niet dat hij gek is.'

'Ik ook niet. Maar heb jij enig idee wat hij bedoelde?'

'Nee. Wat mij betreft zijn het gewoon dingen.'

'En je weet ook nog niet waar ze voor dienen?'

Hij grijnsde. 'Als ik dat wist, zou ik het je vertellen, geloof me. Ik zou het van de daken schreeuwen. Ik had het er zo-even met Alfré over. Wat ik hem niet heb verteld, is dat ik achter de sterren aan zou gaan ook al waren het nutteloze stukjes hout.'

Coilla keek hem vragend aan.

'Nee, ik ben ook niet gek,' zei hij. Hij duwde zijn twijfels over zijn dromen uit zijn gedachten. 'Ik zie het zo. Als we íéts nodig hebben, is het wel een doel. Zonder een doel zou de troep binnen de kortste keren uiteenvallen. Dat komt door onze militaire opvoeding, denk ik. Ook al maken we geen deel meer uit van de horde, we zijn nog steeds orcs en horen bij de natie van orcs, hoe verspreid en geminacht die ook is. Als we niet bij elkaar blijven, worden we straks allemaal afzonderlijk opgehangen.'

'Ik snap wat je bedoelt. Misschien is er iets in de aard van orcs waardoor we verlangen naar kameraadschap. Ik denk niet dat we solitair kunnen leven. Hoe dan ook, wat er ook gebeurt en wat we dan misschien ook hebben vergooid, jij hebt ons dat doel gegeven, Struyk. Zelfs als alles ontzettend fout afloopt, hebben we dat tenminste gehad. We hebben ons best gedaan.'

Struyk lachte naar haar. 'Inderdaad. We hebben ons best gedaan.'

Ze bereikten de rand van het woud. Het was oud, uitgestrekt en donker.

Struyk liet de rij halt houden. Hij wenkte Alfré, Jup en Haskier.

'Wat is het plan, baas?' vroeg Jup.

'Zoals ik al zei: simpel en direct. We voeren een witte vlag en proberen contact te leggen met de stam van Keppataun.'

Alfré maakte een vlag, die hij aan de banierstok van de Veelvraten bond. 'Wat als er meer dan één stam in het woud is, Struyk?' vroeg hij.

'Dan moeten we maar hopen dat ze geen conflicten met elkaar hebben en ons doorlaten. Kom, we gaan.'

Enigszins op hun hoede reden ze het woud in. Alfré hield de

vlag omhoog. Hij was zich ervan bewust, net als de rest, dat iedereen de vlag herkende, maar niet iedereen die ook respecteerde.

In het woud was het koel, en het rook er naar aarde. Het was lang niet zo donker als het van buitenaf had geleken. De stilte was bijna tastbaar, en dat maakte hen nerveus.

Na een minuut of tien bereikten ze een kleine open plek.

'Waarom fluister ik?' fluisterde Coilla.

Alfré keek naar de boomtoppen hoog boven hen, waar het zonlicht doorheen prikte. 'Omdat het hier bijna een heilige plek lijkt, daarom.'

Jup was het ermee eens. 'Ik denk dat de magie hier sterk is. Het water van de riviermonding, het bladerdak, dat houdt de magie in stand. Dit kan wel eens een van de weinige onaangeroerde oases in Maras-Dantia zijn. Zoals het ooit overal was.'

Haskier leek het allemaal niet te zien. 'Wat doen we eigenlijk? Blijven we rondjes rijden tot we een centaur vinden?'

Overal om hen heen verschenen talloze centaurs vanachter de bomen en struiken. Sommige hadden lange, slanke speren in hun handen. De meeste droegen bogen en pijlen die ze op de troep richtten.

'Nee,' antwoordde Coilla.

'Rustig!' zei Struyk tegen zijn troep. 'Rustig maar.'

Er kwam een centaur op hen af. Hij was jong en trots. Het haar op het onderste gedeelte van zijn lichaam, het paardgedeelte, was zijdeachtig en bruin. Hij had een mooie staart en stevige hoeven. Daarboven, waar zijn lichaam op dat van een mens leek, had hij gespierde armen en een massa borsthaar. Hij had een rechte rug en een krullende baard.

Enkele van de paarden van de orcs deinsden achteruit.

'Jullie bevinden je op het grondgebied van onze stam,' deelde de centaur hun mee. 'Wat komen jullie doen?'

'We komen in vrede,' verzekerde Struyk hem.

'Vrede? Jullie zijn orcs.'

'En we hebben een reputatie, ja. Die heeft de neiging ons vooruit te snellen. Maar dat geldt ook voor die van jullie. Maar net als jullie vechten wij voor rechtvaardige zaken, en we respecteren de witte vlag.'

'Goed gezegd. Ik ben Gelorak.'

'Ik ben Struyk. Dit is mijn strijdtroep, de Veelvraten.'

De centaur trok een wenkbrauw op. 'We kennen die naam. Zijn jullie hier uit eigen beweging of in opdracht van anderen?'

'Uit eigen beweging.'

De andere centaurs hielden hun bogen op de orcs gericht.

'Je hebt een groeiende reputatie als een orc die problemen veroorzaakt, Struyk. Ik vraag het nog eens: wat komen jullie doen?'

'Niets wat jullie problemen brengt. We zoeken een centaur die Keppataun heet.'

'Onze leider? Hebben jullie wapens nodig?'

'Nee, we willen hem over iets anders spreken.'

Gelorak keek hem onderzoekend aan. 'Hij besluit zelf of hij met jullie wil praten. Ik zal jullie naar hem toe brengen.' Hij keek naar Struyks zwaard. 'Ik zal jullie niet vragen jullie wapens in te leveren. Dat is geloof ik niet iets wat je een orc zomaar kunt vragen. Maar je moet op je eer beloven dat jullie je wapens niet in woede trekken.'

'Dank je. Dat waarderen we. We zullen onze wapens niet trekken voordat iemand anders zijn wapen tegen ons opneemt. Je hebt mijn woord.'

'Goed dan. Kom.'

Hij zwaaide met een hand en de centaurs lieten hun bogen zakken.

Gelorak leidde de troep dieper het woud in en de andere centaurs volgden. Uiteindelijk bereikten ze een veel grotere open plek.

Er stonden gebouwen die leken op stallen, maar ook ronde hutten met strodaken. Veruit het grootste gebouw leek op een schuur die aan één uiteinde open was. Er stond een enorme oven in. In de zinderende hitte en tussen de rookwolken sloegen zwetende centaurs op aambeelden en bedienden blaasbalgen. Anderen haalden met tangen gloeiende stukken metaal uit potten. Ze stopten die, sissend en stomend, in tonnen met water.

Overal liepen kippen en varkens. Er hing een doordringende mestgeur, en die was niet alleen van het vee afkomstig.

Tientallen centaurs, jong en oud, waren bezig met hun taken. De meesten stopten en keken toen de orcs aankwamen. Struyk troostte zich met de gedachte dat ze eerder nieuwsgierig dan vijandig leken.

'Wacht hier,' droeg Gelorak hun op. Hij draafde naar de werkplaats.

'Wat denk je?' vroeg Coilla.

'Ze lijken vriendelijk,' vond Struyk. 'En ze hebben ons onze wapens laten houden. Dat is een goed teken.'

Gelorak kwam weer naar buiten, samen met een andere centaur. Hij was van middelbare leeftijd en zijn baard werd grijs. Ze konden zien dat hij vroeger groot en sterk moest zijn geweest, maar hij was misvormd. Hij was lam; zijn rechter voorbeen was dun en slap en hij sleepte ermee.

'Gegroet,' zei Struyk.

'Gegroet. Ik ben Keppataun. Ik ben ook een impulsieve en drukbezette centaur, dus vergeef me als ik wat bot ben. Wat willen jullie?'

'We willen zaken met je bespreken. Een ruil die voordelig voor je zou kunnen zijn.'

'Dat moeten we nog maar zien.' Hij bestudeerde hen met intelligente ogen. Toen klonk hij opgewekter. 'Maar als het zaken zijn, kunnen die altijd het beste onder het eten worden besproken. Kom, we gaan eten en drinken.'

'Dank je.' Struyk moest niet aan eten denken, maar hij wist dat het onbeleefd zou zijn om te weigeren.

De troep werd naar zware eikenhouten tafels in het midden van de open plek geleid. Aan één kant waren banken voor de orcs geplaatst; centaurs aten staand.

Er werd vlees en vis gehaald. Er was versgebakken brood, borden vol fruit en manden vol noten, zoals het bosbewoners paste. Er was ook bier en er werden kannen rode wijn op tafel gezet.

Zodra ze aan de maaltijd zaten, wat er in Struyks geval op

neerkwam dat hij net genoeg at om niemand te beledigen, proostte hij op hun gastheren. 'Een feestmaal.' Hij hief een kroes. 'Dank jullie wel.'

'Ik zeg altijd dat er maar weinig is wat niet kan worden opgelost bij een goede maaltijd en wat wijn,' antwoordde Keppataun. Hij dronk zijn eigen kroes leeg en liet een boer. Hij demonstreerde daarmee de bekende genotzucht van de centaurs, die nog wel eens uit de hand liep. 'Al neem ik aan dat het bij jullie een beetje anders is, of niet?' voegde hij eraan toe. 'Wij stellen meestal eerst vragen, bij voorkeur tijdens het eten, en vechten later. Bij jullie is het andersom, hè?'

'Niet altijd, Keppataun. We zijn best redelijke wezens.'

'Natuurlijk,' antwoordde hij goedgeluimd. 'Dus waar willen jullie vandaag redelijk over zijn?'

'Jullie hebben iets wat we graag willen hebben.'

'Als je het over wapens hebt, dan vind je nergens in Maras-Dantia betere.'

'Nee, geen wapens, al is het waar dat die van jullie befaamd zijn.' Hij pakte zijn kroes en nam een slok. 'Ik heb het over een relikwie. Wij noemen het een ster, maar misschien ken jij het als een instrumentaliteit.'

Iedereen rond de tafel zweeg. Struyk hoopte dat hij de stemming niet verpest had.

Even later lachte Keppataun, waarna de andere tafelgenoten weer begonnen te praten. Al was het op een fluistertoon zodat ze het gesprek tussen de twee leiders konden volgen. 'We hebben inderdaad het artefact dat je bedoelt,' gaf hij toe. 'En jullie zijn niet de eersten die ervoor naar hier zijn gekomen.'

'Er zijn anderen geweest?'

'Over de jaren, ja.'

'Mag ik vragen wie?'

'O, allerlei volk. Wetenschappers, huurlingen, witte magiërs, zwarte magiërs, dromers...'

'En wat is er met hen gebeurd?'

'We hebben ze omgebracht.'

De troep verstijfde enigszins.

'Maar ons niet?' vroeg Struyk.

'Jullie vrágen, jullie proberen hem niet gewoon te stelen. Ik heb het over degenen die met slechte bedoelingen kwamen.'

'Waren er ook lieden met goede bedoelingen?'

'Een paar. Die hebben we meestal laten leven, en natuurlijk vertrokken ze teleurgesteld.'

'Waarom?'

'Omdat ze niet wilden of konden voldoen aan mijn voorwaarden voor het ruilen van wat jullie de ster noemen.'

'En wat zijn die voorwaarden?'

'Daar komen we straks op. Ik wil jullie aan iemand voorstellen.' Hij wendde zich tot Gelorak, die naast hem stond. 'Haal Hedgestus en zeg hem dat hij het relikwie meeneemt.' Gelorak dronk zijn beker leeg en draafde weg. 'Onze sjamaan,' legde Keppataun uit. 'Hij heeft de instrumentaliteit onder zijn hoede.'

Na een tijdje kwam Gelorak uit een kleine hut aan de rand van de open plek tevoorschijn, begeleid door een oude centaur die onzeker liep. In tegenstelling tot de andere stamleden die ze hadden gezien, droeg hij halskettingen met iets wat leek op kiezels of notendoppen eraan. Gelorak had een houten kistje in zijn handen. De twee kwamen langzaam aanlopen.

Na de introducties, waar Hedgestus statig op antwoordde, werd de ingewikkeld versierde kist op tafel gezet en geopend.

Er lag een ster in die weer anders was dan de sterren in Struyks buidel. Deze was grijs, met maar twee uitsteeksels.

'Het stelt niet veel voor, hè?' zei Keppataun.

'Nee,' zei Struyk. 'Mag ik?'

De centaur knikte.

Struyk pakte voorzichtig de ster uit het kistje. Hij had eraan gedacht dat hij misschien nep zou zijn. Hij drukte er een beetje op. Het ding was even sterk als de andere.

Blijkbaar besefte Keppataun wat Struyk deed, maar hij leek het niet erg te vinden. 'Hij is meer dan taai. Hij is onverwoestbaar. Ik heb nog nooit zoiets gezien, en ik heb al met alle mogelijke materialen gewerkt. Ik heb hem een keer in de oven gegooid. Er gebeurde helemaal niks mee.'

Struyk legde de ster terug.

'Waarom willen jullie hem hebben?' vroeg Keppataun.

Struyk had gehoopt dat hij dat niet zou vragen. Hij besloot een achterhaald antwoord te geven, omdat het deels waar was. 'We zijn geen lid meer van de horde van koningin Jennesta. We dachten dat we haar hiermee konden overtuigen ons weer op te nemen.' Toen zei hij: 'Ze is bezeten van oude religieuze voorwerpen.'

'Haar reputatie als heerser kennende, vind ik dat niet echt bij haar passen.'

'We zijn orcs en we hebben een horde nodig. We voelen ons alleen maar thuis in die van haar.'

Struyk had de indruk dat Keppataun er geen woord van geloofde. Hij vreesde dat hij een fout had gemaakt door Jennesta's naam te noemen. Iedereen wist hoe zij was. De centaur dacht misschien dat ze niet de juiste persoon was om de ster te bezitten.

Hij was dan ook verrast toen Keppataun zei: 'Het kan me niet veel schelen waarvoor jullie hem willen hebben. Ik zal blij zijn als ik er vanaf ben. Hij heeft ons niets dan ongeluk gebracht.' Hij knikte naar het kistje. 'Wat weten jullie erover, en over die zogenaamde andere?'

Struyk hield zich vast aan het woord 'Zogenaamde'. De centaurs wisten dus niet zeker dat er nog andere bestonden. Hij besloot om niet te vertellen dat hij er een paar had. 'Niet veel, eerlijk gezegd,' antwoordde hij naar waarheid.

'Dat zal Hedgestus hier teleurstellen. Wij weten alleen dat ze magische krachten zouden bezitten. Maar hij probeert tevergeefs al twintig seizoenen iets uit deze te persen. Volgens mij is het allemaal lembarstront.'

Keppataun gaf hun geen informatie, hij vróeg erom. Struyk was opgelucht. Een beetje kennis zou de zaken ingewikkelder hebben gemaakt. 'Je zei dat je voorwaarden hebt voor een eventuele onderhandeling over de ster,' bracht hij hem in herinnering. 'En niemand heeft daar nog aan voldaan?'

'Nee. Niemand heeft het zelfs maar geprobeerd.'

'Is het de prijs? We hebben een grote hoeveelheid pellucide...'

'Nee. Wat ik in ruil voor de ster wil is een daad, geen rijkdom. Maar ik denk niet dat jullie die daad willen uitvoeren.'

'Wat moet er gebeuren?'

'Ik zal het uitleggen. Hebben jullie je niet afgevraagd hoe ik aan de ster kom?'

'Dat schoot wel even door mijn hoofd.'

'De ster en mijn verlamming heb ik van Adpar, koningin van het nyaderijk.'

Struyk was niet de enige die verrast was. 'We hebben altijd gedacht dat ze een mythe was.'

'Misschien werden jullie in dat geloof ook wel aangemoedigd door haar zuster, Jennesta. Adpar is geen mythe.' Hij streek met zijn hand over zijn misvormde been. 'Ze is maar al te echt, zoals ik aan den lijve heb ondervonden. Ze verlaat haar domein alleen nooit. En maar weinigen die er onuitgenodigd binnengaan, komen er ooit weer uit.'

'Wil je ons vertellen wat er gebeurd is?' vroeg Coilla.

'Het is een eenvoudig verhaal. Net als jullie ras, zijn er ook bij dat van ons bepaalde overgangsriten. Toen ik nog jong was, was ik veel te vol van mezelf. Ik wilde volwassen worden door iets te doen waar geen enkele andere centaur zelfs maar over had gedroomd. Dus ging ik naar Adpars paleis, op zoek naar de ster. Het was puur geluk dat ik hem in handen kreeg, maar ik moest er wel voor boeten. Ik ontsnapte met de ster en mijn leven, op het nippertje. Adpar sprak een bezwering uit waardoor ik er nu zo uitzie. In plaats van de wapens te gebruiken in het veld, kan ik nu niet meer doen dan ze máken.'

'Dat spijt me voor je,' zei Coilla. 'Maar ik begrijp nog niet wat je wilt dat we doen.'

'Het volledig gebruik van mijn lichaam betekent meer voor me dan edelstenen of geld of zelfs kristal. Het is het enige waarvoor ik de ster wil ruilen.'

'Wij zijn geen helers,' zei Jup. 'Hoe kunnen wij dat bewerkstelligen? Onze kameraad Alfré is een goede legerarts, maar...'

'Mijn vaardigheden zijn bij lange na niet goed genoeg om dergelijk letsel te genezen, ben ik bang,' zei Alfré.

'Jullie begrijpen me niet,' zei Keppataun. 'Ik weet hoe mijn been kan worden genezen.'

Struyk en zijn officieren keken elkaar verbaasd aan. 'Hoe kunnen wij dan helpen?'

'Mijn letsel is op magische wijze toegebracht. De enige genezing is ook een magische.'

'We zijn ook geen tovenaars, Keppataun.'

'Nee, mijn vriend. Als het zo eenvoudig was, had ik allang de diensten van een tovenaar ingeroepen. Het enige wat me weer heel zal maken, is een traan van Adpar.'

'Wat?'

Verschillende orcs mompelden ongelovig.

'Je loopt met ons te dollen,' zei Haskier.

Struyk loerde naar hem.

Gelukkig nam Keppataun er geen aanstoot aan. 'Was het maar waar, sergeant. Maar ik spreek de waarheid. Adpar zelf heeft me verteld dat dat de enige kans op genezing is.'

De stilte die volgde, werd doorbroken door Coilla. 'Ik neem aan dat je haar een ruil hebt aangeboden? De ster voor je gezondheid?'

'Natuurlijk. Maar ze is zo verraderlijk, dat ze het zou zien als een manier om zowel de ster als mijn leven te krijgen. Ze heeft me dit enkel aangedaan omdat ze me niet kon doden. Nyaden zijn kwaadaardig en haatdragend. Dat weten we maar al te goed, want af en toe komen er plunderende groepen via de riviermonding het woud in.'

'Eens kijken of ik het begrijp,' zei Struyk. 'Wij halen een traan van Adpar, en dan geef jij ons de ster?'

'Dat beloof ik.'

'En wat komt daar precies bij kijken?'

'Een tocht naar haar rijk. Dat ligt op de plaats waar het Pitsteenmoeras overgaat in de Malkor Eilanden. Het is maar een dag rijden hiervandaan. Maar er zijn daar problemen. Adpar heeft de oorlog verklaard aan haar meerzburen.'

'Die zijn vredelievend, hè?' vroeg Haskier. Hij sprak het woord vredelievend uit als een vloek.

'Dat hebben ze moeten afleren, met Adpar zo dicht in de buurt. En er wordt gestreden om voedsel. De oceaan is niet immuun voor de verstoring in de magie die door de mensen wordt veroorzaakt. We hebben zelf ook problemen met het evenwicht van de natuur.'

'En waar is het paleis van Adpar precies?' wilde Struyk weten. 'Kun je het op een kaart aanwijzen?'

'Ja. Al vrees ik dat daar kómen niet het moeilijkste van de taak is. Mijn vader is er eens met een groep naartoe gegaan om Adpar te pakken te krijgen. Hij en al zijn kameraden kwamen om. Dat was destijds een zware slag voor de centaurstammen.'

'Niets ten nadele van je vader, maar wij zijn gewend aan vechten. We hebben wel vaker tegenover een vastberaden tegenstander gestaan.'

'Daar twijfel ik niet aan. Maar dat bedoelde ik niet met moeilijk. Hoe krijg je immers een kreng zoals Adpar, met een hart van steen, zover dat ze een traan laat?'

'Daar weten wij helemaal niets van,' gaf Coilla toe.

'Hoezo?'

'Orcs huilen niet.'

Keppataun was verbaasd. 'Dat wist ik niet. Het spijt me.'

'Het spijt je dat onze ogen niet lekken?'

'Over dat punt zullen we moeten nadenken,' onderbrak Struyk hen. 'Ik wil het nog bespreken met de troep, maar ik denk dat we het gaan proberen.'

'Echt waar?'

'Ik beloof niks, Keppataun. We gaan kijken, maar als het een onmogelijke taak lijkt, doen we het niet. Hoe dan ook, we melden ons wel weer bij je.'

'Ik hoop het,' zei de centaur zachtjes. 'Ik bedoel er niets mee, mijn vriend.'

'Het is al goed. Je hebt de gevaren duidelijk gemaakt.'

'Ik stel voor dat jullie vannacht hier rusten en morgenochtend vertrekken. En ik zag dat jullie wapens niet al te best meer zijn. We zullen jullie uitrusten met onze beste wapens.'

'Dat klinkt een orc als muziek in de oren,' antwoordde Struyk.

'Nog één ding,' zei Keppataun. Hij stak een hand in de zak van zijn leren schort, haalde er een klein flesje uit en gaf het aan Struyk.

Alfré bekeek het prachtig versierde ding. 'Mag ik vragen hoe je hieraan bent gekomen?'

Keppataun keek bijna beschaamd. 'Ook met jeugdige balda-digheid,' gaf hij toe.

20

Telkens als hij naar daarbuiten ging, zoals hij eraan dacht, moest hij daarvoor boeten. Zijn krachten namen elke keer een beetje meer af. Hij kon zijn gedachten steeds minder goed ordenen.

Hij bespoedigde zijn eigen dood.

Aangezien hij niet voldoende tijd had om zich hier tussen de bezoeken door te herstellen, zou het probleem waarschijnlijk alleen maar erger worden. Sterker nog, door zijn acties bracht hij dat 'hier' zelfs in gevaar.

Hij dacht na over die heel reële mogelijkheid dat het geen verschil maakte of hij ging of niet. Misschien maakte hij het alleen maar erger, want zijn interventies waren zo beperkt mogelijk.

De laatste keer had hij ze bijna in de ondergang gestort. Hij wilde het juiste doen, maar het ging bijna weer verkeerd.

Hij had echter geen keus. Het was al te ver gekomen. En nu keerden zelfs zijn eigen bloedverwanten zich tegen elkaar. Alleen het onvoorspelbare lot voorkwam een ramp, naast het weinige wat hij misschien nog kon doen. Hij was moe maar moest zich voorbereiden om nog een keer naar daarbuiten te gaan, in de vermomming.

Hij wenste wel eens dat de dood hem van zijn last zou ontdoen, maar voelde zich dan schuldig omdat hij wist dat hij schuld had aan zoveel leed. En aan nog zoveel ergers dat nog kwam.

De somberheid van de bijeenkomst werd enkel overschaduwd door een groeiend gevoel van paniek.

Adpar lag in een schemerig verlichte koraalkamer. Ze was op een bed van zeewier gelegd, omdat ze hoopten dat de genees-

229

krachtige eigenschappen daarvan haar goed konden doen. Er liep water door de kamer, omdat ze hoopten dat het haar zou herstellen. Op haar lichaam waren dikke bloedzuigers gezet die zich met haar bloed voedden, in de hoop dat ze daardoor gereinigd zou worden.

Ze had een delirium. Haar lippen trilden, en de stille woorden die ze sprak werden door niemand verstaan of begrepen. Als ze half bij bewustzijn was tierde ze tegen de goden en, nog harder, tegen haar zuster.

Er was een kleine groep nyaden aanwezig, bestaande uit hoger geplaatste oudsten, hoge militairen en haar persoonlijke helers.

De leider van de oudsten nam de hoofdarts terzijde en sprak fluisterend met hem.

'Hebben jullie al enig idee waardoor haar ziekte wordt veroorzaakt?' vroeg hij.

'Nee,' gaf de oude dokter toe. 'Geen enkele van de proeven die we hebben gedaan heeft iets uitgewezen. Ze reageert nergens op.' Hij ging dichter bij de oudste staan en fluisterde samenzweerderig: 'Ik denk dat het een magische invloed is. Als het niet tegen de uitdrukkelijke wens van hare Majesteit in zou gaan, toen ze die nog kon uitspreken, had ik er een magiër bij gehaald.'

'Durven we haar ongehoorzaam te zijn en dat toch te doen? Aangezien ze schijnbaar toch niets meer bewust meemaakt?'

De heler haalde diep adem door zijn puntige nyadetanden. 'Ik ken geen magiër die machtig genoeg is om hiermee om te gaan. Niet in de laatste plaats omdat ze de beste zelf heeft omgebracht. Je weet dat ze een hekel heeft aan rivalen.'

'Kunnen we er dan niet een van buiten het rijk laten halen?'

'Zelfs als je iemand bereid vindt om te komen, dan is het nog maar de vraag of hij op tijd is.'

'Bedoel je dat ze het misschien niet overleeft?'

'Dat zou ik eerlijk gezegd niet durven zeggen. Maar we hebben wel zieken genezen die er even erg aan toe waren, al wisten we dan wat zij hadden. Ik kan alleen...'

'Draai er niet omheen, heler. De toekomst van ons rijk staat op het spel. Blijft ze leven?'

Hij zuchtte. Het klonk vochtig. 'Op dit moment is de kans groter dat ze sterft.' Hij voegde er haastig aan toe: 'Al doen we natuurlijk al het mogelijke om haar te redden.'

De oudste keek naar het bleke, bezwete gelaat van zijn vorstin. 'Kan ze ons horen?'

'Dat weet ik niet.'

Ze liepen terug naar haar bed. Mindere onderdanen gaven hun de ruimte.

De oudste boog zich over haar heen en fluisterde: 'Majesteit?' Er kwam geen antwoord. Hij herhaalde zichzelf, iets luider nu. Deze keer bewoog ze een beetje.

De arts bette haar voorhoofd met een natte spons. Haar kleur werd iets levendiger.

'Uwe Majesteit,' zei de oudste weer.

Haar lippen en oogleden bewogen.

'Majesteit,' herhaalde hij nadrukkelijk. 'Majesteit, u moet proberen naar me te luisteren.'

Ze kreunde zachtjes.

'Er is niets geregeld voor de troonsopvolging, Majesteit. Het is belangrijk dat het geregeld wordt.'

Adpar mompelde zwakjes.

'Er zijn partijen die om de troon zullen strijden. Dat betekent chaos, behalve als er een opvolger wordt aangewezen.' Hij wist maar al te goed dat ze met moord en verbanning alle mogelijke opvolgers uit de weg had geruimd. 'U moet me een naam geven, Vrouwe.'

Nu probeerde ze te spreken, maar ze had niet voldoende kracht.

'Een naam, Majesteit, wie moet u opvolgen?'

Ze bewoog haar lippen weer. Hij boog voorover en hield zijn oor vlak bij haar gezicht. Hij verstond haar niet.

Toen werd het hem duidelijk. Ze herhaalde een enkel woord, steeds opnieuw: '... Ik... Ik... Ik... Ik...'

Toen wist hij dat het hopeloos was. Misschien wilde ze graag een chaos achterlaten. Of misschien geloofde ze niet in haar eigen sterfelijkheid. Hoe dan ook, het resultaat was hetzelfde.

De oudste keek naar de anderen in de kamer. Hij wist dat zij ook voorzagen wat er zou komen.

Dit was het moment waarop het onomkeerbare proces begon. Ze zouden hun vertrouwen in het rijk opzeggen en aan zichzelf gaan denken. Net als hijzelf.

Struyk wist dat de centaurs dachten dat zijn groep niet zou terugkeren. Daar maakten ze dan ook geen geheim van.

Ze hadden de troep voorzien van uitstekende nieuwe wapens waar iedereen blij mee was. Coilla was vooral gelukkig met de twee perfect uitgebalanceerde werpmessen die ze had gekregen. Jup had onder andere een pracht van een strijdbijl, Alfré een goed zwaard, en Struyk het scherpste zwaard dat hij ooit had gezien.

De troep was onderweg en buiten gehoorsafstand van de centaurs, en de twijfels kwamen boven.

Haskier spuide zijn kritiek natuurlijk het luidst: 'In wat voor idioot plan sleur je ons nu weer mee?' gromde hij.

'Pas op je woorden, sergeant, ik heb je gewaarschuwd,' zei Struyk. 'Als je niet mee wilt, is dat prima. Ga dan ergens anders naartoe. Maar ik heb je horen zeggen dat je wilde bewijzen dat je de naam Veelvraat waard was.'

'Dat meende ik. Maar wat heeft dat voor zin als we op een zelfmoordmissie gaan?'

'Je overdrijft, zoals gebruikelijk,' zei Jup. 'Maar waar storten we ons in, Struyk?'

'Een verkenning. En als we iets tegenkomen wat we niet aankunnen, gaan we terug naar Drogan en zeggen Keppataun dat het onmogelijk is.'

'En dan?' vroeg Alfré.

'Dan proberen we nog eens te onderhandelen. Misschien heeft hij nog een andere taak die we kunnen uitvoeren. Zoals een goede heler voor hem zoeken.'

'Je weet dat hij daar niet in trapt, kapitein,' zei Haskier. Hij had gelijk. 'Als we die ster zo graag willen hebben, moeten we hem gaan halen. We zullen er toch wel om moeten vechten, dus waarom voeren we geen verrassingsaanval uit?'

'Omdat dat onze eer te na is,' liet Coilla hem verontwaardigd weten. 'We hebben gezegd dat we het zouden proberen. Dat houdt dus in dat we niet terugsluipen en hun de keel afsnijden.'

Alfré gaf haar bijval. 'We hebben ons woord gegeven. Ik hoop nooit te beleven dat een orc zich niet aan zijn woord houdt.'

'Oké, oké,' zuchtte Haskier.

Ze reden langs een heuvel waarop ziekelijk, vergeeld gras groeide. Een orc gaf een schreeuw en wees. Ze draaiden zich om en keken naar de heuveltop.

Er stond een wit paard met een ruiter. Hij droeg een lange blauwe mantel.

'Serapheim!' riep Struyk.

'Is dat hem?' vroeg Alfré.

'Dit is toch niet te gelóven?' zei Jup.

Coilla spoorde haar paard al aan. 'Ik wil met hem praten!'

Ze volgden haar in galop de heuvel op. Intussen verdween de man aan de andere kant uit het zicht.

Toen de troep boven aan de heuvel kwam, was er geen spoor van hem te bekennen. Maar hij had zich nergens kunnen verstoppen. Het terrein was min of meer vlak en ze konden in alle richtingen ver zien.

'Wat in de naam van het Viertal is er aan de hand?' vroeg Coilla.

Haskier draaide zijn hoofd speurend van de ene naar de andere kant, met een hand boven zijn ogen. 'Maar hoe? Waar? Dit kan niet!'

'Toch heeft hij het geflikt,' zei Jup.

'Hij moet daar ergens zijn,' redeneerde Coilla.

'Laat maar,' beval Struyk. 'Volgens mij is het tijdverspilling.'

'Vluchten kan hij wel, moet ik zeggen,' kon Haskier niet laten te zeggen.

Vanuit hun uitkijkpost zagen ze het begin van het Pitsteenmoeras. En daar voorbij, verder naar het westen, de oceaan met de onderbroken ketting van donkere eilandjes.

Jennesta had al veel te lang niet meer aan het hoofd van een leger gereden en persoonlijk de leiding over een campagne genomen.

Nou ja, het was eigenlijk eerder een missie, en misschien zelfs dat nog niet eens. Ze had geen vastomlijnder doel dan wat vijanden plunderen en ombrengen. En misschien hoopte ze dat ze tijdens haar reizen een aanwijzing zou vinden over waar de Veelvraten waren. Nu ze eindelijk iets had gedaan aan haar veel te ambitieuze zuster, had ze meer zin in het leven. Vooral in het nemen ervan.

Maar ze genoot vooral van het uitje. Het deed haar goed.

Ze waren nu meer dan een halve dag rijden van Steenburcht verwijderd, en hadden geluk. De verkenners maakten melding van een enivestiging die nog niet op de kaart stond. Zelfs haar spionnen wisten er niet van. Daar zou ze hen voor straffen wanneer ze terugkwam. Intussen leidde ze haar leger van orcs en dwergen, tienduizend koppen groot, in de richting van de enclave.

Als het cliché 'Een strijdbijl gebruiken om de schedel van een pixie in te slaan' al ergens van toepassing was, dan was het wel hier. De vestiging was een gammele, slecht verdedigde verzameling half afgebouwde hutten en schuren. De inwoners, misschien een stuk of vijftig inclusief de kinderen, hadden zelfs de muur om het dorp nog niet af.

Ze zag de mensen die zich hier dachten te vestigen als stommelingen; onwetende boeren die stom genoeg waren om in haar domein te gaan wonen.

Ze maakten het erger door zich over te geven. Ze wenste dat alle eni's zo gemakkelijk te vernietigen waren.

Wat volgde, bezorgde haar een welkome aanvulling op haar magische krachten – de harten van bijna veertig slachtoffers, gerukt uit de borst van degenen die ze had 'gespaard'. Ze had er natuurlijk maar een deel van kunnen opeten, maar de overvloed gaf haar de mogelijkheid iets te proberen wat ze in oude boeken had gelezen.

Voordat ze was vertrokken, had ze afgezanten naar het noorden gestuurd, naar de Hojangervlakte, om wagenladingen ijs en samengedrukte sneeuw te gaan halen. Het was goed verpakt in vaten die waren geïsoleerd met bont en was onderweg niet gesmolten. Ze liet de organen in de sneeuw verpakken, zodat ze die tijdens de rest van de reis kon gebruiken. Natuurlijk waren verse organen het beste, maar als het nodig was, had ze tenminste iets.

Als het werkte, zou ze ook sneeuw gebruiken om haar horde tijdens campagnes van voedsel te kunnen voorzien.

Jennesta kwam uit een van de hutten, tijdelijk voldaan door martelingen en andere geneugten, en veegde haar bebloede lippen af aan een kanten zakdoekje. Ze had zelfs zichzelf verrast met haar tomeloze energie. Misschien had de buitenlucht haar toch al gezonde lusten versterkt.

Mersadion leek niet zo blij met de situatie. Hij wachtte haar op, gezeten op zijn paard, stijfjes en met een zuur gezicht.

'Je kijkt niet blij, generaal,' zei ze terwijl ze haar handen afveegde. 'Bevalt onze overwinning je niet?'

'Natuurlijk wel, Majesteit,' antwoordde hij haastig, en hij lachte daarbij geforceerd.

'Wat is er dan?'

'Mijn officiers maken melding van onvrede onder de rangen, Vrouwe. Niet veel, maar ik maak me zorgen.'

'Ik dacht dat je daarbovenop zat, Mersadion,' zei ze. Ze deed geen moeite haar ongenoegen te verbergen. 'Heb je de lastposten niet laten executeren, zoals ik had bevolen?'

'Jawel, Vrouwe, meerdere uit elk regiment. Maar dat lijkt nog meer onrust te hebben veroorzaakt.'

'Vermoord er dan nog een paar. Waar klagen ze vandáág over?'

'Het schijnt dat sommigen uw bevel om deze vestiging te verwoesten eh... in twijfel trekken, Vrouwe.'

'Wát?'

Hij kromp ineen maar sprak verder. 'Er wordt gezegd, door een heel kleine minderheid natuurlijk, dat die gebouwen hadden kunnen dienen voor het onderbrengen van orcvrouwen en wezen van soldaten die in uw dienst zijn gesneuveld. Onschuldigen die anders verloren zouden zijn, Vrouwe.'

'Ik wíl dat ze verloren zijn! Als waarschuwing voor de soldaten. Een strijder die weet dat zijn echtgenote en nageslacht een dergelijk lot te wachten staat als hij faalt, zal beter zijn best doen.'

'Ja, Vrouwe,' zei Mersadion terneergeslagen.

'Ik begin me af te vragen of je de orde wel kunt bewaren, generaal.' Hij kromp ineen in zijn zadel. 'En zodra we in Steenburcht terug zijn, zullen we als eerste die radicalen uit de rangen verwijderen.'

'Vrouwe.'

'Haal nu een fakkel voor me.'

'Vrouwe?'

'Een fákkel! Alle goden, moet ik er soms eentje voor je tekenen?'

'Nee, Majesteit. Onmiddellijk.' Hij sprong van zijn paard en rende naar de verzameling gebouwen.

Terwijl ze ongeduldig wachtte tot hij terugkwam, zag ze een groep van haar oorlogsdraken door de hemel vliegen, bijna tegen de wolken aan.

Mersadion kwam aandraven met een houten fakkel. De kop van de fakkel was omwonden met doeken en in pek gedoopt. Hij gaf hem aan haar.

'Steek hem áán,' zei ze nadrukkelijk.

Hij prutste met vuurstenen terwijl ze ongeduldig toekeek. Eindelijk had hij een vlammetje gemaakt waarmee hij de fakkel aanstak.

'Geef hier!' blafte ze en ze griste het ding uit zijn handen. Ze ging bij de deur staan van het gebouw dat ze net had geschonden. 'Deze enivestiging is een nest van verdorvenheid. Alles behalve een totale vernietiging ervan brengt een boodschap van zwakheid over. En ik houd niet van zwakheid, generaal.' Ze gooide de fakkel naar binnen. De vlammen verspreidden zich razendsnel. De paar mensen in de hut die ze had laten leven, begonnen te schreeuwen.

Ze liep naar haar paard en steeg op. Hij volgde haar voorbeeld.

'Zet de troepen in beweging,' beval ze. 'We gaan op zoek naar het volgende nest.'

Terwijl ze wegreden, keek Jennesta over haar schouder. Het vuur was niet meer te stuiten.

'Als je wilt dat iets goed gebeurt, moet je het zelf doen,' zei ze vrolijk tegen de generaal, 'zoals mijn geëerde moeder Vermegram altijd zei.'

21

Het leek wel alsof het Pitsteenmoeras zijn eigen weer had.

Niet dat de omstandigheden hier anders waren dan op de vlakte die ze zojuist hadden verlaten, maar er was méér van. De wolken hingen lager, de regen was aanhoudender, de wind was feller. En het was kouder. Misschien kwam het doordat de wind over het oprukkende ijs in het noorden blies en nergens door gebroken werd. Er waren geen bergen of bossen om de wind te temperen en zodra de luchtstromingen hier aankwamen, werden ze samengevoegd met de koude lucht vanaf de grote Norantellia Oceaan.

De troep stond aan de rand van het moeras, dankbaar voor hun nieuwe bonten wambuizen, en keek uit over het naargeestige landschap.

Voor hen strekte zich een eindeloos zompig terrein van zwarte modder en zand uit. Het terrein zat vol greppels en zelfs kleine meren met zwart, stroperig water. Hier en daar stonden dode bomen, een teken van de smet die zich verspreidde. Het stonk er naar rottende vis en andere, nog minder gezonde dingen. Er was geen teken van leven, zelfs geen vogel te zien.

Vanaf hun uitkijkpunt, iets hoger dan het moeras zelf, zagen ze de kust van de oceaan. Het water was traag en grijs. De inktzwarte contouren van de Malkor Eilanden lagen verderop, gehuld in mist en verlaten. Ergens daarbuiten, onder de golven, probeerden de meerz wanhopig in leven te blijven.

Het was een troosteloze aanblik, en Struyk kon het niet laten het te vergelijken met het prachtige zeezicht uit zijn dromen.

'Oké,' zei Haskier. 'We hebben gekeken, het staat me niet aan, laten we teruggaan.'

'Wacht even,' zei Struyk. 'Ik zei dat we op verkenning gingen.'

'Ik heb genoeg gezien. Het is een woestenij.'

'Wat had je dan verwacht?' vroeg Jup. 'Dansende meisjes die rozenblaadjes voor je voeten gooien?'

Coilla onderbrak het geruzie door te vragen: 'Hoe pakken we dit aan, Struyk?'

'Volgens Keppataun ligt het nyaderijk aan de andere kant van het moeras, aan de rand van de oceaan. Dus veel ervan ligt onder water.'

'Geweldig,' mompelde Haskier. 'We worden vissen.'

Struyk negeerde hem. 'Maar het paleis van Adpar is schijnbaar zowel vanuit het water als vanaf het land te bereiken. Ik denk dat we op volle sterkte naar binnen moeten, met uitzondering van degenen die bij de paarden blijven.'

'Ik hoop niet dat je die taak voor mij in gedachten had,' zei Alfré. Hij klonk geïrriteerd.

Het was zijn leeftijd weer, dacht Struyk. Hij werd er steeds gevoeliger over. 'Natuurlijk niet. We hebben je nodig. Maar we kunnen de paarden niet meenemen. Talag, Liffin, dat is jullie taak. Het spijt me, maar het is belangrijk.'

Ze knikten bedroefd. Geen enkele orc wilde achterblijven met een routinetaak wanneer er gevochten kon worden.

Jup bracht het gesprek terug naar het onderwerp. 'Recht eropaf? Zonder te verkennen?'

'Nee. We gaan het moeras door en als het er goed uitziet, gaan we naar binnen. Ik wil hier niet langer blijven dan nodig is.'

'Dáár ben ik het tenminste mee eens,' zei Haskier.

'Denk eraan, Keppataun zei dat er problemen zijn in Adpars rijk,' vervolgde Struyk. 'Dat kan ons helpen, maar dat hoeft niet. Als de grond te heet onder onze voeten wordt, gaan we ervandoor zonder te vechten. Het voortbestaan van onze troep is belangrijker dan een beetje knokken.'

Jup knikte. 'Mij best.'

Struyk keek naar de hemel. 'Laten we gaan voordat het echt

begint te regenen.' Tegen Talag en Liffin zei hij: 'We blijven niet lang weg. Geef ons voor de zekerheid tot morgen deze tijd. Als we dan niet terug zijn, zijn jullie ontheven van jullie verplichtingen tegenover de troep. Jullie kunnen de paarden verkopen. Daarmee redden jullie het wel een tijdje.'

Na die ontnuchterende woorden liep de troep weg.

'Blijf bij elkaar en hou je ogen open,' zei Struyk. 'Hak alles wat beweegt in de pan.'

'Het gebruikelijke, dus,' zei Jup.

'Denk eraan: zij zijn hier in hun element,' vervolgde Struyk. 'Ze kunnen zowel in de lucht als in het water leven. Wij niet. Begrepen, Haskier?'

'Ja.' Toen zei hij: 'Waarom vertel je míj dat?'

Ze liepen het moeras in. Het was er even stil als in het Droganwoud. Maar het was een ander soort stilte. In het woud was het vredig, hier was het onrustig, kwaadaardig. Waar Drogan een belofte was, was dit een dreiging. Net als in het woud fluisterden ze met elkaar, al wisten ze dat het niet nodig was; er was geen enkele plek waar een vijand zich zou kunnen verstoppen.

De grond was soppig en sponzig. Struyk keek om en zag dat Haskier een eindje bij de anderen vandaan liep. 'Blijf bij elkaar,' riep hij. 'We weten niet welke verrassingen dit terrein in petto heeft.'

'Maak je niet druk, baas,' zei Haskier nonchalant. 'Ik weet wat ik doe.'

Er klonk een luid, zuigend geluid. Haskier zakte onmiddellijk tot aan zijn middel in de bagger.

Ze renden naar hem toe. Hij zonk nog verder.

'Niet worstelen; dan maak je het erger,' zei Alfré.

'Haal me hieruit!' Hij zakte nog wat verder weg. 'Sta daar niet te staan! Dóé iets!'

Struyk vouwde zijn armen over elkaar. 'Ik overweeg je tot aan je lippen te laten wegzakken. Misschien hou je dan je kop.'

'Kom op, kapitein!' smeekte zijn sergeant. 'Het is verrekte koud!'

'Oké, haal hem eruit.'

Met enige moeite trokken ze hem uit de blubber. Hij vloekte. Zijn kleren waren smerig en zaten onder het kleverige, zwarte slijm.

'Gadverdamme, ik stink!' klaagde Haskier.

'Maak je niet druk,' zei Jup. 'Niemand die het merkt.'

'Wees jij het Viertal maar dankbaar dat jij er niet in bent gevallen, onderkruipsel! Twee voet en je zou kopje onder zijn gegaan.'

Coilla bedekte haar grijns met een hand.

'Vanaf nu blijven we bij elkaar, hè?' stelde Struyk voor.

Ze gingen verder. Haskier liep grommend in zijn laarzen te soppen.

Na een uur omzichtig lopen, zagen ze voor zich een rij onregelmatig gevormde rotsen. Struyk gaf de troep het bevel zich te verspreiden.

Toen ze de rotsen bereikten, waren die hoger dan ze hadden verwacht. Ze torenden boven hen uit, en in enkele rotsen zaten grotten. In een of twee rotsen zaten grote gaten waardoor ze de oceaan konden zien.

Coilla fronste haar voorhoofd. 'Als dit de rand van het nyaderijk is, waar zijn de wachters dan?'

'Ik weet het niet,' zei Struyk. 'Misschien zijn ze verderop.'

'Dus waarheen?' vroeg Alfré.

'Keppataun zei dat ten minste één van die ingangen leidt naar waar we moeten zijn. Jammer dat hij niet meer wist welke. Kies er maar een.'

Alfré dacht even na en wees. 'Die.'

Ze naderden voorzichtig en gingen naar binnen. Het was alleen maar een grot.

'Goed dat we geen wedje hadden gelegd, Alfré,' pestte Haskier. 'Wat nu, Struyk?'

'We zoeken verder.'

Ze probeerden nog drie ingangen, maar zonder resultaat.

'Ik word ziek van die grotten,' zei Haskier. 'Ik voel me net een vleermuis.'

Toen koos Coilla er een uit die veelbelovend leek. Hij liep een

241

heel eind door, zodat ze nauwelijks genoeg licht van de ingang hadden. Maar aan het eind vonden ze een natuurlijke boog. Ze slopen ernaartoe. De boog gaf toegang tot een steile tunnel omlaag, die leek op een glijbaan. Onder aan de tunnel zagen ze een groene gloed.

Met getrokken wapens gingen ze snel de tunnel in, bedacht op moeilijkheden.

In plaats van de nyaden die ze verwacht hadden te zien, bevonden ze zich in een spelonk. Het was er vochtig en klam. De groene gloed werd veroorzaakt door honderden stukjes koraalachtig materiaal die uit de wanden en het plafond staken.

Alfré bekeek de lichtgevende groene stukjes. 'Ik weet niet wat dit voor spul is, maar het is verrekte handig,' fluisterde hij.

'Mooi,' zei Haskier. Hij brak een groot stuk van het materiaal af en gaf het aan Alfré.

'Pak nog wat meer,' zei Struyk.

Enkele knorren begonnen stukjes groen koraal te verzamelen.

Er was maar één weg mogelijk – door een smalle tunnel in de achterste wand. In tegenstelling tot de spelonk, was de tunnel niet verlicht, dus kwamen de provisorische fakkels goed van pas. De troep ging de tunnel binnen, Struyk voorop.

De tunnel bleek nogal kort en leidde naar een ronde grot. De wanden van de grot waren hoog, maar het plafond was open. Er kwamen nog drie donkere tunnels op uit. Overal stroomde het water vrijelijk tot aan hun enkels.

'Tijd om te kiezen,' zei Coilla.

'Sst,' zei Alfré met een vinger op zijn lippen.

De groep bleef stokstijf staan. Ze hoorden iets klotsen. Er kwam iets aan door een van de tunnels. Ze konden niet horen uit welke.

Struyk leidde hen terug naar de schacht waaruit ze waren gekomen, en de knorren stopten de gloeiende stukken koraal weg. Er kwamen twee nyaden uit de middelste tunnel tevoorschijn. Ze verplaatsten zich op de karakteristieke, glijdende manier van hun ras en bewogen zich voort op hun enorm sterke buikspieren. Deze wezens voelden zich waarschijnlijk meer thuis in het water en zouden daar ook veel sierlijker zijn, maar ze hadden duidelijk ook geen probleem met het vaste land. Ze waren op een punt in hun evolutie aanbeland waarop de weegschaal naar het land óf het water zou doorslaan, maar op dit moment was nog niet duidelijk wat het zou worden.

Ze waren bewapend met hun traditionele getande wapen dat half zwaard, half speer was, gemaakt van harde schalie uit de oceaandiepte. Ze hadden koraaldolken aan hun halters gebonden.

Alfré fluisterde: 'Twee maar?'

'Ik denk het. Probeer er één in leven te houden, Jup, en hou onze achterhoede in de gaten.'

Op zijn teken sprongen Alfré, Haskier en Coilla samen met Struyk te voorschijn en vielen de nyaden aan. Ze werden geholpen door drie of vier knorren.

De wezens waren verrast en in de minderheid, en hadden dus geen schijn van kans. Alfré en Haskier sloegen een van hen op het hoofd en de nek tot hij omviel. Struyk en Coilla grepen de andere en verwondden hem. Hij ging neer, maar de wonden waren niet meteen dodelijk. Hij lag te hijgen als een grote, gepantserde slak en zijn bloed vermengde zich met het stromende water.

Struyk knielde naast hem neer. 'De koningin,' vroeg hij. 'Welke kant op naar het paleis?'

De nyade ademde trillend maar gaf geen antwoord.

'Waar is de koningin?' herhaalde Struyk op dreigende toon en zette de punt van zijn zwaard op de keel van de nyade.

Met moeite tilde de nyade een arm op en wees bevend met zijn zwemvlieshand naar de rechtertunnel.

'Het paleis?' drong Struyk aan. 'Die kant op?'

De nyade knikte zwakjes met zijn grote hoofd. Toen liet hij het achterovervallen.

'Ik hoop voor je dat je niet liegt,' waarschuwde Haskier.

'Doe geen moeite,' zei Coilla. 'Hij is dood.'

Jup en de rest van de troep kwamen tevoorschijn. Ze lieten de lijken liggen. Voorzichtig gingen ze de rechtertunnel binnen en haalden de gloeiende stukken koraal weer onder hun wambuis vandaan.

Deze tunnel bleek langer te zijn dan de vorige. Uiteindelijk kwamen ze in een ander gedeelte, dat aan de bovenkant open was. Maar nu stonden ze op een richel. Voor hen waren ongelijke stenen treden, opgestapelde stukken steen die omlaag leidden naar nog meer gangen en tunnels.

Voor hen, en een stuk hoger, zagen ze een enorm, ingewikkeld bouwwerk. Het was een bizarre samensmelting van de natuur en het werk van de nyaden en er was geen enkele rechte lijn of toren zonder draaiing te bekennen. Met de rotsen, schelpen en wieren kreeg alles een nat glanzend, organisch aanzien.

'Gevonden,' zei Struyk.

Jup trok aan zijn mouw en wees omlaag. Een tiental treden lager, ver naar links, was iets gaande. Twee groepen nyaden vochten tegen elkaar. Het was een felle, ongenadige strijd, en verschillende vechters gingen bloedend ten onder terwijl de troep toekeek.

'Keppataun had gelijk, er zijn hier inderdaad problemen,' zei Coilla.

'Als het hier een chaos is, is dat de perfecte dekking voor ons,' voegde Jup eraan toe. 'We zijn hier op het juiste moment.'

'Maar als er een burgeroorlog gaande is,' redeneerde Struyk, 'dan is Adpar misschien al dood.'

'Als ze wijs regeerde, zou dit niet mogen gebeuren,' zei Coilla. 'Wat voor soort vorstin is nu zo egoïstisch dat ze haar rijk mét haar ten onder laat gaan?'

'Het gebruikelijke soort, van wat ik gezien heb,' zei Jup. 'En ze is een zuster van Jennesta, weet je nog? Misschien zit het in de familie.'

Struyk wees naar een brede gang direct vooruit en beneden hen, die leek te leiden naar het paleis. 'Kom, we gaan.'

Ze slopen gebukt verder om niet te worden gezien door de vechtende groepen en gingen snel de treden naar de gang af. Ze bereikten de gang echter zonder moeilijkheden. Zodra ze eenmaal binnen waren, zag het er heel anders uit.

Na twintig passen maakte de tunnel een scherpe bocht. Voor ze daar waren, kwamen er vijf nyaden de hoek om. Vier van hen waren bewapend en leken het geleide te zijn van de vijfde, maar hij zag er niet uit als een gevangene.

Beide groepen waren verrast, maar dat duurde niet lang. De nyaden grepen hun wapens.

Coilla schakelde een van hen direct uit met een goed gemikt werpmes. Ze wist hoe dik de huid van deze wezens was en had op zijn hoofd gemikt. Hij kreeg haar mes in zijn oog.

De rest werd snel door middel van handgevechten uitgeschakeld, aangezien de orcs veruit in de meerderheid waren.

Haskier greep zijn zwaard in beide handen en knuppelde zijn tegenstander eenvoudig naar de andere wereld. Alfré en Jup werkten samen en hakten vastberaden op hun tegenstander in. Hij ging neer met een overdaad aan verwondingen. Verschillende knorren overmeesterden en doodden de overgebleven nyade.

Coilla haalde haar mes terug. Het was het beste wapen dat ze ooit had gehad.

Nu was alleen de ongewapende nyade nog over. Hij kromp ineen. 'Ik ben oudste! Geen strijder! Spaar mij. Spáár mij!' smeekte hij.

'Waar is Adpar?' vroeg Struyk.

'Wát?'

'Als je wilt leven, breng ons dan naar haar toe.'

'Dat kan...'

Haskier zette hem het zwaard op de keel.

'Goed, goed,' zei de oudste snel. 'Ik breng jullie naar haar toe.'

'Geen geintjes,' waarschuwde Jup.

Hij leidde hen door een doolhof van stenen gangen vol korstmos. Net als overal in het land van de nyaden, waadden ze ook hier steeds door een laagje water.

Uiteindelijk bereikten ze een brede gang die werd verlicht door stukken gloeiend koraal. Aan het eind van de tunnel waren twee grote deuren die werden bewaakt door twee wachters. De troep gaf hun niet de tijd te reageren, maar ze sprongen allemaal tegelijk op hen af en hakten hen aan mootjes. Het hoofd van de een was bijna volledig van zijn romp gescheiden.

Een paar knorren sleepten de lijken uit het zicht. De doodsbange oudste werd naar voren getrokken.

'Is er iemand binnen, behalve zij?' vroeg Struyk.

'Ik weet het niet. Een heler, misschien. Ons rijk is vervuld van onrust. Rivaliserende groepen vliegen elkaar naar de keel. Voorzover ik weet, kan de koningin al wel dood zijn.'

'Verdomme!' riep Jup.

De oudste keek verbaasd. 'Zijn jullie hier dan niet om haar te vermoorden?'

'Het is te ingewikkeld om uit te leggen,' zei Alfré. 'Maar het is belangrijk dat ze nog leeft.'

Struyk knikte en ze voelden voorzichtig aan de deurklink. De deuren waren niet op slot. Ze gooiden ze open en stormden naar binnen.

Er was niemand in de kamer behalve de koningin zelf op haar bed van wier. De orcs waadden naar haar toe.

'Goden,' mompelde Coilla toen ze het gezicht van de koningin zag. 'Ze lijkt sprekend op Jennesta.'

'Ja,' zei Alfré. 'Het zet je wel met beide benen op de grond.'

'En op het laatst hebben ze haar alleen gelaten,' zei Jup.

'Dat zegt veel over wat ze van haar vinden, nietwaar?' antwoordde Coilla.

'Maar leeft ze nog?' wilde Struyk weten.

Alfré onderzocht haar snel. 'Nog net.'

De oudste was vergeten en sloop naar de deur. Hij rende de gang uit en riep: 'Alárm! Alárm!'

'Shit,' zei Struyk.

'Laat hem maar aan mij over,' snauwde Coilla.

Ze vloog naar de deur en greep een mes. Ze strekte haar arm achterover. Het projectiel kwam achter in de nek van de vluchtende nyade terecht. Hij viel met een draai en veroorzaakte een grote plons.

'Ik zei toch dat het goeie messen waren,' zei Coilla.

Struyk zette een paar knorren op de uitkijk bij de deur en ze richtten hun aandacht weer op Adpar.

'We hebben tot nu toe geluk gehad,' zei hij. 'Dat duurt niet meer lang. Denk je dat ze ons kan horen, Alfré?'

'Moeilijk te zeggen. Ze is ver heen.'

Struyk leunde over haar heen. 'Adpar. Adpar! Luister. Je bent stervende.'

Ze bewoog haar hoofd een beetje op het kussen van groen.

'Luister, Adpar. Je bent stervende en dat is de schuld van je zuster, Jennesta.'

De koningin bewoog haar lippen; getergd, maar zwakjes.

'Luister, nyadekoningin. Je eigen zuster heeft je dit aangedaan. Het was Jennesta. Jennésta.'

Adpars oogleden bewogen en haar lippen trilden. Haar kieuwen flapperden zachtjes. Verder bewoog ze niet.

'Het is hopeloos,' zuchtte Coilla.

Haskier zei: 'Ja, geef toe, Struyk, dit wordt niks. Het heeft geen zin om hier te blijven staan en almaar Jennesta, Jennesta te zeggen.'

Struyk was terneergeslagen. Hij begon zich af te wenden van het doodsbed. 'Ik dacht alleen...'

'Wacht!' riep Jup. 'Kijk!'

Struyk bleef staan.

'Het begon toen Haskier haar naam herhaalde,' meldde Jup.

Adpars wimpers werden vochtig. Toen verscheen er een enkele traan die langs haar wang naar beneden rolde.

'Snel!' siste Alfré. 'Het flesje!'

Struyk pakte het piepkleine flesje en probeerde het tegen Adpars wang te leggen, maar hij was te klunzig.

'Hier,' zei Coilla en nam het flesje van hem over. 'Hier is een vrouwenhand voor nodig.'

Heel voorzichtig zette ze de hals van het flesje onder de traan en drukte Adpars wang een beetje in. De traan rolde in het flesje. Coilla zette de kurk erop en gaf het flesje terug aan Struyk.

'Ironisch, hè?' zei ze. 'Ik wed dat ze nog nooit van haar leven een traan heeft gelaten over al het leed dat ze anderen heeft aangedaan. Maar zelfmedelijden heeft haar wel aan het huilen gebracht.'

Struyk bekeek het flesje. 'Weet je, ik dacht nooit dat dit zou lukken.'

'Daar komt hij nú mee,' gromde Haskier.

'En de goden waren met ons,' zei Alfré. Hij liet Adpars pols los. 'Ze is dood.'

'Mooi dat haar laatste daad was om een van haar eigen slacht-offers te genezen,' vond Struyk.

'En nu hoeven we hier alleen nog maar weg,' zei Jup.

22

Jennesta besprak strategieën met Mersadion toen het gebeurde.

Ze voelde hoe de werkelijkheid zichzelf opnieuw vormde, soepel werd, veranderde. Ze kreeg een soort visioen, al was het dat niet precies. Het was meer een overstelpend wéten, de zekerheid dat er iets heel belangrijks was gebeurd. En tegelijk met die kennis kwam iets anders, een duidelijke en levendige boodschap, bij gebrek aan een beter woord, die ze minstens even opwindend vond.

Jennesta had nog nooit zo'n gevoel gehad. Ze dacht dat het waarschijnlijk voortkwam uit de telepathische band die ze onvrijwillig met haar zuster had. Had gehád, verbeterde ze zichzelf. Adpar was dood. Dat wist Jennesta zeker. En ze wist nog meer.

Ze had niet beseft dat ze haar ogen gesloten had, of dat ze haar stoel had vastgegrepen om zich in evenwicht te houden. Haar gedachten klaarden weer op. Ze ging rechtop zitten en ademde diep in.

Mersadion staarde haar verschrikt aan. 'Is alles... goed met u, Majesteit?' waagde hij te vragen.

Ze knipperde met haar ogen en vermande zich. 'Goed? Ja, het gaat goed. Sterker nog, ik voel me beter dan ooit. Ik heb nieuws gekregen.'

Hij begreep niet hoe dat kon. Ze was halverwege haar zin gestopt en leek ieder moment te kunnen flauwvallen. Er was geen boodschapper binnengekomen en er was geen briefje de tent binnengebracht. Hij hield op naar haar te staren en vroeg: 'Goed nieuws, hoop ik?'

'Inderdaad. Het vieren waard. Op meer dan één manier.' Haar dromerige, afwezige uitdrukking verdween. Op vastberaden toon, zoals hij van haar gewend was, snauwde ze: 'Breng me een kaart van het westelijk gebied.'

'Vrouwe.' Hij haastte zich.

Ze legde de kaart op tafel en omcirkelde met een van haar overdreven lange nagels een gebied rond Drogan en het Pitsteenmoeras. 'Daar,' zei ze.

Hij was weer verbaasd. 'Daar... Wat, Majesteit?'

'De Veelvraten. Ze zijn daar in de buurt.'

'Pardon, Vrouwe, maar hoe weet u dat?'

Ze lachte triomfantelijk en kil. 'Neem het maar gewoon van me aan, generaal. Dáár zijn ze. Of ten minste één van hen – hun leider Struyk. We vertrekken zo snel als je het leger in gereedheid kunt brengen. Binnen twee uur, dus.'

'Twee uur is heel krap, Majesteit, voor zo'n groot leger.'

'Spreek me niet tégen, Mersadion,' brieste ze. 'We moeten opschieten. Dit is de eerste sterke aanwijzing die we hebben over de vindplaats van die verdomde strijdtroep. Die mogen we niet verspillen doordat jij zo sloom bent. Ga nu en regel het!'

'Majesteit!' Hij rende naar de tentopening.

'En stuur als de donder Glozellan hierheen,' voegde ze eraan toe.

De drakenmoer verscheen enkele minuten later. Zonder inleiding wees Jennesta op de kaart. 'Ik heb informatie dat de Veelvraten daar in de buurt zijn. Ga er met een ploeg draken naartoe, voor het leger uit. Speur het terrein alvast af. Maar val níét aan, behalve als het echt moet. Dring ze in een hoek als het moet, maar ik wil dat ze nog heel zijn als ik aankom.'

'Ja, Majesteit.'

'Nou, sta daar niet te staan! Lopen!'

De arrogante nachtelf maakte een kleine buiging en glipte de tent uit.

Jennesta verzamelde wat ze nodig had voor de reis. Voor het eerst in weken had ze een goed gevoel. En ze was van Adpar af, wat een grote opluchting was.

Toen had ze het idee dat de lucht in de tent... dikker werd. Het licht werd gedimd, ondanks de lampen. Ze dacht dat het net zoiets was als wat ze eerder had gevoeld, en vroeg zich af wat de kosmos haar nog meer voor nieuws te melden had.

Maar ze vergiste zich. Het was inmiddels bijna helemaal donker in de tent. Op een paar passen afstand ontstond een piepklein lichtje, dat al snel gezelschap kreeg van vele andere. Ze wervelden rond en namen een vorm aan. Jennesta bereidde zich voor op een magische aanval.

Er hing een vlek pulserend licht in de lucht. De vlek trok zich samen en kreeg een herkenbare vorm. Een gezicht.

'Sanara!' riep ze. 'Hoe deed je dat, verdomme?'

Het lijkt erop dat mijn krachten sterker worden, legde haar enig overgebleven zuster uit. Maar daar kom ik niet voor.

'Waarvoor dan wel?'

Jouw slechtheid.

'O, jij ook al?'

Hoe kón je, Jennesta? Hoe kon je je eigen zuster zoiets aandoen?

'Jij vond haar altijd net zo...' ze zocht naar een woord. 'Net zo afstotelijk als ik! Waarom ben je van gedachten veranderd?'

Ik dacht altijd dat ze nog wel te redden was. Ik wilde haar niet zien sterven.

'Natuurlijk neem je aan dat ik er iets mee te maken had.'

Toe nou, Jennesta.

'Nou, en wat dan nog?' antwoordde ze verdedigend. 'Ze heeft het verdiend.'

Wat jij gedaan hebt is niet alleen kwaadaardig, het maakt een toch al onzekere situatie nóg ingewikkelder.

'Wat bedoel je daar nu weer mee?'

Dit spel dat je speelt, met de relikwieën. Dat je op zoek bent naar nóg meer destructieve kracht. Er zijn andere spelers ten tonele verschenen, zuster, en die hebben misschien nog wel meer macht dan jij.

'Wie? Waar heb je het over?'

Toon berouw. Nu het nog kan.

'Geef antwoord, Sanara! Schotel me geen clichés voor! Wat heb ik te vrezen?'

Aan het einde, alleen jezelf.

'Vertel het me!'

Ze zeggen dat wanneer de barbaren aan de poort staan, de beschaving zo goed als dood is. Wees geen barbaar, Jennesta. Wijzig je gedrag, beter je leven.

'Je bent zo'n verdomde fatsoensrakker!' brieste Jennesta. 'En váág ook nog. Leg uit!'

Ik denk dat je wel weet wat ik bedoel, diep vanbinnen. Denk niet dat wat je Adpar hebt aangedaan onopgemerkt blijft, of ongestraft.

De beeltenis van haar gezicht vervaagde en verdween, hoe Jennesta ook tierde.

In een andere tent, voor Maras-Dantiaanse begrippen niet zo ver weg, spraken een vader en dochter met elkaar.

'Je hebt het beloofd, pappie!' jammerde Genade Hobrauw. 'Je zei dat ik de opbrengst zou krijgen.'

'En dat gebeurt ook, popje, dat gebeurt ook. Ik heb gezegd dat ik het erfgoed voor je terughaal, en dat meende ik. We zijn nu bezig te achterhalen waar die ondermensen naartoe zijn.'

Ze tuitte haar lippen op een overdreven manier. 'Duurt dat lang?'

'Nee, niet lang meer. En het duurt niet meer lang voor ik een koningin van je maak. Je wordt een dienares van onze Heer, en samen ontdoen we dit land van die monsters.' Hij stond op. 'Droog je tranen. Ik moet me weer aan deze taak wijden.' Hij kuste haar op de wang en liep de tent uit.

Kimbal Hobrauw liep een paar meter naar een vuur waar een groep bewaarders omheen stond. De lijken van drie orcs lagen ernaast. Ze waren net klaar met een vierde, die nog leefde.

Hobrauw knikte naar de ondervrager. 'En?'

'Ze zijn taai. Maar deze brak uiteindelijk, prijs de Heer.'

'En?'

'Ze zijn naar Drogan.'

Korporaal Trispeer haalde nog eenmaal reutelend adem voor hij stierf.

De almaar toenemende chaos hielp de troep uit het paleis van Adpar te ontsnappen. Ze sloegen een paar keer de verkeerde gang in in de doolhof van tunnels en moesten dan vechten met de wachters die ze tegenkwamen, maar het merendeel van de bevolking was te druk met zijn eigen gevechten.

De uitgang die ze vonden, was echter niet de gang waardoor ze binnen waren gekomen.

'Volgens mij zitten we verder naar het noorden,' zei Struyk.

'Wat doen we nu? Gaan we weer naar binnen?' vroeg Jup.

'Nee, dat is te gevaarlijk.' Hij wees. 'Als we dat water daar kunnen oversteken en dan naar het oosten lopen, komen we vast bij het moeras waar we de paarden hebben achtergelaten.'

Coilla fronste haar voorhoofd. 'Dat is nogal een omweg.'

'Ik denk dat het gevaarlijker is om die gangen weer in te gaan. Het zal niet meer lang duren voor een van die groepen wint en ze weer oog krijgen voor indringers.'

'Laten we gaan,' stelde Alfré voor. 'We zijn hier veel te zichtbaar.'

Ze liepen snel over een terrein met puntige rotsen, bereikten een stuk vlakke grond en stonden toen aan de rand van het water. Het was bedekt met groenig schuim.

'Het ruikt even aangenaam als al het andere hier,' zei Haskier. 'Hoe diep zou het zijn, Struyk?'

'Er is maar één manier om daarachter te komen.' Hij liet zich in het water zakken. Het was koud maar kwam slechts tot zijn middel. 'De grond is een beetje zacht, maar verder gaat het wel. Kom.'

Ze volgden hem, hun wapens hoog in de lucht, en waadden achter hem aan.

'Hier zouden we extra voor betaald moeten krijgen,' klaagde Haskier.

'Extra?' zei Jup. 'We krijgen helemaal niet betaald, sergeant.'

'O, ja, dat was ik even vergeten.'

Ze liepen een minuut of tien door. Het zag ernaar uit dat ze het zouden redden. De oever van het moeras kwam in zicht.

Toen bewoog het water een paar meter voor hen ineens. Er

kwamen luchtbellen naar boven. De troep bleef staan.

Ook op andere plaatsen verschenen kleine draaikolken en luchtbellen.

'Misschien was dit toch niet zo'n goed idee,' mompelde Jup.

Er spoot een waterstraal omhoog. Recht voor hen dook een nyade op.

Kort erna kwamen er nog twee uit het smerige water omhoog, met hun getande wapens in de hand.

'Weet je nog wat je zei over hun eigen element, Struyk?'

'We kunnen nu niet meer terug, korporaal.'

Ze draaiden zich om toen ze achter zich water hoorden klotsen. Er kwamen nog meer nyaden naar boven. Ze kwamen op de orcs af, van voren en van achteren.

'Tijd om wat vis te fileren,' vond Struyk.

De achterste soldaten draaiden zich om, geleid door Jup en Haskier. Struyk, Coilla en Alfré vormden de voorste linie. Er waren meer orcs dan nyaden, maar doordat ze in het water zouden moeten vechten, waren de kansen min of meer gelijk, dacht Struyk.

Hij hield zijn zwaard in de ene hand en een mes in de andere, en haalde uit naar het dichtstbijzijnde wezen. Hij raakte het korstige pantser van de nyade en berokkende hem wat schade. Er droop bloed uit de wond, maar die was niet voldoende ernstig om de vijand uit te schakelen. Struyk zette zijn kaken op elkaar en sloeg nogmaals toe, deze keer met de hulp van twee knorren die de nyade van weerszijden aanvielen. Ze dwongen hem onder te duiken.

Coilla begon messen te gooien naar de hoofden van de vijand, maar bij elke worp raakte ze een mes kwijt, en zoveel had ze er niet. Twee messen gingen verloren, maar het derde raakte de zijkant van het hoofd van een nyade. Het wezen brulde en verdween onder water. Op het wateroppervlak dreef een wolk van bloed.

Een triomfantelijke kreet van een van de knorren achter hen gaf aan dat de dood van de eerste nyade een feit was.

'Het worden er al minder,' riep Struyk, 'maar het gaat niet snel genoeg! Als er nog meer komen...'

Hij zweeg toen een van de nyaden met een getande speer op hem afkwam. De strijder haalde naar hem uit. Struyk bukte en kwam onder het wateroppervlak terecht. Het smerige, koude water sloot zich boven zijn hoofd. Hij telde tot drie, hopend dat de speer weg was, en kwam weer boven.

De nyade stond bijna boven op hem. Struyk ramde zijn zwaard uit alle macht in de maag van het wezen. Het pantser kraakte en brak. Er vloeide bloed. Toen spoot er nog een dikke straal uit de mond van het wezen en ging het onder. Struyk hoestte een mondvol smerig water op.

Haskier en Jup stonden van twee kanten op een vijand in te hakken. Ze hadden al een van zijn armen verwond, en de nyade probeerde hen op een afstand te houden.

Haskier waadde vooruit en mikte op de nek van het wezen. De nyade dook instinctief naar de bescherming van het water. Hij had beter de andere kant uit kunnen gaan. Het zwaard hakte zijn hoofd doormidden en zijn hersens plonsden in het water.

Er waren nog maar vier nyaden over, en hoewel ze er moorddadig uitzagen, dacht Struyk wel dat ze ze aankonden. De hele troep wierp zich op drie van hen.

Behalve Coilla, die zich op de overgebleven nyade stortte. Ze zag niet dat er naast haar nog een uit het water opdook. Ze draaide zich op het laatste moment om en besefte dat ze twee tegenstanders had. De een hief zijn zwaard.

Kestix had het gezien. 'Kijk uit, korporaal!' schreeuwde hij, en hij spetterde haar kant uit.

Hij ging tussen haar en het zwaard van de nyade staan. Als hij dacht het met zijn eigen wapen te kunnen afslaan, had hij het mis.

Het messcherpe wapen van de nyade kwam in zijn borst terecht en doorsneed die alsof hij van boter was. Het bloed spoot alle kanten op en Kestix schreeuwde van pijn.

'Néé!' schreeuwde Coilla. Toen moest ze zich indekken tegen de andere aanvaller, en ze blokkeerde zijn zwaard met het hare.

Kestix leefde nog, maar was zwaargewond en was door zijn tegenstander vastgegrepen. Hij verzette zich zwakjes. De anderen hadden zijn kreten gehoord. Verschillende orcs, onder wie Struyk, waren naar hem onderweg.

Ze kwamen net op tijd aan om hem onder water te zien verdwijnen, meegesleurd door de duikende nyade. Er bleef alleen een bloedige wolk op het oppervlak achter.

Enkele knorren doken onder om hun kameraad te redden.

'Vergeet het!' beval Struyk. 'Het is te laat voor hem.'

Ze reageerden al hun woede over de dood van hun kameraad af op de overgebleven nyaden. Toen ze hen bijna verslagen hadden, verschenen er overal om hen heen nog meer wervelingen en luchtbellen in het water.

'Shit, Struyk,' hijgde Jup. 'Dit houden we niet meer lang vol!'

De troep zette zich schrap.

Er verschenen hoofden boven water.

Maar het waren geen nyaden. Het waren meerz. Tientallen meerz, gewapend met driepuntige speren en dolken.

'Goden!' riep Alfré. 'Hebben zij het nu ook al op ons voorzien?'

'Ik denk het niet,' antwoordde Struyk.

Hij bleek gelijk te hebben. De meerz vielen op de overgebleven nyaden aan en hakten ze aan stukken met een furie die zijn oorsprong had in de onrechtvaardigheid die hun was aangedaan.

Een van de meerz draaide zich om en stak bij wijze van saluut een druipende hand op naar de orcs.

Struyk was niet de enige die zijn groet beantwoordde.

'We zijn hun wat schuldig,' zei hij tegen zijn kameraden. 'Laten we maken dat we wegkomen.'

Ze lieten de slachting achter zich en waadden naar de oever, treurend over Kestix.

23

De tocht terug naar Liffin en Talag verliep in een sombere stemming. Het was niet veel beter onderweg terug naar Drogan, ondanks het succes van hun missie.

'Is dit het leven van een orc waard?' vroeg Alfré zich af. 'Laat staan zo'n dappere orc als Kestix?'

'Dat is wat we doen: ons leven riskeren,' bracht Struyk hem in herinnering. 'En er zijn wel orcs voor minder goede zaken gestorven.'

'Weet je zeker dat dit een goede zaak ís? Een stel voorwerpen verzamelen waarvan we niet weten waar ze voor zijn, voor een doel dat we niet kennen?'

'Dat moeten we geloven, Alfré. Ik weet zeker dat er een dag komt dat we zullen proosten op Kestix, en de anderen die zijn gevallen, als helden van een nieuwe orde. Maar vraag me niet wat voor orde dat is. Ik denk alleen dat het beter zal zijn.' Struyk wenste dat hij dat zelf geloofde. Hij had al moeite genoeg om niet te laten merken hoe vreselijk verantwoordelijk hij zich voelde voor de dood van hun kameraad.

Alfré zweeg en staarde naar de oorlogsbanier in zijn hand. Hij leek er troost uit te putten, wellicht om de eenheid die hij vertegenwoordigde. Of ooit vertegenwoordigd had.

Ze waren bijna in het zicht van het Droganwoud toen Jup riep: 'Kijk west!'

Er kwam een grote groep ruiters op hen af, en ze waren niet meer ver weg.

'Volgens mij zijn dat mannen van Hobrauw,' zei de dwerg.

'Krijgen we dan nooit even rust?' klaagde Coilla.

'Niet vandaag, zo lijkt het,' antwoordde Struyk. 'Opschieten!'

Ze spoorden hun paarden aan tot een galop.

'Ze hebben ons gezien!' riep Haskier. 'En ze komen er als de gesmeerde bliksem aan!'

Toen begon de achtervolging pas echt. De troep galoppeerde met een halsbrekende snelheid naar de dekking van het bos. Maar de bewaarders waren hardnekkig en wonnen langzaam terrein.

Struyk spoorde de Veelvraten aan en reed achter aan de rij. Toen sloeg de rampspoed toe. Terwijl de rest van de troep een hoek omging en uit het zicht verdween, kwam Struyks paard met een hoef in een konijnenhol terecht en struikelde. Struyk werd uit het zadel geslingerd. Terwijl hij overeind krabbelde, ging zijn paard ervandoor.

Hij draaide zich om toen hij denderende hoeven hoorde naderen.

Er kwam een meute bewaarders op hem af. Struyk zocht wanhopig naar dekking, maar zag niets wat voldeed. Hij trok zijn zwaard.

Er viel een enorme schaduw over hem heen.

Net boven hem zweefde een draak. Het dier klapwiekte en zorgde voor wervelwinden van zand en bladeren op de grond. De bewaarders waren doodsbang en hielden hun paarden in. Verschillende paarden stopten zo snel dat hun bewaarders uit het zadel vielen.

Struyk wist zeker dat het gedaan was met hem. Als het een van Jennesta's oorlogsdraken was, en dat moest wel, zou hij ieder moment in rook opgaan.

De draak landde tussen hem en de groep mensen in. Toen de draak op de grond stond, zag hij dat het Glozellan zelf was die in het zadel zat.

Ze stak een hand naar hem uit. 'Stap op, Struyk,' zei ze. 'Kom! Wat heb je te verliezen?'

Hij klom tegen de geschubde huid van het beest omhoog en ging achter haar zitten.

'Hou je vast!' riep ze, en toen gingen ze omhoog.

Ze stegen duizelingwekkend snel. Struyk keek naar beneden. Hij zag zilverachtige rivieren kronkelen, groene weiden, dichte wouden. Vanaf hier zag het land er mooi uit.

Hij probeerde de wind te overstemmen en Glozellan vragen te stellen, maar ze hoorde hem niet of negeerde hem. Ze vlogen naar het noorden.

Na ongeveer een uur naderden ze een berg. De draak vloog recht op een plateau af, en een paar minuten later landden ze erop.

'Stap af,' beval de nachtelf.

Hij gleed van de draak af.

'Wat is er aan de hand, Glozellan?' vroeg Struyk. 'Ben ik je gevangene?'

'Ik kan het nu niet uitleggen. Hier ben je veilig.'

Ze drukte haar hielen in de flanken van de draak, die weer begon op te stijgen.

'Wacht!' riep hij. 'Laat me hier niet achter!'

'Ik kom terug!' riep ze. 'Houd moed!'

Hij keek de draak na tot die nog maar een stipje was en vervolgens aan de horizon verdween.

Urenlang zat hij op de bergtop, te piekeren over wat er gebeurd was en te treuren over de verloren levens.

Nadat hij had vastgesteld dat het onmogelijk was om naar beneden te klimmen, haalde hij de sterren tevoorschijn en bestudeerde ze.

'Gegroet.'

Hij sprong op toen hij de stem hoorde.

Serapheim stond voor hem.

Struyk was met stomheid geslagen. 'Hoe kom je hier? Zat jij ook bij Glozellan op de draak?'

'Nee, mijn vriend. Hoe ik hier ben gekomen, is niet belangrijk. Maar ik wilde je mijn verontschuldigingen aanbieden omdat ik jullie in de val heb laten lopen bij die goblins. Dat was niet mijn bedoeling.'

'Het is uiteindelijk goed gekomen. Ik koester geen wrok tegen je.'

'Daar ben ik blij om.'

Struyk zuchtte. 'Niet dat het veel uitmaakt. Alles gaat mis. En nu ben ik mijn troep ook nog kwijt.'

'Niet mis, alleen maar een beetje scheef.' Hij lachte. 'Het belangrijkste is dat je niet moet wanhopen. Er is nog veel voor je te doen. Dit is niet het moment om het op te geven. Heb je het verhaal van de jongen en de sabelluipaarden wel eens gehoord?'

Nu lachte Struyk, al was het dan een beetje cynisch. 'Een verhaal. Nou ja, het doodt de tijd.'

'Er liep eens een jongen door het bos,' begon Serapheim. 'Toen kwam hij plotseling een gevaarlijke sabelluipaard tegen. De sabelluipaard zag de jongen. De jongen zette het op een lopen, met de luipaard op zijn hielen. Toen bereikte de jongen de rand van een klif. Er hingen lianen over de rand, dus liet hij zich daaraan zakken en liet het beest grommend van onmacht achter. Maar toen keek de jongen omlaag en zag hij beneden zich een even hongerige sabelluipaard op hem staan wachten. Hij kon niet omhoog en ook niet omlaag. Toen hoorde hij een krabbelend geluid. Hij keek omhoog en zag dat er twee muizen, een zwarte en een witte, aan de liaan knaagden waar hij zich aan vasthield. Maar hij zag ook nog iets anders. Aan één kant, bijna buiten zijn bereik, groeide een wilde aardbei. Hij rekte zich zo ver mogelijk uit, plukte de aardbei en stak hem in zijn mond. En weet je wat, Struyk? Hij had nog nooit zoiets lekkers geproefd.'

'Weet je, ik denk dat ik het bijna begrijp. Het doet me denken aan iets wat iemand die ik ken ooit zei... In een droom.'

'Dromen zijn goed. Je moet ernaar luisteren. Weet je, de magie is hier wat sterker. Misschien heeft het wel invloed op die dingen.' Hij knikte naar de sterren in Struyks hand.

'Hebben die zaken met elkaar te maken?'

'O, ja.' Serapheim zweeg even. 'Wil je ze aan mij geven?'

Struyk schrok op. 'Vergeet het maar.'

'Vroeger had ik ze van je kunnen afpakken, met gemak. En had ik dat misschien ook wel gedaan. Maar nu lijkt het erop dat de goden willen dat jij ze hebt.'

Struyk keek naar de sterren in zijn hand. Toen hij weer opkeek, was de man weg. Het was ongelooflijk.

Hij zou zich erover hebben verwonderd, maar nu trok iets anders zijn aandacht.

De sterren zongen voor hem.

ORCS 3 – HEREN VAN HET LICHT
VERSCHIJNT VOORJAAR 2006

Ze reden zo snel als harpijen uit de hel.

Jup draaide zich om in zijn zadel en keek achterom naar hun achtervolgers. Hij dacht dat het er zo'n honderd waren, vier of vijf eni's voor elke orc. Ze droegen zwarte kleding en waren zwaarbewapend, en ondanks de langdurige achtervolging leken ze niet minder fanatiek te zijn geworden.

Nu waren de voorste mensen dichtbij genoeg om hen in het gezicht te spugen.

Hij keek naar Coilla die naast hem reed, achter aan de troep. Ze boog zich voorover, haar hoofd laag en haar tanden verbeten op elkaar geklemd, haar paardenstaart wapperend als een rookpluim. De hoekige tatoeages op haar wangen benadrukten haar strenge gelaatstrekken.

Sergeant Haskier en Alfré galoppeerden in volle vaart voor Coilla uit. De hoeven van hun schuimbekkende paarden denderden over de koude grond en schopten klompen aarde los. De rest van de orcs waren aan weerskanten verspreid, allemaal met strakke gezichten en voorovergebogen tegen de wind.

Alle ogen waren gericht op de dekking van het Droganwoud verderop.

'Ze halen ons in!' bulderde Jup.

Als iemand behalve Coilla hem had verstaan, bleek dat nergens uit. 'Verspil geen adem!' riep Coilla met een blik op de dwerg. 'Opschieten!'

Ze was in gedachten nog bij het spektakel dat ze eerder hadden gezien, toen Struyk van zijn paard werd geworpen en werd weggevoerd op een oorlogsdraak. Ze moesten ervan uitgaan dat het een van Jennesta's draken was, en dat Struyk verloren was.

Jup schreeuwde weer en onderbrak haar mijmeringen. Hij wees met uitgestoken arm naar haar linkerkant. Ze wendde haar hoofd om. Er was een bewaarder naast haar komen rijden. Hij had zijn zwaard geheven en stond op het punt zijn paard met dat van haar in botsing te laten komen.

'Shit!' blafte Coilla. Ze trok hard aan de teugels en draaide haar paard bij. Zo won ze voldoende tijd om haar eigen wapen te trekken.

De man kwam op haar af. Hij zwaaide met zijn zwaard en brulde, maar zijn woorden gingen verloren in het gedender van de hoeven. Hij miste haar met zijn eerste slag, toen het zwaard net langs haar kuit scheerde. Zijn snelle tweede uithaal was hoger en dichterbij, en zou haar in haar middel hebben geraakt als ze niet een stukje uit het zadel was geschoven.

Coilla werd kwaad.

Ze draaide zich razendsnel om en haalde zelf uit. De man bukte, en haar wapen zoefde boven zijn hoofd langs. Hij pareerde met een uithaal naar haar borst, maar Coilla blokkeerde zijn zwaard. Hij probeerde het nog eens, en nog eens. Ze sloeg zijn aanvallen af terwijl hun wapens tegen elkaar kletterden.

De achtervolging werd chaotisch voortgezet. Ze kwamen in een klein ravijn, misschien zo breed als tien paarden. De grond vloog onder hen door in een waas van groen en bruin. Vanuit haar ooghoeken zag Coilla dat er nog meer mensen de troep naderden.

Ze reikte uit en sloeg weer met haar zwaard naar haar tegenstander. Ze miste, en ze viel bijna uit het zadel doordat ze zich te ver uitstrekte. Hij sloeg weer terug, en ondanks het gekletter van metaal vond geen van beide tegenstanders een opening.

De troep had kort respijt toen ze de rangen sloten, en Coilla wierp een snelle blik naar voren om te controleren of de weg vrij was. Dat was maar goed ook. De voorste ruiters weken uit- een voor een dode boom op hun pad, en stroomden eromheen als snelstromend water rond de boeg van een schip. Ze trok haar teugels naar rechts en leunde mee in de richting van het paard.

Ze galoppeerde rakelings langs de boomstam. Even zag ze heel duidelijk de structuur van de boombast. Een dode tak schraapte langs haar schouder. Toen was ze er voorbij.

Terwijl Coilla rechts om de boom was gegaan, was de mens die links gepasseerd. Maar het was een obstakel voor zijn kameraden. Het grootste deel van de groep kwam in een kluwen vast te zitten voor de boom, en even was hij alleen. Coilla was vastberaden om zich van hem te ontdoen en stuurde haar paard zijn kant op. Ze vervolgden hun gevecht terwijl het ravijn overging in een open veld.

Terwijl ze slagen uitwisselde met de man was ze zich bewust van de Veelvraten om haar heen, en van Jup die over zijn schouder naar haar keek. Tegelijkertijd maakte de grote groep bewaarders achter hen weer snelheid. Coilla besloot een gok te wagen. Ze liet haar teugels los en greep haar zwaard met beide handen vast. Het was riskant want ze kon vallen, maar die gok moest ze maar nemen.

Het bleek een goede beslissing.

Deze keer haalde ze met al haar kracht uit en raakt haar zwaard doel. Hij raakte de elleboog van de bewaarder en maakte een diepe wond; het bloed spoot eruit. Met een kreet liet hij zijn wapen vallen en greep naar de wond. Coilla haalde uit naar zijn borst en verbrijzelde zijn ribben, waardoor er een dikke straal bloed uit de borst van de man spoot. Hij zwaaide in het zadel en zijn hoofd wiebelde. Ze maakte zich klaar om nog een keer toe te slaan.

Dat was niet nodig. De gewonde man liet zijn teugels uit zijn handen glippen. Even stuiterde hij als een lappenpop ongecontroleerd op en neer in het zadel van zijn galopperende paard. Toen viel hij. Hij raakte de grond en rolde verder met flapperende armen en benen.

Voordat hij tot stilstand was gekomen, reed de rest van de bewaarders over hem heen. Sommigen van hen werden in de verwarring van hun paard geworpen en werden ook geplet. Er vormde zich een chaotische wirwar van schreeuwende mannen en paarden.

Coilla greep haar teugels en spoorde haar paard aan, met een heel stel ruiterloze paarden achter zich aan.

Ze bereikte de achterhoede van de vluchtende troep en zag dat Jup voor haar had ingehouden. Terwijl ze samen verder reden, hergroepeerde de vijand zich achter hen.

'Ze gaan het niet opgeven,' zei Jup.

'Dat doen ze toch nooit?' Ze keek uit over het landschap voor hen. Het werd moerassig. 'En dit is geen gemakkelijk terrein,' voegde ze eraan toe.

'We denken niet na.'

'Hè?'

'We kunnen ze niet naar Drogan leiden.'

Coilla fronste haar voorhoofd. 'Nee,' stemde ze in, met haar ogen op de bomen. 'Dat zou niet aardig zijn tegenover Keppataun.'

'Precies.'

'Wat dan?'

'Kom op, Coilla.'

'Verdomme.'

'Heb je een ander plan?'

Ze keek naar de mensen achter zich. Ze haalden hen in. 'Nee,' zuchtte ze. 'Laten we dat maar doen.'

Ze spoorde haar paard aan tot nog meer snelheid. Jup volgde. Ze baanden zich door de rijen knorren een weg naar voren, waar Alfré en Haskier reden. De drassige grond vertraagde hen, maar toch kreeg Coilla pijn in haar ogen van het voorbijflitsende landschap.

'Niet het bos!' riep ze. 'Níét naar het bos!'

Alfré begreep het. 'Een gevecht?' riep hij terug, met de wapperende banier van de Veelvraten in zijn hand.

Jup gaf antwoord. 'Wat anders?' riep hij.

'Een gevecht, ja!' zei Haskier. 'Orcs vluchten niet! We véchten!'

Dat was voldoende voor Coilla. Ze hield haar paard in. De anderen volgden haar voorbeeld. Achter hen kwamen de bewaarders snel aangalopperen.

Ze draaide zich om en bulderde: 'Houd stand! We pakken ze!'

Eigenlijk had ze geen recht om het bevel te geven. Jup en Haskier waren de hoogste officieren en een van hen had het bevel moeten geven, maar niemand dacht nu aan formaliteiten.

'Verspreiden!' blafte Jup. 'Vorm een rij!'

De vijand had hen bijna bereikt, en de troep gehoorzaamde snel. Ze haalden katapulten, werpmessen, korte speren en bogen tevoorschijn, al hadden ze maar vier speren en bogen voor de hele troep. Ze hadden voornamelijk korte messen en stenen voor hun katapulten.

De bewaarders kwamen joelend naderbij. Ze konden nu de individuele gezichten van de mensen zien, verwrongen van moordlust, en de dampende adem van de paarden. De grond trilde.

'Wachten!' waarschuwde Alfré.

Nu waren ze nog maar een steenworp van de orclinie verwijderd.

'Nu!' schreeuwde Jup.

De troep begon de karige wapens in te zetten. Er vlogen pijlen en stenen door de lucht.

Even was er chaos toen de groep mensen de teugels inhield. Er werden er verschillende uit het zadel geworpen en andere werden geraakt door pijlen en stenen. Hier en daar gingen schilden omhoog.

De tegenaanval kwam snel maar ongeorganiseerd. Er kwamen een paar pijlen en wat speren hun kant uit, maar zo te zien waren de bewaarders even slecht toegerust als de Veelvraten. De orcs die schilden hadden, brachten deze omhoog. De projectielen kletterden ertegenaan.

De munitie was al snel op, waarna de twee strijdende partijen elkaar verwensingen en uitdagingen toeriepen. De handen werden gevuld met wapens voor één op één gevechten.

'Ik geef het nog twee minuten,' voorspelde Coilla.

Ze had het mis. De mensen wachtten nog niet eens de helft van die tijd.

Gesterkt door hun grotere aantal kwamen de mensen plotseling vooruit, als een zwarte vloedgolf met stalen punten.

'Dit is het dan,' mompelde Jup duister terwijl hij een vlinderbijl uit de huls aan zijn zadel greep.

Haskier trok een breed zwaard. Coilla schoof een mouw omhoog en trok een mes uit de schede om haar arm.

Alfré stak de puntige banierstaak voor zich uit. 'Houdt stand! En houdt de flanken in de gaten!'

Als hij nog meer te zeggen had, ging dat verloren in de aanval.

De bewaarders kwamen door hun grotere aantal en mindere discipline als groep op de Veelvraten af, en zodoende liepen ze elkaar voor de voeten. Dit deed niets af aan de ongelijke verdeling, maar het gaf hun wel een paar seconden meer tijd.

Coilla probeerde een paar vijanden uit te schakelen voor ze haar bereikten. Ze gooide een mes naar de dichtstbijzijnde man. Het mes kwam in zijn luchtpijp terecht en hij stortte van zijn paard. Ze greep snel nog een mes en gooide dat onderhands naar de volgende, die ze in zijn oog raakte. Haar derde worp was mis en bleek ook de laatste. Nu waren de mensen te dichtbij en kon er alleen nog direct worden gevochten. Ze uitte een strijdkreet en trok haar zwaard.

De eerste strijder die Jup bereikte, betaalde daar een hoge prijs voor. Met een zwaai van zijn zware bijl spleet de dwerg zijn schedel, waardoor iedereen in de buurt werd onder gesproeid met bloed en botsplinters. Er naderden nog twee bewaarders. Jup dook onder hun zwaarden door, en haalde toen wijd uit met zijn bijl waardoor hij er een de hand afhakte en de ander in de borst raakte. Hij kreeg echter geen tijd om te rusten. De plaats van de gesneuvelde mensen werd meteen ingenomen door anderen. Jup viel hen aan, zijn verweerde, bebaarde gezicht verwrongen van inspanning.

Haskier had met een woeste slagenregen zijn twee eerste aanvallers uitgeschakeld. Maar de tweede man had bij het neergaan zijn zwaard uit zijn handen gerukt, waardoor hij nu zonder wapen tegenover de volgende vijand stond. De man had een hellebaard. Ze worstelden erom, de knokkels van hun handen wit, terwijl de punt met weerhaken heen en weer werd getrokken. Haskier verzamelde al zijn kracht en ramde het botte eind in de maag van de man, waardoor die zijn grip erop verloor. Met een handige beweging draaide Haskier het wapen om en stak toe. Nadat hij de hellebaard had losgerukt, kon hij hem weer op een andere bewaarder gebruiken. Helaas kronkelde zijn volgende slachtoffer zo hevig dat de stok van de hellebaard brak, waardoor Haskier niets anders in zijn handen had dan een nutteloos stuk hout.

Toen gebeurden er twee dingen tegelijk. Er kwam nog een man met een blikkerend zwaard op hem af. En een verdwaalde pijl uit de chaos raakte Haskier in de onderarm.

Hij gaf een kreet, meer van woede dan van pijn, en trok de bebloede pijl uit zijn arm. Hij hield hem in zijn hand en sprong vooruit, en gebruikte hem als een dolk op het gezicht van een bewaarder. De man was afgeleid, waardoor Haskier hem zijn zwaard kon afpakken en hem daarmee doorboren. Zijn plek werd onmiddellijk door een andere mens ingenomen. Haskier vocht door.

Alfré gebruikte liever een bijl dan de banier voor een handgevecht, en hanteerde zijn wapen met dodelijke precisie. Maar eigenlijk kostte het hem bijzonder veel moeite om zich staande te houden. Hoewel hij de moordlust van een orc had, begon zijn leeftijd hem op te spelen. Maar ondanks zijn verminderde uithoudingsvermogen deed hij nog voor niemand onder in een gevecht. Voorlopig.

Hij keek uit over het strijdgewoel en zag dat hij niet de enige was die er moeite mee had. De hele troep stond op het punt het onderspit te delven. Vooral aan de flanken waren de gevechten fel, waar de vijand probeerde door de rangen te breken. De Veelvraten hadden dan misschien geen andere keus dan het gevecht aan te gaan, maar het bleek toch te veel. Ze raakten gewond. En hoewel er tot nu toe nog niemand van hen was gesneuveld, zou dat niet lang meer duren.

Hoewel Alfré slechts korporaal was, stond hij op het punt het protocol te doorbreken en zelf het bevel te roepen. Jup was hem voor, en zei de woorden die geen enkele orc gemakkelijk over zijn lippen kreeg.

'Terugtrekken! Terugtrekken!'

Het bevel verspreidde zich snel onder de rangen. Knorren braken haastig hun gevechten af en trokken zich terug. De gevechten veranderden weer in een vlucht. Maar de bewaarders, die dachten dat het een truc was, stonden niet te springen om weer achter de orcs aan te gaan. De orcs wisten echter dat het respijt tijdelijk zou zijn.

Met pijnlijke armen van het vechten trok Coilla zich terug met de rest, waardoor er weer ruimte tussen de partijen ontstond. De Veelvraten bewogen zich dichter naar elkaar toe.

Ze reed naast Jup. 'Wat nu? Weer vluchten?'

'Echt niet,' hijgde de dwerg.

Coilla haalde een hand over haar wang, en er kwam bloed af. 'Dat dacht ik al.'

Hun tegenstanders bereidden zich voor op een laatste aanval.

Alfré zei: 'We hebben er behoorlijk wat te pakken gehad.'

'Niet genoeg,' zei Haskier nors.

Enkele van de knorren riepen binnensmonds de orcgoden aan om hun wapens te sturen. Of hun dood heldhaftig en snel te laten zijn. Coilla vermoedde dat de mensen hun eigen goden op dezelfde wijze aanriepen.

De bewaarders kwamen op hen af.

Er klonk een hoge fluittoon en er zoefde een schaduw over de Veelvraten. Ze keken omhoog en zagen iets wat leek op een zwerm langgerekte insecten in de hemel. De donkere wolk had het hoogste punt bereikt en kwam nu omlaag in de richting van de vijand.

De voorhoede van de bewaarders werd geraakt door honderden pijlen. Ze boorden zich in de opgeheven gezichten, borsten, armen, benen en dijen. De pijlen hadden zo'n hoge snelheid dat ze dwars door helmen en viziers drongen. Hun schilden hadden net zo goed van papier kunnen zijn. Doorboord door ontelbare pijlen gingen mannen en paarden massaal onder in een worstelende, bloederige chaos.

Er kwam een grote strijdmacht vanuit het bos vandaan gedenderd, en terwijl de Veelvraten toekeken vuurden ze nog een dodelijke wolk op de mensen af. Het hoge traject van de pijlen ging ruim over de Veelvraten heen, maar toch doken ze instinctief in hun zadel ineen. Wederom sloeg de dood meedogenloos toe onder de mensen en ontstond er nog meer bloedvergieten en chaos.

Terwijl hun bondgenoten naderden, konden de orcs zien wie het waren.

Alfré hield zijn hand boven zijn ogen en tuurde naar de versterking. Toen riep hij: 'Keppatauns stam!'

Jup knikte. 'Goeie timing.'

Het legertje van centaurs was minstens even groot als dat van de mensen. En ze zouden binnen enkele minuten bij hen zijn.

'Wie voert hen aan?' vroeg Alfré zich af.

De troep verwachtte niet dat de lamme Keppataun zelf de leiding zou hebben.

'Gelorak, zo te zien,' zei Jup.

De gespierde bouw en opvallende kastanjebruine haren van de jonge centaur waren nu duidelijk te zien.

Haskier was net klaar met het wikkelen van een stuk vuile doek om zijn wond. 'Waarom praten als er nog meer te vechten valt?' gromde hij.

'Je hebt gelijk,' zei Coilla, die zich van de troep losmaakte. 'Grijp die klootzakken!'

De rest van de Veelvraten liet zich dat geen twee keer zeggen.

De bewaarders waren behoorlijk geraakt door de storm aan pijlen, en dode en gewonde mensen lagen overal verspreid. Tussen hen door liepen paarden en gewonden en de bewaarders die nog in het zadel zaten, leken doelloos rond te rijden. Ze waren een gemakkelijke prooi voor een wraakzuchtige strijdtroep.

De orcs waren nog niet bij de mensen aangekomen om hun strijd voort te zetten, toen de centaurs hen bereikten. Met knuppels, speren, korte bogen en kromme dolken maakten ze het af. De rest van de bewaarders maakte zich al snel uit de voeten, achtervolgd door een bende snelle centaurs.

Uitgeput en vuil van de gevechten keek Coilla hen na. De plaatsvervangend hoofdman van de Droganstam draafde naar haar toe en stak zijn zwaard weg. Hij krabde een paar keer met zijn hoeven over de grond.

'Bedankt, Gelorak,' zei ze.

'Graag gedaan. We zitten niet te wachten op die ongewenste gasten.' Hij wapperde met zijn gevlochten staart. 'Wie waren dat?'

'Gewoon een stel mensen die hun god van de liefde dienden.'

Hij lachte droogjes en vroeg: 'Hoe ging jullie onderneming in het Pitsteenmoeras?'

'Goed en niet zo goed.'

Gelorak bekeek de rest van de Veelvraten. 'Ik zie Struyk niet.'

'Nee,' antwoordde Coilla zachtjes. 'Dat klopt.'

Ze tuurde naar de donker wordende hemel en probeerde haar wanhoop te onderdrukken.